...пом написни
...жко па
...оввч
...ив с отцом,
...сь ласками

Ольга
Аросева

Ольга Аросева
Прожившая дважды

Астрель
Москва

УДК 821.161.1-94
ББК 84(2Рос=Рус)6-4
        А84

Оформление обложки:
Василий Половцев
дизайн-студия «Графит»

Автор выражает благодарность Н.М. Аросьевой
за помощь в подготовке дневников А.Я. Аросева

В книге использованы фотографии из домашнего архива
О.А. Аросевой

Аросева О. А.

А84   **Прожившая дважды** / Ольга Аросева. — М.: Астрель,
      2012. — 381, [3] с. : ил., [32] вкл.

      ISBN 978-5-271-41103-8

«Я — артистка театра, всю свою жизнь собирала по крупицам то,
что касалось жизни моего отца, и в XXI веке прочла его мысли, пережила его страдания. Уходить в прошлое трудно, тяжело все переживать заново.

Книга жизни моего отца захлопнулась на сорок седьмом году, а
его дневники открыли мне, как тяжелы были его последние годы, как
он один прошел свой путь на голгофу — пережил крушение веры и,
что самое страшное, пережил предательство друзей и непонимание в
семье. К сожалению, мы, дети, ничем не могли ему помочь, потому
что были слишком малы.

Сейчас я почти в два раза старше отца, и читая написанное им,
заново осмыслила свою детскую трагедию и детскую боль, она, моя
теперешняя оценка тех дней, стала глубже и объемнее.

Прожив еще раз свою жизнь, я с огромной любовью посвящаю
эту книгу отцу».

Ольга Аросева

УДК 821.161.1-94
ББК 84(2Рос=Рус)6-4

ISBN 978-985-18-1293-2
(ООО «Харвест»)

ПРЕДИСЛОВИЕ

Писать историю нашей страны очень трудно, потому что в течение сравнительно небольшого отрезка времени, в течение одной человеческой жизни произошло столько перемен, столько поменялось правительств, идеологий. Часто происходящее описывалось исходя из того, что требовал текущий момент. В связи с этим особенно важны и ценны свидетельства людей, которые принимали непосредственное участие в тех или иных событиях. Они, эти свидетельства, позволяют и через многие годы узнать и понять, что и как было в действительности.

Прочитав дневники отца, я поняла, что он писал не для историков-исследователей, а для нас, детей. Он хотел, чтобы мы знали, что он чувствовал, что переживал. Мне довелось во второй раз прожить свою жизнь и второй раз перевернуть самую трудную страницу в моей жизни и жизни нашей страны — тридцать седьмой год, арест отца, его уход из жизни.

Отец вступил в партию в 1907 году. За революционную деятельность его исключили из реального училища. Во время царского режима он четыре раза был в ссылках, три раза сидел в тюрьме. Будучи прапорщиком царской армии, привел на сторону революции солдат, был начальником Штаба московского военно-революционного комитета в 1917 году. Он происходил из богатой семьи и в революцию пришел по идейным соображениям, революционную борьбу считал самым главным делом своей жизни. Отец был романтиком. За революционную деятельность сына его мать в сорок семь лет была расстреляна белогвардейцами. Его отец, тоже в сорок семь лет, расстрелян той властью, которую сын так яростно защищал в молодые годы.

Сейчас я почти в два раза старше отца, я досмотрела до конца эту жуткую историю, знаю, чем все закончилось, была свидетелем переоценки исторических событий: развенчания культа личности, осуждения массового уничтожения интеллигенции и партийного ядра. Читая написанное отцом, я заново осмыслила свою детскую трагедию и детскую боль, она, моя теперешняя оценка тех дней, стала глубже и объемнее.

Уходить в прошлое трудно, тяжело все переживать заново. Но я рада, потому что мне приоткрылось, из чего складывалась внутренняя жизнь людей того времени.

На сорок седьмом году захлопнулась книга жизни моего отца, а дневники открыли мне, как тяжелы были его последние годы, как он один прошел свой путь на голгофу — пережил крушение веры и, что самое страшное, пережил предательство друзей и непонимание в семье.

К сожалению, мы, дети, ничем не могли ему помочь, потому что были слишком малы.

Сейчас, прожив еще раз свою жизнь, я с огромной любовью посвящаю эту книгу отцу.

Ольга Аросева

Глава 1
СЧАСТЛИВОЕ ДЕТСТВО

Мама ушла от нас, когда мне было пять лет, а отца я лишилась в одиннадцать лет. В моей памяти долгие годы жили только какие-то смутные отрывки — запахи, слова, взгляды, но целиком представить себе картину детства я смогла, будучи уже взрослым человеком, когда получила дневники отца. Прошлое надвинулось и чуть не раздавило меня. Так бывает в самолете. Однажды мне довелось побывать в кабине летчика. В момент приземления я почувствовала, будто самолет не летит вниз, а земля как бы встает и надвигается на тебя.

Тридцатые годы. Злата Прага, город в самом центре Европы. Вацлаво наместье (площадь Святого Вацлава) идет вверх, на Винограды, видимо, там, на холмах, раньше были виноградники. Это элитный, аристократический район Праги. На маленькой улочке, она называлась Итальска, прекрасный парк, Ригровы сады, рядом особняк — вилла «Тереза». В это красивейшее здание, окруженное большим высоким забором, в 1929 году въехала наша семья — мой отец Александр Яковлевич Аросев, молодой дипломат, назначенный полпредом в ЧССР, я и мои сестры Наталья и Елена. Некоторое время вместе с нами жил Антонов-Овсеенко[1]. Вообще,

---

[1] В.А. Антонов-Овсеенко — советский государственный деятель, один из организаторов Красной армии. С 1924 г. — полпред в Чехословакии, Литве, Польше. (*Здесь и далее примеч. автора.*)

судьбы этих двух людей странным образом пересекались, даже смерть они приняли вместе в подвалах НКВД.

Вилла «Тереза»... У входа в сад росли розовая и белая магнолии, я помню их запах, помню, как пахли какие-то цветы, которые росли в воде бассейна. Помню большую тую и огромный каштан.

Отец уделял нам очень много времени, устраивал такие игры, которые я до сих пор вспоминаю. В саду мы очень любили играть в индейцев. У нас было полное индейское снаряжение, все эти перья, стрелы, лук подарил нам артист, который в цирке играл индейского вождя и делал разные фокусы. Папа устроил имитацию индейского селения и прятался там, а мы должны были найти его и взять в плен. Было много всяких других игр, театрализованные истории — семейная традиция, идущая от деда отца, у которого была своя труппа, он ездил с ней по городам и весям. Отец часто водил нас в театр. Там, где мы жили, был театр, его так и называли «театр на Виноградах». Туда приезжал Бертольт Брехт, и мы смотрели его «Трехгрошовую оперу». Я была так потрясена этой пьесой, что взяла у старшей сестры ботинки и, изрезав пальто, сделала себе наряд нищей, выучила партию Полли Питчем на немецком языке и пела ее. Первым моим зрителем был истопник Цуц, ему понравилось мое выступление, он хлопал в ладоши. Может быть, он-то и пробудил во мне жажду успеха.

Старшая сестра Наташа часто брала нас на антифашистские демонстрации, и мы пели непристойные куплеты про Гитлера. Однажды нас даже забрали в полицию, а потом привели к отцу. Бедный папа очень страдал из-за нашей самодеятельности.

Брехт — не первое мое театральное впечатление. Еще будучи в Вене, папа отвел меня в театр на утренник, где шла пьеса, название которой в переводе — «Потерянное сердце». Тогда я и потеряла свое сердце, но на всю жизнь моя душа обрела любовь к театру.

Я это помню, тот венский спектакль. Правда, сестры потом говорили, что этого не может быть, ведь мне было всего пять лет, что моя память сохранила их рассказы. Но нет, я действительно помню — помню декорации, сюжет и свои ощущения.

Папа очень поддерживал нашу любовь к театру, а еще он любил водить нас в рестораны, у нас были специальные «парадные» наряды — красные шерстяные платья с большими белыми вязаными воротниками, серебряными пуговицами, белые шерстяные чулки в резинку и лакированные полуботинки. Нам нравилось наливать разные напитки в фужеры, слушать музыку и чувствовать себя взрослыми дамами.

У нас было все, но не было одного — у нас не было мамы. Мы не понимали тогда всю глубину этой трагедии личной жизни отца. Нам говорили, что мама в каких-то таинственных командировках. Время от времени она появлялась у нас. Я помню ее всегда трагические глаза, наполненные слезами, когда она прижимала мою голову к себе, помню ее дрожащие руки. Но тогда казалось, что все в порядке, ведь мама приезжала. Оказывается, родители переживали огромную драму. У мамы был человек, которого она очень любила. Он тоже ради нее бросил семью с тремя детьми. Но так получалось, что они жили вместе урывками. Мама, естественно, любя нас, своих трех дочерей, иногда пыталась вернуться к отцу, и он ее принимал. Теперь я понимаю, он очень ее любил. Мама действительно хотела быть с нами, но любовь к этому человеку ее все-таки звала, и она уезжала. Последняя попытка вернуться в семью была в Праге. Мама приехала к нам, играла с нами, занималась, мы были счастливы, но ей становилось все хуже и хуже. Это уже потом она мне рассказала, что она чуть не умерла, потому что папа запретил посольской почте отдавать ей письма от этого человека. Но когда он увидел, как она страдает, пожалел ее и сказал: «Не плачь, он тебе пишет каждый день». И отдал большую пачку писем. Мама, взяв эти письма, простилась с нами и уехала. Навсегда.

А нам опять сказали, что она приедет, что это снова какая-то командировка. И мы не чувствовали всей тяжести трагедии, снова оставшись с няней. Отец вывез ее из Швеции, где был послом. Звали няню Бленда, она нас очень любила и, будучи религиозной, отвела меня и Лену в церковь на конфирмацию. Когда я пошла в первый класс, оказалось, что перед занятиями дети читали молитву «Gott im Himmel sei mir bei Dass ich recht gut und fleissig sei»[1]. Советским детям было запрещено ее читать. Все читали молитву стоя, а я сидела и сгорала со стыда, но потом поднялась и читала молитву со всеми. Учительница подошла ко мне, погладила по голове. Я это скрыла от отца и очень переживала, так как всегда ему говорила всю правду.

Отец был очень общительным и смысл своей дипломатической работы понимал так: самое главное — человеческие контакты. Нужно сказать, отец был прекрасным пропагандистом.

Боже мой, кто только не бывал у нас на вилле «Тереза»! Передовая интеллигенция Запада интересовалась молодым советским государством, и у нас устраивались приемы. Для чаепития с самоваром отец привозил из Москвы халву в больших жестяных круглых коробках и икру — в голубых. Весело, непринужденно, демократично, всегда очень интересно рассказывал он пришедшим о своей любимой родине. Широкая натура отца сделала эти приемы очень популярными. Мы, дети, выбегали смотреть на знаменитых людей. Там была, например, чешская писательница Мария Пуйманова. Впоследствии Наташа, моя старшая сестра, ее переводила, став переводчиком с чешского. Приходили чешские коммунисты, был Бенеш — премьер-министр Чехословакии. Бывал у нас Георгий Ди-

---

[1] «Боже на небе, помоги, чтобы я не ленивой была» *(нем.)*.

митров, который приехал после судебного процесса, и оттуда, из Праги, отец переправил его в Россию.

Иногда папа знакомил нас с кем-то из гостей, а иногда мы просто подглядывали со второго этажа: приемы
проходили на первом, в красивом зале, отделанном дубом.
Мы всегда ждали, когда кончится прием и отец в смокинге поднимется к нам, чтобы поцеловать на ночь. Иначе мы
не засыпали.

Отец любил литературу, сам пытался сочинять, но у него не хватало времени — все его время было занято все-
возможными чиновничьими и посольскими делами. О деятельности отца в своих воспоминаниях много писал Че-
стнер Аморт, чешский историк. Чехам нравилось, что
нашу страну у них представляет такой неформальный, интересный человек, как Александр Аросев. Отец встречался с русской писательской эмиграцией, которая была довольно многочисленна в Праге. Часто ездил по стране и
нас брал с собой, например в Карловы Вары, Марианские
Лазни и другие известные курортные места. Однажды, кажется, в Яловищах, это недалеко от Праги, мы отдыхали
в маленьком отеле. Как-то гуляли в лесу, я спряталась и
хотела неожиданно выбежать навстречу отцу, но упала и
ударилась головой о камень. Лицо все в крови, кричу — и
слышу выстрелы. Оказывается, у отца был пистолет. Увидев мое окровавленное лицо, он подумал, что на меня на-
пали. Из-за своей шалости я чуть не лишилась глаза, шрам
над правой бровью остался на всю жизнь.

Это счастливое время, когда отец был всегда и всюду с
нами, неожиданно кончилось. В наш дом вошла беда в лице Гертруды Рудольфовны Фройнд. Моя старшая сестра Наташа захотела попробовать себя в танцах, и ее отдали в ба-
летную школу. Там обучали не классическому балету, а тому направлению, которое открыла Айседора Дункан. В этой
школе преподавала молодая женщина, Гертруда Фройнд, в
которую отец, очевидно, влюбился. Я никогда в жизни не
посмела бы его осуждать, ведь он всего себя отдавал нам,

детям, а ему было всего-навсего сорок два года. Теперь я понимаю, как он был одинок, как страдало его мужское самолюбие оттого, что от него ушла жена, оставив детей. В общем, он женился на этой девице, которая приложила все силы, чтобы влюбить в себя отца своей ученицы. Я бы не сказала, что она казалась красавицей, но у нее была идеальная фигура, золотисто-рыжие волосы, зеленые очень близорукие глаза (она ходила в очках).

Скоро стало ясно: ее, мещанку из маленькой квартирки в Праге, соблазнило великолепие виллы «Тереза». Она думала, что все это принадлежит отцу, что он очень богатый человек. Мы, дети, возненавидели ее сразу, возненавидели страстно, так как в отличие от нее очень любили его. Уже взрослой я нашла разрозненные листки записных книжек, в них есть записи о тех моментах, когда Гертруда приходила к нам в дом и они с отцом уединялись в его кабинете. «Мой сероглазый любимец (это я, у меня одной были серые глаза, в папу, у остальных глаза были карие) все время сидит в моем кабинете, не уходит. Бедный ребенок не понимает, что он здесь лишний, что мне хочется остаться с Гертрудой наедине». Вот тут папа ошибался, «бедный ребенок» знал, что делал, нарочно, сознательно не уходил из комнаты, потому что его детское сердечко чувствовало беду.

Уже будучи взрослой, я поняла, что значило для девушки из мелкобуржуазной семьи попасть в то время в Россию: отца сразу, как только он женился на чешке, отозвали в Москву. И это его очень обрадовало, он любил Москву, скучал по родине.

А Гертруду приезд в Москву разочаровал. Она поняла, что катастрофически ошиблась. После прекрасной Праги и роскошного особняка она очутилась в стране, где продукты были по карточкам, где электропечку для обогрева жилья можно было приобрести только с разрешения ЦК. Она возненавидела нас, отца, страну, все время требовала каких-то материальных благ, которые отец не мог ей дать.

Мы были свидетелями, да и в дневниках отца описано, как она устраивала скандалы, почему он не принес с приема апельсины, почему не принес бутерброды. Он ей терпеливо объяснял — он председатель ВОКСа[1], он не может воровать бутерброды. Гертруда продолжала устраивать скандалы по всякому поводу.

Мы с ней мало общались, она отказалась жить с нами и, слава богу, жила в соседней квартире. Иногда мы вместе кушали, так она и тут скандалила. Однажды заявила, что папа положил себе лишние пельмени. Кончилось тем, что он попросил домработницу класть ему в тарелку столько, сколько положено... Она ругала домработницу, зачем та заварила свежий чай, когда можно было пить вчерашний. Отцу все это было непонятно и тяжело. Он был широкий, хлебосольный человек, очень щедрый. Помню, из Казани приехала какая-то женщина, он отдал ей бидон сливочного масла — время было голодное. Боже мой, какой был крик, как Гертруда негодовала. А ведь у нас, в общем-то, было все, мы не голодали: у папы — кремлевский паек, обеды из столовой на улице Грановского.

Отец ужасно страдал из-за ее мелочности и, главное, из-за ее дикой нелюбви к нам. Он-то хотел, чтобы его вторая жена стала бы нам если не матерью, то подругой или старшей сестрой.

Родители Гертруды были очень симпатичными людьми. Ее мать понимала, что наш отец хотел для своих детей кого-то, кто мог бы присматривать за ними. Желая помочь, она даже ездила с нами в Австрию летом, в качестве то ли няни, то ли родственницы. Я сохранила о ней очень хорошие воспоминания. Спустя много-много лет она, очевидно, посмотрев картину «Урок жизни», где я снималась, написала письмо, в котором спрашивала, не та ли я Оля Аросева, которую она знала в детстве как дочку Александра Яковлевича Аросева? И если та, не знаю ли я что-ни-

---

[1] ВОКС — Всесоюзное общество культурных связей с заграницей.

будь о судьбе ее внука Дмитрия. Заканчивалось письмо очень трогательной фразой, которая по-чешски звучала так: «Поможите, чем можно». Я помогла, чем могла. Она хороший человек, но я не стала ей писать, тогда было такое время, мы всего боялись. Я сказала тому человеку, который привез письмо, чтобы он передал ей, что ее внук жив и пусть она официально обратится в МИД с просьбой найти его и устроить свидание. Она разыскала Дмитрия, они встретились. Потом он несколько раз приезжал к ней в Прагу.

Что говорить, мы были не самые идеальные дети — и шалили, и не слушались, но Гертруда вела себя так, что мы многое делали ей назло. Сейчас я не вправе ее судить, Бог ей судья. Я понимаю, что она очень обманулась, попала не в ту среду, в какой рассчитывала быть.

В нашу жизнь она принесла много горя, в конце концов, испортила нам детство, из-за нее арестовали отца. Но и она попала в страшную воронку истории нашей страны — была арестована, но впоследствии реабилитирована.

Почти каждый год я бываю в Чехии, езжу для лечения в Карловы Вары, и, конечно, до недавнего времени старалась посещать дом моего детства, где теперь находится российское АПН. Там меня все знают, охотно принимают и даже разрешают подняться на второй этаж в мою спальню, хотя сейчас в ней стоит аппаратура. Прошлым летом это было, к сожалению, в последний раз. Приехала наследница из Америки, внучка той самой Терезы, чья скульптура стояла в саду и подвергалась обстрелу наших индейских стрел. Когда ее спросили, почему она не воспользовалась машиной посольства, которую ей предоставили, она ответила: «Я хотела поехать на такси, назвать адрес — Итальска уличка, вилла «Тереза» и убедиться, что водители знают, где находится этот дом». Она помнит его с детских лет, помнит, что туда приходили писатели, художники, композиторы. Тереза, очевидно, была светской женщиной. Вот что ее внучка написала, в частности, в своем интервью: «Да, да, Тереза... Она почти двадцать лет жила одна, к ней приезжали дети, внуки. Многое ушло из моей памяти. Меня увезли отсюда маленькой девочкой, но этот дом я и моя сестра хорошо помним. Фонтан, большой каштан, вспоминаю, как по саду гуляла коза...»

Как все совпадает с моими воспоминаниями, вот только козы у нас в саду не было.

По законам реституции Чехии наследникам вернули дом, который в двадцатые годы прошлого столетия ее бабушка отдала в бессрочную аренду Советскому государству.

В 2008 году меня впервые туда не пустили. Я долго звонила в знакомый с детства звонок на воротах. Наконец сторож, узнавший меня, открыл их и сказал, что в доме идет ремонт. Пока я гуляла по саду, он нарвал для меня букет роз. Вилла «Тереза» навсегда останется в моей памяти родным домом, хотя именно из этого дома начал свой путь на голгофу мой отец.

Глава 2
РЕВОЛЮЦИОННАЯ ЮНОСТЬ ОТЦА

Как я уже говорила, отца отозвали в Москву вскоре после женитьбы на Гертруде Фройнд, и он был очень рад возвращению на родину. Его революционная деятельность начиналась в Казани, родном городе его семьи. На огромном холме, на высоком берегу Волги, стоит Кремль. К нему ведет улица Воскресенская. Воскресенская она называлась раньше, до революции, потом стала улицей Ленина, а теперь Кремлевской. Четвертый дом от Кремля — дом моего деда, Якова Михайловича Аросева.

Вот что я узнала из документов казанского архива. Дед числился цеховым портным Казани, то есть был человеком, который входит в ремесленный цех, хотя в семье считали, что он был купцом. У него было много работников, дело приносило дохода поболее, чем у других мастеров. Возможно, поэтому все и считали его купцом. Умер он в возрасте сорока восьми лет от паралича в губернской земской больнице Казани, похоронен на Арском кладбище.

Бабушка — Мария Августовна — работала учительницей. После смерти моего деда второй раз вышла за человека, связанного с революционным движением. Она очень сочувствовала революции и была расстреляна белогвардейцами, не выдав мужа, который был «красный».

Мой отец, Александр Яковлевич Аросев — 25.05(7.06.) 1890 — 10.02.1938, очень рано увлекся революционными идеями и стал одним из вдохновителей образования

16

РСДРП в Казани вместе с Молотовым, с которым учился в реальном училище. Департамент полиции заприметил его еще в 1909 году. Четырежды ему пришлось сидеть в тюрьме, трижды — в ссылке. Не раз бежал. Во время Октябрьских событий 1917 года был начальником штаба революционных сил в Москве. Потом работал по линии внешнеполитического ведомства — был послом в Швеции, Латвии, Литве, Чехословакии, по возвращении в Москву, будучи человеком широко образованным, получил назначение на должность председателя Всесоюзного общества культурных связей с заграницей.

В юности у отца было три друга — Вячеслав Молотов (тогда его фамилия была Скрябин), Николай Мальцев[1] и Виктор Тихомиров[2]. С Вячеславом Скрябиным-Молотовым отец учился в одном классе реального училища, а поскольку Молотов был из города Нолинска, то снимал комнату в доме моей бабушки. С юных лет и до конца дней они дружили, хотя по-разному складывалась их жизнь.

В 1905 году, всего пятнадцати лет от роду, отец стал участником революционных событий. Когда рабочие демонстрации пошли к Казанскому кремлю, на них с нагайками двинулась конница. Пришлось прятаться в ближайших дворах.

В одной из своих первых книг, которая называлась «Казанские очерки о революции 1905 года» и вышла в 1925 году, отец подробно описывает, как проходили стачки и демонстрации в его родном городе, о том, как ему помогала мать.

«Из нашего двора, который, как и Воскресенская улица, расположен на горе, был сделан подземный спуск, который кончался воротами, выходившими в маленький, так назы-

---

ваемый Вшивый переулок. Таким образом, двор наш был проходной, но об этом мало кто знал... Мы воспользовались моментом затишья, я, спустившись в подземелье, открыл ворота во Вшивый переулок и вывел первую партию в двадцать восемь человек из осажденного квартала. Затем ко мне на помощь пришла моя мать, и мы вместе с нею организовывали через окно эвакуацию осажденных. Я встречал вылезавших из окна и провожал их через подземный ход во Вшивый переулок». Дед мой, страшный реакционер, закрывал ворота, чтобы не пропустить забастовщиков, а папа со своей матерью открывали их и даже дрались с дедом, чтобы пропустить рабочих через свой двор. Такими бурными были семейные политические разногласия. Сталкивались два противоположных представления о мире.

Мой отец рано поверил в революцию, в ее идеалы и был очень деятельным. В последнем классе реального училища его арестовали — это была его первая ссылка, там познакомился со многими деятелями революции.

В 1917 году, будучи прапорщиком царской армии, он привлек войска на сторону революции и стал начальником штаба ВРК — Военно-революционного комитета в Москве. Он делал революцию, как он сам писал: «Отчаянно и скромно, своими руками и ногами...» В Музее революции есть приказ об обстреле Кремля, подписанный отцом:

«Приказ Московского ВРК об артиллерийском обстреле Кремля 31 октября 1917 года.

Мастерским тяжелой осадной артиллерии:

1. Боевая задача: обстрелять Кремль, для этого выбрать, занять позицию и немедленно приступить к обстрелу.

2. Пришлите немедленно возможно большее количество ручных гранат.

Начальник боевыми операциями штаба член ВРК А. Аросев».

А вот как пишет об этой истории Полина Виноградская[1]:

«В тот день, забежав на минутку в штаб, я увидела Аросева, сидевшего спиной к двери, в шинели, накинутой на плечи, и отчаянно кричавшего в телефонную трубку. В ответ какое-то гудение. Разъяренный Аросев кладет трубку и отпускает несколько крепких словечек... Обернувшись и заметив меня, он, смущенный, объясняет: "Понимаете, не слушаются! Вошли во вкус и палят по чем попало. Вот и Демидов из штаба Красной гвардии Лефортовского района... Приказываю ему прекратить пальбу, а он прикидывается глухим. Пришли, говорит, письменное распоряжение, да не с машиной, а с лошадью. Каков? А?!"»

Папа рассказывал, как в солдатской шинели с пистолетом в руке он защищал Москву от юнкеров и эсеров. Мы привыкли видеть его в смокинге, во фраке, и никак не могли представить в солдатской шинели.

Большую часть своей жизни отец прожил за границей.

Вернувшись в Москву, он застал совсем другую картину. Его друзья юности — Вяча (Молотов), Климушка (так он называл Ворошилова), с которыми вместе бежал из ссылок, стали совсем другими. Это были вожди. Они сидели в Кремле, за крепкими стенами, окруженные заслоном из чиновников-подхалимов. Отец оказался в полном одиночестве. Прожив много лет за границей, он встретился с трудностями, которые просто не мог понять. Он не понимал, почему, чтобы купить колбасы, нужно взять какую-то карточку ГОРТ[2] и о ней нужно хлопотать в правительстве. Чтобы купить печку в холодную квартиру, нужно специальное решение чуть ли не Совнаркома (наркома торговли). В общем, он был совершенно неподготовлен к реалиям новой жизни, где всюду натыкался на глухую стену умоотупляющей канцелярии. В бриджах, в берете

---

[1] П.С. Виноградская — прозаик и публицист. В октябрьские дни — технический секретарь Московского ВРК.

[2] ГОРТ — Государственное объединение розничной торговли Наркомата снабжения РСФСР.

он, естественно, не вписывался в окружающую среду. И очень страдал. Жена-иностранка, трое детей, а у него поначалу ни квартиры, ни работы. Да к тому времени Гертруда родила сына, нашего брата Дмитрия. Он пытался узнать — в дневниках есть неотправленное письмо Сталину, — почему его окружает такая стена отчуждения.

Вскоре нам дали четырехкомнатную квартиру в Доме на набережной, но вторая жена отца отказалась с нами жить, и мы опять на какое-то время оказались бездомными детьми. Папа возил нас то в дом отдыха, то в гостиницу, то еще куда-нибудь. Сохранились мои первые стихи об этом времени. Вот они:

> Я маленький пупырыш,
> Куда везут опять?
> Я маленькая девочка,
> Хочу, хочу я спать.

На бедного папу с двух сторон давили моя мама и вторая жена с одним и тем же требованием. Видя нашу неустроенность, мама совершенно справедливо просила отдать нас ей. Она уже жила с новым мужем, замечательным человеком, который был готов нас принять. Вторая жена отца тоже хотела, чтобы мы жили со своей матерью. Отец же отвечал и той и другой, что дети будут жить с ним, что он никому не отдаст нас. Этот период нашей кочевой жизни и невостребованность отца были очень тяжелыми.

К счастью, вскоре отец получил назначение на должность председателя ВОКСа и мы поселились в казенных комнатах на Большой Грузинской. Вторая жена с сыном жили в Доме на набережной. Все как будто устроилось.

Так казалось тогда нам, детям. И только став взрослой, я поняла, чего все это стоило моей маме.

Моя бедная любимая мама, так рано ушедшая от нас... Мы с ней мало прожили вместе, но я помню ее всегда, помню ее виноватые глаза, которые наполнялись слезами, если мы, со свойственной детям жестокостью, обвиняли ее в том, что она нас бросила, а она часто принималась плакать, даже когда мы уже жили с ней, потому что отец был арестован.

Она конечно, была очень незащищенным, хрупким человеком, совершенно не приспособленным к обстоятельствам, выпавшим на ее долю. Мама с золотой медалью окончила Институт благородных девиц в Петербурге, писала замечательные стихи, интересовалась литературой, политикой. При всей своей хрупкости, она имела достаточно сил, чтобы противостоять тому, что было ей от природы несвойственно. Происходила она из богатого дворянского дома. Поскольку ее отец рано умер, воспитывалась она у тетки, муж которой был предводителем дворянства в Казани. Мама ушла из их дома с моим отцом на гражданскую войну и работала медсестрой. Ушла потому, что верила в революцию. Она сохранила эту романтическую веру до конца своих дней, хотя не была коммунисткой и членом партии. Она, работая в госпиталях, заразилась тифом. Ей срезали косу, коса, упав, поползла по полу, столько на ней было тифозных вшей. У мамы есть стихи об этом. Она оставила мне тетрадку со своими стихами, свой первый сильный духовный протест против навязываемой ей жизни. Вторым протестом стал уход из семьи, когда она полюбила другого человека.

Мой папа был в то время блестящим дипломатом, у них было трое детей, они жили за границей: в Стокгольме, Париже. Все были в нее влюблены, поскольку она поражала своим остроумием, легкостью, творческим восприятием жизни. Блестяще говорила по-французски, отлично танцевала. Отец, конечно, был очарован своей женой.

Она, полюбив другого человека, смогла остаться честной в высшем смысле этого слова — и перед собой, и перед окружающими. Оставив обеспеченную жизнь и троих детей, она ушла к любимому, который и сам оставил троих детей. ЦК партии назначил его секретарем обкома Сахалина, они, поженившись, уехали туда, на край света. Казалось бы, должны быть счастливы, но обоих до конца жизни тяготило чувство вины перед детьми.

Тогда я, конечно, осуждала маму, но с годами поняла, какой силой и мужеством надо было обладать, чтобы отстоять свое право на любовь и совершить такой решительный поступок.

Я восторгаюсь ею до сих пор. Может быть, она так рано ушла от нас, потому что слишком много сил отдала на то, чтобы отстоять свою самостоятельность.

Она тяжело жила последние годы, но удивительное жизнелюбие и оптимизм не покидали ее. Я помню маленькую комнатку в доме на 2-й Тверской-Ямской, угол улицы Александра Невского. Так и вижу, как на проваленном матрасе лежит мама с томиком романа на французском языке (она их где-то покупала), читает и что-то говорит по-французски. Я ее прошу: «Мамочка, сейчас ко мне придут студенты, можешь сделать чайку?» Она тут же отвечает: «Да-да, непременно, мы сделаем соуса собайон и бульдонеже». Я спрашиваю: «А что это такое?» Она: «Я не знаю, но это очень вкусно, там яйца нужны, я у кого-нибудь спрошу». Я говорю: «Мама, поколение, которое ело бульдонеже, уже исчезло. И соус собайон тоже никто не знает».

Она была человеком, умевшим радоваться и восхищаться жизнью, несмотря на то что происходило в стране. Она знала всех моих друзей, всех называла по именам. Про Папанова говорила: «Толька Папанов очень талантливый артист, у него темперамент есть, он мне Чехова напоминает». Она всем давала характеристики. Папанов приходил к ней и тогда, когда я жила отдельно с мужем, она рассказывала ему, как Чехов играл, и вообще она была в курсе всего. И уж, конечно, не отставала от политики. Например, она мне сообщала: «Ты знаешь, что приезжат Жиль Мок?» Я говорю: «Мама, фиг с ним, какое тебе до этого дело?» Она: «О-о, нет, не думай, я очень многого от этого визита жду». Я ей: «Не жди, мама, а кто это?» Мама: «Как? Это известный французский профсоюзный деятель».

Жила она с дочкой в нищете, в маленькой каморке. Дочка Галя родилась на Сахалине. Я ее очень любила, маленькую мою сестренку по маме, это, кажется, называется «единоутробная». Внук мамы, Борис, как-то пришел к ней и сказал: «Ба, мама сначала говорила, что наш папа итальянец, а потом она сказала, что папа грузинец, но выяснилось, Ба, что, оказывается, все мы евреи». Мама тут же отреагировала: «Только не я, ты сам выясняй свою родословную и не впутывай меня». Боря удивлялся: «Как же так, ты же моя бабушка, ты должна тоже быть еврейкой». Мама: «Я к этому не имею никакого отношения».

Как ни тяжела была жизнь, ей все же повезло — она застала внуков Наташу и Борю, детей своей старшей дочери, моей сестры Наташи. Но, к сожалению, она не дожила до реабилитации отца. Когда его объявили врагом народа, она не побоялась взять нас троих к себе, боялась только, как бы не появилась у нас озлобленность и желание высказать все напрямую. Этим особенно отличалась моя сестра Елена. Она всегда выключала радио, когда говорил Сталин. Мама при этом буквально трепетала, путаясь, пыталась произнести некое сочетание букв: КПУБГ, что означало то страшное учреждение, которого мы должны опасаться. Просила нас молчать, ничего не говорить. Она была уверена в невиновности отца, а боялась за нас — вдруг мы заговорим об этом где не следует. Последствий долго ждать не пришлось бы.

Когда сейчас я выхожу в сад на моей даче и смотрю на цветы, всегда думаю, как было хорошо, если бы мама здесь сидела на скамеечке. Она так любила цветы, покупала их даже на последние деньги, что я ей приносила. Я удивлялась: «Мама, ну что же ты купила?» Она: «Я купила бутерброды с форелью и осетриной, очень вкусно, и три букетика фиалок. Это мне так напоминает Париж». Я ей: «Мама, ну ты бы картошки купила, котлеты сделала».

Она так жила и не хотела расставаться с тем, чем наградила ее душу природа.

Глава 3
ДОМ НА БОЛЬШОЙ ГРУЗИНСКОЙ

Всесоюзное общество культурных связей с заграницей располагалось в красивом одноэтажном особнячке по соседству с домом, где мы с отцом занимали две комнаты. Мы были счастливы. Каждый вечер папа мог заходить к нам, чтобы поцеловать и пожелать спокойной ночи. Помню, часто он был во фраке, так как в ВОКСе устраивались приемы.

Наше молодое государство нуждалось в пропаганде своего искусства, которое на Западе не очень-то воспринимали, и отец активно включился в эту работу. Блестяще владея английским, французским и немецким языками, он свободно чувствовал себя среди иностранцев. Пригодились и его давно сложившиеся связи с деятелями культуры европейских стран. «Встречи с друзьями в Европе» — так назвал он серию свои книжечек, изданных в приложении к журналу «Огонек».

В ВОКСе проходили не только приемы иностранных гостей, но устраивались и большие концерты. Тогда мы тайком от папы пробирались в зал и садились в задние ряды. Хотя никто не стал бы нас выгонять, все знали, что мы дети Александра Яковлевича. Папа с удовольствием принимал участие в этих концертах как артист. Особенно мы любили, когда он читал «Злоумышленника» Чехова. Слыша наши восторженные крики, он смущался, старался пораньше уйти со сцены, чтобы поймать нас. Но мы его опережали — бежали к главному входу, швейцар быстро нас выпускал, и мы оказывались в безопасности — отец не мог надолго покидать концерт.

Эти вечера в ВОКСе оказывали на нас большое воздействие и, я думаю, помогли в выборе актерского пути. Однажды случилось невероятное событие. Меня пригласили в «Союздетфильм» на главную роль в картине «Рваные башмаки», там девочка должна была говорить на немецком языке. Пробы прошли удачно, но... папа в последнюю минуту сказал: «Нет, это слишком плохо для здоровья» и не пустил меня. Тогда я решила учиться в балетной школе, мне очень нравилось танцевать, и он отвел меня к Викторине Кригер. Балерина осмотрела меня, и оказалось, что я гожусь для балета, потому что у меня пальцы на ногах ровные, и для танцев на пуантах это очень хорошо, с такими пальцами балерина очень устойчива. Я обрадовалась, но папа опять не согласился. Он знал, как тяжело учиться в балетной школе. Дочь его ближайшего казанского друга Виктора Тихомирнова, Ирочка Тихомирнова (которая, кстати, состояла с нами в родстве по материнской линии), училась в балетной школе Большого театра и была худенькая, изможденная. Папа не хотел подвергать меня таким испытаниям.

В концертах ВОКСа участвовали лучшие артистические силы тогдашней Москвы — певцы, драматические артисты. Например, Ильинский, с которым отец дружил, Образцов со своими куклами. Гостями были иностранные деятели культуры: Андре Жид и Виктор Мэргерит[1], Мэй Лань Фан, китайский артист, который подарил мне кимоно, а Лене то ли скатерть, то ли ковер с золотыми драконами. Приходил Алексей Толстой, гулял с нами по саду и рассказывал про Петра Первого, роман о котором он в это время писал.

Посещала нас в комнатках ВОКСа, где мы тогда жили, мама, поскольку папа часто уезжал, а она, естественно,

---

[1] Виктор Мэргерит — французский романист и историк.

интересовалась, как живут ее дети, смотрела на нас всегда трагическими глазами, виноватыми, наполненными слезами, прижимала мою голову к своей груди. Конечно, она страдала, что мы не с ней, но, честно говоря, с папой нам было очень интересно.

Если отец заставал маму у нас, мне было очень любопытно наблюдать за их отношениями — я понимала, что когда-то они были мужем и женой. Однажды мама пришла в берете, который папа привез Лене из-за границы, и я заметила, что мама даже кокетничает с отцом, а он ей мрачно сказал: «Беретик Леночкин, он вам не идет, Ольга Вячеславовна». Мама ответила: «Да, конечно, потому что у меня нормальная голова, а у ваших детей — в вас, котлы круглые». Но папа смотрел на нее добрыми глазами, и у нас рождалось не до конца осознанное чувство: ведь они — наши родители, как было бы хорошо, если бы они оставались вместе.

Жизнь шла своим чередом, мы ходили в школу, тяготея к искусству, посещали кружки, Дом пионеров.

Особое место среди европейских друзей отца занимал Ромэн Роллан, их связывала давнишняя дружба. Приезжая за границу, он часто гостил у Роллана, жена которого, Кудашева Мария Павловна, была русской. В дневниках отца очень подробно описаны эти встречи.

Когда стало известно, что Роллан приедет в СССР, папа постарался подготовить нас к этой встрече. Он хотел, чтобы мы произвели впечатление интеллигентных девочек, и прочитал нам роман Роллана «Кола Брюньон» (как раз в то время вышла большая книга с иллюстрациями Кибрика с замечательным портретом Ласочки). Помню, Роллан был весь какой-то серый — белые волосы, выцветшие глаза, в прошлом голубые, серый плащ с начесом, он в него все время кутался, боясь простудиться, так как был туберкулезником. Сам Ромэн Роллан был высокий, хотя и согбенный, а его жена — маленького роста, но очень живая, активная. Она все время щебетала, вероятно, ей было приятно оттого, что есть возможность говорить по-русски. Я показывала книжку с иллюстрациями Кибрика. Мария Павловна переводила. Роллан посмотрел на замечательный портрет Ласочки (героиня романа), потом на меня и сказал: «Похожа!» Я это запомнила и много лет спустя, когда на телевидении играла Ласочку с Евгением Яковлевичем Весником, сделала себе такой грим, чтобы быть похожей на портрет Ласочки из книги.

Помню, мы читали какие-то стихи, читал свои стихи и наш вахтер. Роллан был потрясен — вахтер и... стихи.

Писатель прожил у нас недолго, всего несколько дней. За ним приехали и перевезли в другое место, хотя он хотел остаться у нас, хотел домашней жизни.

Целью его приезда в СССР была встреча со Сталиным. Она состоялась, переводчиком на этой встрече был мой отец.

Отец продолжал встречаться со своими друзьями по революционному движению, но те, что стали теперь вождями, отдалялись от него все больше и больше.

Тем не менее связь с Молотовым не прекращалась. Мы часто ездили к нему на дачу. Я дружила с дочкой Молотова, Светланой, и очень жалела сс. Маленькая, хрупкая, она жаловалась, что дети Калининых (они были соседями по даче) обижают, бьют ее. Когда я приезжала, кричала им: «Калыныши, выходите драться, кто Светку тронет, будет со мной иметь дело». Но «калыныши» меня боялись и не выходили. Когда не стало ни моих, ни Светланиных родителей, мы встречались, я приглашала ее к себе в театр и вообще всегда помогала, когда это было надо.

В дневнике отца я нашла историю об одном эпизоде, который и я отлично помню. На территории дачи Молотова был спуск прямо к Москве-реке, там были купальни, мужская и женская. Меня нарядили русалкой, вплели мне в волосы цветы, на голову навесили водоросли и сказали: «Плыви к мужикам». Я поплыла, а плавала я хорошо, и вдруг увидела, что мой папа и дядя Вяча борются на пристани и Вячеслав Михайлович толкнул отца в реку. Я дико заорала, тогда он и сам прыгнул в воду. Я подплыла к нему и стала его бить и кричать: «Зачем ты моего папу толкнул в речку?» Он засмеялся: «Ну, боремся мы, играем, мы так привыкли, твой папа умеет плавать и я тоже, мы в Казани переплывали Волгу. Знаешь, какая она там широкая». Они просто вспоминали свою молодость. Потом мы втроем сели в лодку, они пели волжские песни, я тоже исполнила песенку:

> Где гнутся над омутом лозы,
> Где яркое солнце встает.
> Играют и пляшут стрекозы,
> Веселый ведут хоровод.

Мы ездили на дачу к Молотову несколько раз, но всегда, когда мы приезжали, мать Светланы, Полина Семеновна, говорила мне, что у Светы педагог по английскому языку или по истории и что у нее нет времени. Я возмущалась, говорила, что хочу с ней поиграть, что я для этого приехала, но Полина Семеновна была неумолима.

Благодаря тому, что мы жили при ВОКСе, мы повидали очень много интересных людей, о многих нам рассказывал отец, когда возвращался из очередной командировки. А ездил он не только за границу. Был, например, в Ленинграде, где встречался с Орбели[1], Самойловичем[2], академиком Иваном Павловым. Хорошо помню его рассказ о Петропавловской крепости.

Совсем неожиданно свершилось чудо — отец получил еще одну квартиру в Доме на набережной (кроме той, в которой уже жила Гертруда с сыном).

---

[1] И.А. Орбели — советский востоковед, академик АН СССР. В 1934–1951 гг. — директор Эрмитажа.

[2] Р.Л. Самойлович — советский полярный исследователь. В 1925–1930 гг. — директор Института по изучению Севера.

Глава 4
ДОМ НА НАБЕРЕЖНОЙ

Улица Серафимовича, дом № 2, известный, многими описанный в литературе, Дом на набережной. Тогда в нем жила элита советского государства. Этот огромный дом по тем временам был передовым, но нам, приехавшим из-за границы, он ничем особенным, ничем выдающимся не казался. Живя в Европе, мы привыкли к тому, что есть газ, холодильник, ванна. Москва в это время готовила на примусах и керосинках, мыться ходили в бани. Вначале дом предназначался для временного проживания и был чем-то вроде гостиницы. На казенной мебели из мореного дуба были алюминиевые бирки. Правда, кабинет отца и столовую разрешили обставить нашей старинной мебелью, которую отец очень любил.

Дом этот казался мне загадочным. Строить его начали, еще когда мы жили в Праге. Отец, уезжая в Москву в командировку, иногда брал меня с собой, и я видела стройку, а на том берегу Москвы-реки старый храм Христа Спасителя. Когда мы вернулись в Москву, я спрашивала, а где этот красивый дом с куполами, а папа показывал на Кремль и говорил: «Вот они, купола». Но я настаивала на своем, говорила, что вон там, на другом берегу, стоял красивый дом... Отец ничего не мог мне объяснить. Слава богу, много лет спустя храм Христа Спасителя восстановлен.

А загадочным дом был потому, что рядом с ним в свое время находился двор Малюты Скуратова (там, где сейчас

«Росконцерт») с церковью и подворьем. Я вместе с местными мальчишками любила туда забираться. Церковь была закрыта, но мы находили дыры, через которые удавалось пролезть. В церкви был открыт люк, который вел в подвал. Я как-то в него залезла, увидела прикованный цепями скелет и больше туда ни ногой. Спустя много лет мои бывшие товарищи, местные мальчишки, будучи уже взрослыми, доказали, что это был ход в Кремль и что Малюта Скуратов вел там допросы арестованных врагов царя Ивана Грозного. Об этом была статья в «Огоньке».

Недавно снимали фильм обо мне, и мы пошли в нашу квартиру в Доме на набережной, но женщина, которая там сейчас живет, была больна, нас не впустили. А в соседней квартире, 103, которая тоже раньше была нашей, теперь жила внучка Цюрупы. Позже мы встретились, она меня помнила, и, когда я стала рассказывать про скелет и подвал и предположила, что теперь мне никто не поверит, она сказала, что не только поверит, но что тоже там была и сама все видела. Она оказалась единственным человеком, с которым удалось поговорить о времени, когда мы жили в этом доме. Почти всех жильцов посадили в 1937 году.

Когда мне понадобилась какая-то справка, никаких книг учета в домоуправлении не оказалось, понадобились свидетельские показания. Меня спросили, где я жила, я сказала: «Подъезд № 5, квартира 104». Секретарь прошла карандашом по списку квартир и сказала одно слово: «Цюрюпа». Только она одна и осталась.

На той же лестничной клетке, в квартире № 103, жили мачеха с сыном. Митя, наш брат, чувствуя, что рядом родные люди, иногда прибегал к нашей двери, стучался, просился к нам, но мать всегда злобно оттаскивала его. Это очень грустно, мне не хочется об этом вспоминать.

С тех пор как мы покинули виллу «Тереза», у нас не было дома, который мы могли бы считать своим.

А папа жил с нами в четырехкомнатной квартире. Он осуществил свою мечту жить со своими детьми вместе. Мы перестали ездить по гостиницам, домам отдыха, жить в снятых комнатах, а обосновались с папой в этой квартире. Для нас это было очень важно. И наконец, мы живем вместе с папой, у него есть кабинет, у нас с сестрой Еленой — комната, а еще столовая и маленькая комната для домработницы. Старшая сестра Наташа к этому времени жила у мамы, у нее были сложные отношения с отцом. Наташе было уже семнадцать лет, у нее было много друзей, она дарила им папины вещи: шарфы, перчатки и так далее, а папа любил порядок и был достаточно требовательным, порой даже суровым. И все же она иногда приходила к нам, и в маленькой комнате у нее было свое место, где она могла переночевать. Домработница варила обеды, следила за чистотой. Папа был очень гостеприимным хозяином. К нам приходили многие известные люди. Часто бывали артист Ливанов, Немирович-Данченко, родственники отца, наши дяди — Авив Яковлевич, Вячеслав Яковлевич, который замечательно пел. По-моему, отец его даже ревновал, потому что сам любил выступать. Вообще, это отличительная черта всех Аросевых — жажда выступать перед зрителями. Под руководством отца и воспитательницы Зинаиды Яковлевны мы устраивали домашние спектакли. В одном из таких представлений Лена изображала ночь, на ней была темная накидка со звездами, на голове — месяц. Я изображала утро и пела:

> Я день за собой веду,
> Восток мной озарен...

Там еще было много куплетов, а заканчивалось все такими словами:

> Уж день златой настал,
> Его на работу творец послал
> Уж день златой настал...

После этой песни папа мрачно спросил: «Зинаида Яковлевна, вы кого имели в виду под именем творец?» «Иосифа Виссарионовича Сталина», — не задумываясь, ответила воспитательница. На что папа произнес: «А-а-а, понятно».

Папа любил петь романсы. Но больше всего любил позвать нас в свой кабинет, и, сидя в рубашке-косоворотке, синей, сарпинковой (так называлась ткань в точечку), начинал петь, играя на мандолине, а играл он очень хорошо. Пел казанские разбойничьи песни про двенадцать разбойников и их атамана Кудияра и волжские задушевные песни, погружаясь в воспоминания о своей юности. Только с нами он мог позволить себе это. Мы сидели на ковре и подпевали. Потом он пел студенческие куплеты еще из времен обучения в реальном училище.

> А гимназисту нужен ром,
> Когда идет он на экзамен.
> А то, пожалуй, скажет он,
> Что Юлий Цезарь был татарин.

У нас был шкаф с большой полкой. Он ставил на эту полку книги, довольно много книг, и мы должны были за неделю все это прочитать. Мало того, надо было письменно или устно рассказать, что же мы прочли. Это чтобы мы не хитрили, уверяя, что прочли, а на самом деле схалтурили. Но заставлять нас было не надо, мы любили читать и читали до ночи. Спать мы ложились поздно, потому что всегда ждали отца, ведь у него очень часто были вечерние приемы в ВОКСе. Мы всегда прислушивались, по звуку лифта определяли, на каком этаже он остановился, и когда слышали, как в замок вставляется ключ, быстро ложились в кровать и притворялись спящими. Папа заходил, думая, что мы спим, целовал нас, а потом или уходил в квартиру 103, или ложился спать.

Скоро в моей жизни произошло знаменательное событие. 12 июля 1935 года, в День авиации, мы были на празднике на Тушинском аэродроме. Тогда еще не было никаких павильонов, никаких трибун, все просто стояли, наблюдая парад. Папа не был членом Политбюро, мы скромно разместились в сторонке. Но Сталин «своим орлиным взором» углядел нас, подошел и сказал: «Как не стыдно, большие встали впереди, маленьким девочкам ничего не видно». Он взял нас за руки и поставил впереди себя. Потом спросил у меня: «Девочка, сколько тебе лет?» Я ответила: «Двадцать первого декабря исполнится десять лет». На что Иосиф Виссарионович, друг всех детей и всех народов, удивился: «Смотри, мы с тобой сверстники, я тоже родился двадцать первого декабря. Приходи, девочка, вместе праздновать будем». Я совершенно растерялась, закивала, благодарила, неизвестно за что. Сталин заговорил с моим отцом, они обсуждали что-то в связи с отъездом отца в Париж. Помню, папа сказал, что он едет такого-то числа, на что Сталин произнес: «С Богом, Саша, с Богом!» Помню еще, что Сталин называл отца на «ты», а тот его по имени-отчеству. Мне было приятно, что я оказалась в центре внимания, что на меня обратил внимание вождь народов. Несколько раз он просил разрешения закурить, я кивала: «Да курите, пожалуйста». Он похвалил меня: «Вот молодец, а моя девочка Светлана не разрешает мне курить». Меня удивило, что он трубку выбивает о каблук сапога. Когда спустились парашютистки с букетами цветов, огромными, почти одного роста с ними, и поднесли Сталину эти цветы, он взял самый большой букет, отдал его мне и сказал: «Возьми его за день рождения, приходи, будем вместе праздновать». Я эти цветы отвезла домой. Нас фотографировали на аэродроме, а Сталин приговаривал: «Этот снимок завтра в "Правде" увидишь, а этот в "Комсомолке"». Потом приходили и к нам домой, снова снимали меня с этим букетом, расспрашивали, но я была не очень разговорчивой, за меня говорила сестра Елена, рассказывала, как я беседовала со Сталиным. Интервью, напечатанное в «Комсомольской правде», у меня сохранилось. Эта история имела продолжение. Я не забыла, что Иосиф Виссарионович пригласил меня на день рождения. И вот 21 декабря, в сильный мороз, я пошла в цветочный магазин. Как хорошо воспитанная девочка, я знала — цветы в день рождения надо дарить обязательно. Понимая, что такой букет, который подарил Сталин, мне не потянуть, купила гортензию в горшке, высокий цветок розового оттенка. Мне его хорошо упаковали, чтобы он не замерз, и я с этим свертком подошла к Боровицким воротам Кремля. Высыпало, наверное, человек пять вооруженных до зубов охранников. Их, конечно, поразила фигура с каким-то пакетом под мышкой. Они кричали: «Стой! Ложись! Куда!» Я ответила, что иду к товарищу Сталину на день рождения. Они выхватили цветок, стали вытаскивать его из горшка вместе с корнями, с землей. Я возмутилась: «Что вы делаете, это подарок товарищу Сталину. Он пригласил меня на свой день рождения». Тут некоторые начали соображать, что происходит, заулыбались. Я потребовала, чтобы они вставили цветок обратно в горшок. Потом один из них удалился, чтобы позвонить, а когда вернулся, сказал: «Сталин тебе очень благодарен, но он очень занят, поэтому праздновать сегодня не будет». Цветок я оставила и попросила, чтобы его передали и сказали, что это подарок от Оли Аросевой.

Я пришла домой вся в земле, с заплаканными глазами, грязным лицом. Увидев меня, папа спросил, что это за явление такое, откуда. Я гордо ответила: «Из Кремля». Он ужаснулся: «Как из Кремля?» Я: «Я была у товарища Сталина». Папа: «Боже мой, зачем?» Я: «Он же приглашал меня, я и пошла праздновать наш с ним день рождения».

Даже сейчас я не могу передать, что это было. Папа стал издавать какие-то звуки, нечто среднее между плачем ребенка и криком ночной птицы. Он стонал, хватался за голову, качался из стороны в сторону — был очень жалким.

Я очень расстроилась, потому что никогда не видела его таким. Раньше, когда он был чем-то нами недоволен, он, не чуждый театральности, вставал в позу и говорил, как мне тогда казалось, какое-то колдовское заклинание, чтобы превратить меня в чудище. Потом я узнала, что это было начало речи Цицерона: «Quo usque tandem, abutere Catilina, patientia nostra?» В переводе: «До каких же пор, Катилина, ты будешь злоупотреблять нашим терпением?» Я очень боялась этих слов, начинала рыдать, просить прощения. На этот раз было совсем другое — мне просто надоело, и я ушла, так и не поняв, что плохого я сделала.

Глава 5
НЕМЕЦКАЯ ШКОЛА

Еще один дом моего детства — немецкая школа имени Карла Либкнехта. Вначале это была английская школа с немецким отделением, находилась она на Самотеке. Потом нам дали отдельное здание на Кропоткинской. В новой школе сначала мы устроили субботник, мыли ее, подметали, вывозили мусор и только после этого приступили к занятиям. Наташа училась в девятом, Лена — в пятом, а я в третьем классе. Мне тогда было десять лет. Педагоги были немцами, все предметы преподавались на немецком языке. Для нас это не представляло никакой трудности, мы выросли на этом языке, хорошо знали его. В моем классе была учительница геноссе Бауэр, товарищ Бауэр. Ее племянница Таня Бауэр во время войны была нашей крупной разведчицей. Именно она послужила прообразом героини фильма «Часы остановились в полночь». Геноссе Бауэр была женщиной с басом, и у нее росли усы... Я ее дико боялась, при виде ее просто каменела и не могла отвечать, а она густым басом нараспев произносила: «Ге-но-ссин Аро-зе-ва дас ист катастрофа-а-а». Я рыдала и в слезах шла на место.

В школе учились очень интересные люди. Это было время, когда весь мир бурлил — к власти в Германии пришел Гитлер. Коммунисты Германии, передовые люди, писатели Иоганнес Бехер, Вольфган Вольф переехали в Москву, спасая свои семьи. В Испании шла война, и поэтому республиканское правительство Испании, в том числе премьер-министр Негрин, своих детей тоже перевезли в Москву. Миша Негрин, Мигуэль, учился у нас, в него была влюблена моя сестра Елена. Она проделывала вот какие хитрости. Утром бежала через Каменный мост на Арбат, там вставала на подножку трамвая «Аннушка» и, когда видела, что идет Миша Негрин, лихо соскакивая с подножки, догоняла его и, имитируя случайную встречу, вместе с ним шагала в школу. Миша знал немецкий, он называл Лену «кляйне роте томато», «маленький красный помидор», потому что у нее была красная кофта. Еще у нее в классе учился замечательный человек, впоследствии очень известный, Маркус Вольф. Потом он был директором «Штази». Я с ним встречалась уже взрослой, когда он приезжал в Советский Союз. Редакция «Совершенно секретно» на телевидении организовала нашу встречу, мы вспоминали, как мы учились, как играли в казаки-разбойники, показывали друг другу фотографии, я подарила ему свою книгу «Без грима», которая вышла в то время, а он подарил мне книгу про себя, которая называлась «Человек без лица». Я тогда еще пошутила: «Ну вот, ты человек без лица, а я без грима». А вскоре произошла какая-то мистическая история.

Он передал мне через знакомого книжку под названием «Die Freunde sterben nicht» («Друзья не умирают»). С этой книжкой я пришла домой, включила телевизор, и там в новостях сказали, что умер Маркус Вольф. Я так и осталась стоять, держа в руках книжку «Друзья не умирают».

В нашей школе пение преподавал Эрнст Буш. Мы строились в отряды, шли по Кропоткинской улице и пели «Drum links zwei, drei, drum links zwei, drei». Изумленные москвичи смотрели на нас с ужасом: какие-то немецкие дети маршируют, орут что-то по-немецки.

Ну, и конечно, всех тогда захватила романтика испанской войны. Моя старшая сестра Наташа всегда больше дружила с мальчиками, и у них образовалась компания — Данька Капелянский, Женя Парини и Наташа. Они решили, если их добром не отпустят, они убегут в Испанию сражаться на стороне республиканцев. Для этого Наташа выучила несколько испанских фраз, а нас заставляла петь «Аванти пополо, а ля рискосса, бандьера росса триумвера», при этом мы воинственно маршировали: днем маршировали под немецкие песни, а вечером, дома, под руководством Наташи — под испанские. Занятное было время. Просто удивительное. Я очень дружила с Марьяной Беккер и другими девочками из Германии. Будучи уже взрослыми, мы старались поддерживать связь, но потом нас разбросала судьба. Моя подруга Майка Грюнберг уехала на родину, в Германию, вместе с двумя подругами. Она мне потом писала оттуда.

Немецкая школа была нашим вторым домом, мы любили его, дорожили дружбой товарищей.

Но пришла страшная пора в истории нашей страны. Каждый день в школе мы видели, как кто-нибудь из учеников наклонял голову и плакал. Мы понимали — значит, его родителей арестовали. Арестовывали иностранцев-антифашистов, которые приехали к нам, спасаясь от фашистского режима. Так у Майки Грюнберг арестовали мать и отца. Начались аресты педагогов, и в конце концов нашу школу закрыли.

Отец в это время по поручению Сталина должен был привезти архивы Маркса и Энгельса, которые находились у меньшевиков-эмигрантов во Франции. Именно эту поездку они обсуждали на параде в Тушино. Архивы нужно было доставить в Москву. Этому посвящена вся четвертая тетрадь дневников отца. Он ездил в Париж дважды. Первый раз с Бухариным. Об этой поездке есть воспоминания в книге вдовы Бухарина, поскольку она ездила вместе с ними. А во второй раз с ним ездил Герман Тихомирнов (брат Виктора, казанского друга отца) и Адоратский[1]. В дневниках отца подробно описана эта почти детективная история, описана ярко и образно. У него замечатель-

---

[1] В.В. Адоратский — деятель Коммунистической партии, историк, философ-марксист. Академик АН СССР.

ные зарисовки буржуазных деятелей, например Леона Блюма[1], меньшевиков, эсеров, с которыми он встречался, выполняя задание. Впоследствии, читая в КГБ дело отца, я с удивлением узнала, что ему вменялись в вину именно эти встречи, хотя происходило все по поручению Сталина. Это была огромная заслуга отца — договориться с этими людьми и привезти в Москву подлинные архивы Маркса и Энгельса. Сейчас они хранятся в Институте марксизма-ленинизма.

Мера человеческой подлости в те времена была чудовищной. Людьми руководил страх. В дневниках отца описаны собрания, которые проходили в ВОКСе, где интеллигентные люди, имеющие богатые биографии, люди, с которыми он жил и работал многие годы бок о бок, писали друг на друга доносы. Отец сохранил документальные подтверждения тех нападок на него, которые были в прессе, в частности в «Правде». В дневниках есть две заметки, из которых ясно, в чем его обвиняли. Сейчас это смешно читать: его обвиняли в том, что он носит фрак и говорит на иностранных языках. Он отвечал, что знает, когда, где и что носить. «В 1917 году, — писал он, — во время революции я носил шинель, а на приемах зарубежных гостей надевал фрак и говорил с ними на их родном языке, чтобы мы лучше понимали друг друга».

Напряженная обстановка в стране не могла не сказаться на отношениях внутри семьи отца. Его вторая жена все время требовала разрешения выехать к родителям за границу. Ей в этом было отказано. Отец понимал, что это выпад против него. Он был готов расстаться с женой, ведь о взаимопонимании там и говорить не приходилось, но сын... Единственный сын, наследник. Отец не мог его лишиться.

Поездка по поручению Сталина за архивами была последней, за границу отец больше не выезжал.

Наступала страшная пора 1937 года. Все силы уходили на борьбу в защиту своего честного имени.

---

[1] Леон Блюм — французский политик, социалист. В 1936—1938 гг. — премьер-министр Франции.

Глава 6
ДОМ НА ПИСЦОВОЙ

Улица Писцовая, дом 16, корпус 3. Там жила мама со своим новым мужем и их дочкой, нашей младшей сестричкой Галей, которую я очень любила. Мама жила в коммунальной квартире. У них было две комнаты, а еще две занимали соседи: в одной жил одинокий мужчина, а во второй — семья с маленьким ребенком. Эта квартира часто становилась нашим прибежищем, потому что те отношения, которые складывались у отца со второй женой, были ужасными. Она не хотела быть никем: ни матерью, ни женой, ни любовницей, ни хозяйкой в доме, все время куда-то уезжала, старалась жить в санаториях или домах отдыха, чтоб за ней ухаживали, обслуживали ее. Она не умела или не хотела ничего делать, была обозлена на всех и вся: на страну, в которую приехала, на отца и больше всего на нас. Бедный отец все это, конечно, чувствовал. Если поначалу он протестовал против наших поездок к маме, то со временем понял, как мы нуждаемся в тепле, материнской ласке, мы взрослели, нам необходимо было кому-то доверять наши девичьи секреты, получить вовремя совет.

Жизнь у мамы — вторая половина моей молодости. Впечатление было такое, будто нас перенесли в другую пьесу, с другими действующими лицами. Мы постигали быт современной Москвы вне Дома правительства.

Конечно, после виллы «Тереза» и Дома на набережной оказаться в коммунальной квартире — это абсолютный шок. До сих пор я помню звук, когда иголкой чистили примус, чтобы он потом шипел, вспыхивал. Помню запах керосина на руках. В квартире не было ванной. Один раз в неделю давали возможность помыться на кухне. Тогда ставились на все керосинки и примуса кастрюли с водой, и то одна, то другая семья по очереди мылись. А мы ходили в баню. Когда пришли туда в первый раз, я была ошеломлена. Запах земляничного мыла, мочалок и потного чужого белья до сих пор сохранила моя память. Комнаты, полные пара, голые люди ходят с железными тазами, моются все вместе... Так странно это мне казалось и неприлично. Я не знала, что именно так придется жить долгое время. Приезжая к маме в гости, мы привозили в судках из совминовской столовой, что на улице Грановского, всякую кремлевскую еду. Бабушка нюхала эту еду и говорила: «Нет, нет, кремлевские тюфтели детям не дам». Кремлевское угощенье она выкидывала в ведро, приговаривая: «Пашенно будут кушать с молоком» и варила пшенную кашу, очень вкусную, мне она очень нравилась. Каша была такая густая, что ее надо было резать ножом, а потом заливать горячим молоком.

Вот это познавание совсем другой жизни в одной и той же стране, такой разрыв между условиями, в которых жили люди, производило на нас очень сильное впечатление.

У мамы при виде нас опять становилось виноватое лицо, она обнимала нас, продолжала звать нас жить к себе, но и не настраивала нас против отца. Наташа жила с мамой, но мы с Еленой оставались верны отцу.

Однажды, когда отец был в доме отдыха и мама пришла к нам, домработница доложила об этом отцу и он устроил дикий скандал. Это деление нас, детей, разрыв отца и матери, жуткое отношение к нам со стороны второй жены отца, все это делало наше детство очень тяжелым.

Как я уже говорила, немецкая школа была закрыта, и мы стали учиться в обычной. Нас с сестрами занесли в разряд «детей врага народа». Это мы слышали и за спиной, это нам говорили в глаза. Но поскольку были совершенно уверены, что это какая-то ошибка, то не страдали, а вступали в спор, защищали отца. Нашу веру в невиновность отца очень поддерживал муж мамы, Михаил Алексеевич Лобанов, светлая ему память. Он всегда говорил, что мы еще будем гордиться нашим отцом. Особенно тяжело пришлось старшей сестре Наташе. Она была комсомолкой, общественницей и уже достаточно взрослым человеком, и ее заставили публично отречься от отца. Она, обливаясь слезами, вынужденно это сделала. Страшно из-за этого переживала. Я тогда отлупила ее, хотя была младше на семь лет и слабее. Она не сопротивлялась, стояла и плакала. Когда подошел срок, я в комсомол не вступила: мне предложили отречься от отца, я категорически отказалась это сделать.

Так мы и жили. В дни невзгод нам с сестрой Еленой помогала выжить любовь к театру, привитая отцом. Я участвовала во всех драмкружках, играла самые разнообразные роли. Например, в пьесе «Цыгане», которую ставили в нашей школе, Елена играла Земфиру, потом в старшем классе ее играла Наташа, а меня сначала не брали, хоть я и рвалась. Наконец, согласились дать мне роль старого цыгана, ее никто не хотел играть, при этом поставили условие — раскрасить задник чернилами, оставив светлые звезды. Я это сделала и с лиловыми руками играла старого цыгана, произносила:

«Оставь, нас гордый человек,
Мы дики, нет у нас законов,
Мы не терзаем, не казним,
Не нужно крови нам и стонов,
Но жить с убийцей не хотим».

Когда читаешь о всеобщем страхе в то время, о собраниях в партийных организациях, об обвинениях, предъявляемых людьми друг другу, понимаешь, как отцу было трудно, как он переживал весь этот кошмар, этот ад. Будучи человеком умным, он понимал — рано или поздно ему не миновать беды. Он пытался говорить с Андреевым[1], общался довольно часто с Молотовым, как никак они были друзьями детства. Но, похоже, Молотов ничего не мог сделать, тем более что пока не было видно явных угроз отцу.

Процессы над Бухариным, Пятаковым и Рыковым производили страшное впечатление за рубежом. Отец, который много лет пропагандировал молодое советское государство за границей, порой просто не знал, что и как отвечать на вопросы, задаваемые ему зарубежными коллегами и друзьями. В дневниках есть письмо жены Ромэна Роллана Марии Павловны, которая просила объяснить, что происходит. Будучи дипломатом и умным человеком, написал: «Во французском языке нет таких слов, а по-русски Ромэн Роллан не поймет. Есть такие события, которым только время даст подлинную оценку». Черновик письма Ромэну Роллану сохранился в дневнике.

Летом 1937 года отец поехал в отпуск в Сестрорецк, взяв дневники с собой, они обрываются этим годом. По пути он заехал в Ленинград и отдал их своей сестре Августе Яковлевне Аросевой, по мужу Козловой, служившей в Александринском академическом театре. О ней я хочу сказать особо, ведь не случайно именно ей он доверил то, что хотел оставить нам. Отдавая дневники, сказал: «Сохрани их, а когда все уляжется, отдай моим детям». И тетушка, несмотря на то что вся страна тогда дрожала от страха, выполнила его просьбу. Она положила тетради в корзину на самое дно, накрыла зеленой клеенкой, а сверху уложила дрова — у нее было печное отопление. Ее дом

---

[1] А.А. Андреев — советский партийный и государственный деятель. В 1932–1952 гг. — член Политбюро ЦК ВКП(б).

был построен по эскизам зодчего Росси и находился между Александринским театром и балетной школой. Там же было и общежитие Александринки. Правда, общежитием в нашем понимании его нельзя назвать, оно представляло собой хорошие однокомнатные квартиры с отдельной кухней. Раньше такая квартира называлась кавалеркой. Корзина с дровами стояла в общем коридоре, поэтому тетушка поступила очень мудро — в случае чего могла сказать, что не знает, кто положил... Прозорливость отца, предугадавшего, что может с ним произойти, дала нам, его детям, возможность как бы вместе с ним пережить то страшное время.

Моя тетушка Августа Яковлевна, светлая ей память, была очень предана отцу, впрочем, как и вся их семья. Папа был старшим (отца рано не стало), ему приходилось заниматься воспитанием младших. Он мне рассказывал, что, когда девочки шалили, в наказание он сажал их на сундук на полтора часа. В его отсутствие братья уговаривали сестер ослушаться, но они не хотели огорчать брата и терпеливо переносили наказание. Кстати, этот метод он применял и ко мне — запирал меня в комнате на какое-то время.

В Ленинград, кроме жены и сына, папа взял только мою сестру Лену, потому что у меня была путевка в пионерлагерь. А как-то по делам приехал на один день в Москву, позвонил и сказал, что забежит ненадолго, ему надо успеть на поезд. Было уже поздно, часов одиннадцать. Он зашел, торопливо поцеловал меня, попрощался и уехал. Больше я его не видела. У меня тогда то ли предчувствие было, то ли обстановка такая — ночь, торопливость отца, но меня охватила страшная тревога, я долго плакала, хотя вроде бы мы привыкли к тому, что он часто уезжал.

На следующее утро я уехала в лагерь, но пробыла там очень недолго. Неожиданно приехала тетка Надежда Яковлевна Колобкова, сестра отца, и забрала меня прямо в чем я была. Я сказала: «Мне надо заехать домой, переодеться», но тетя Надя пробормотала: «Нет, нет, отец уехал, забрал ключи...» Я тогда не придала этому значения, ведь папа часто уезжал.

С Каменного моста хорошо был виден Кремль, где жил «друг всех детей», который подарил мне цветы. Мне было одиннадцать лет. У меня не осталось ни папы, ни дома, ни школы, ни даже теплой одежды. Так в сатиновых трусах, в майке, с пионерским галстуком и в полотняной панаме я рассталась со своим детством.

Глава 7
АРЕСТ ОТЦА

Мамы не было в Москве, поэтому сначала я жила у тети Нади, потом мама забрала меня к себе. Щадя меня (я считалась нервной девочкой), все врали мне — и мама, и тетка, и даже сестра Лена, говорили, что папа уехал в командировку. Но интуитивно, с тревогой, я чувствовала — они врут. У меня в голове сложилась своя версия: папа всех обманул. Он знал, как мы ревновали его к жене, поэтому бросил нас и уехал с ней, а не в какую-то командировку. Я жила у мамы на Писцовой улице, рядом был Петровско-Разумовский парк, я ходила туда, перебежками пряталась за деревьями и высматривала выходящих из метро людей. Мне казалось, что папа обязательно вернется, чтобы посмотреть на нас. Я его ждала. Вообще, ожидание отца — это все мое детство. Он всегда возвращался: из командировки, с работы, ночью, днем, но возвращался. А тут он так и не вернулся.

Когда я высматривала отца, на мои странные действия обратил внимание проходивший мимо художник Николай Михайлович Ромадин. Он подошел и спросил: «Девочка, что ты тут бегаешь, кого ищешь?» Я ответила, что ищу папу, что он уехал со своей женой, но я его все равно найду. Он поинтересовался, как меня зовут. Когда я назвала свою фамилию, Николай Михайлович печально посмотрел на меня и спросил: «А ты рисовать любишь?» Я ответила «да». Я действительно любила рисовать и рисовала. Ромадин пригласил меня к себе в мастерскую, там рядом, на Масловке, был Дом художников. Он нарисовал мой портрет. Его выставляли в Третьяковке. Потом он нарисовал еще два. До этого у меня был портрет, в семилетнем возрасте меня нарисовал художник Сварог. К сожалению, портрет пропал. С Николаем Михайловичем мы очень подружились и дружили всю жизнь. Как потом выяснилось, он знал моего отца и ему была известна его судьба. Мне нравился запах масляной краски. В мастерской Ромадина я чувствовала себя как в волшебном лесу. Там были прекрасные картины русской природы, я смотрела на них, и на душе становилось очень хорошо. Я рассказала ему о себе, призналась, что хочу быть артисткой. И он стал приносить мне билеты во МХАТ. В то время их очень трудно было достать, за ними стояли в очереди по ночам.

Я не оставляла попыток выследить отца. Не говоря ни слова ни маме, ни сестре Елене, болталась возле Дома на набережной, где мы раньше жили. Рядом была сберкасса, отец частенько туда захаживал, ждала его там, напротив была аптека, я дежурила там и в магазине, что был в нашем доме, и у кинотеатра «Ударник». Вот так и дефилировала возле всех этих мест. Один раз около подъезда увидела нашего вахтера, забыла, как его звали, то ли дядя Вася, то ли дядя Коля, — это был тот, что читал свои стихи Ромэну Роллану. Я кинулась к нему. Он посмотрел на меня, как на привидение. Я сказала, что пришла за своим велосипедом: возле лифта была комната, где стояли санки, велосипеды. Он с ужасом спросил: «Какой велосипед, девочка?» «Мой велосипед, — ответила я, — я на нем должна уехать». С диким испугом он стал оглядываться, отдал мне велосипед со словами: «Уходи, уходи быстро». Шины на велосипеде оказались спущенными, и я попросила накачать их. Он буквально вытолкал меня из подъезда.

Я ушла и через весь город перла этот велосипед до Писцовой улицы. Мы жили на четвертом этаже, лифта не было — как втащить велосипед домой? Я стала звать маму. Мама выглянула в окно. Глаза ее едва не вылезли из орбит, она простонала: «Что это такое?» Я говорю: «Это мой велосипед». — «Где ты его взяла?» Я ответила, что у нас в доме. Мама, как была в халате, накинув сверху пальтишко, кинулась ко мне вниз. Подойдя, тихо сказала: «Иди наверх, закройся, никуда не выходи и никому не открывай». Схватила мой велосипед и скрылась.

Я пошла наверх, села. Что-то нехорошее, тревожное у меня пробудилось в душе. Я стала ждать.

Когда я стала взрослой, мама рассказала, а я очень ясно представила картину: 1937 год, Лубянка. Приходит женщина в халате, с диким выражением на лице суется в каждый подъезд со словами: «Возьмите, пожалуйста, велосипед, девочка очень нервная, мы от нее скрываем... Она взяла велосипед, но я не хочу... Заберите велосипед, ее отец арестован».

Стражи безопасности страны были немало удивлены, и никто не хотел брать велосипед, она металась по Лубянке. Наконец какой-то сердобольный военный взял у нее велосипед и выслушал историю про нервную девочку. Это, кстати, помогло. Маме разрешили из квартиры в Доме на набережной взять детские теплые вещи, потому что мы остались совсем без одежды, а уже наступали холода — была поздняя осень. Когда поехали за вещами, меня с собой не взяли. Мама, очевидно, боялась, что я попрошу захватить с собой рояль, так как я училась в музыкальной школе у Елены Фабиановны Гнесиной.

В конце концов им пришлось рассказать мне, что отца арестовали. О последних его днях и часах на свободе вспоминала моя сестра Елена, она была с ним в то время.

«Шел 1937 год. Тем летом мы жили в Сестрорецке, уютном курортном городке под Ленинградом. Мы — это мой отец, его жена (моя мачеха Гертруда), их двухгодовалый сын Митя и я. С нами еще была няня. Оля в то лето была в пионерском лагере.

В один из вечеров к нам постучались. Вошли двое молодых людей, оба военные, один из них моряк. Объявили, что приехали за Гертрудой, так как она арестована. Гера заплакала, отец, наоборот, разозлился, сказал, что не отпустит ее, что поедет с ней. Они запретили это, тогда он сказал, что им придется подождать, и вызвал из Ленинграда, из филиала ВОКСа, машину.

Как ни странно, они на это согласились. Воцарилась какая-то странная, неестественная пауза. Было такое ощущение, что остановилась жизнь, вернее, из нее вырвали кусок, как из киноленты ножницами. Это длилось довольно долго. Раздался гудок машины, надо было ехать. Отец с Герой стали прощаться. Они стояли, прижавшись друг к другу, не обнимались, а просто стояли без движения. Может быть, они что-то говорили друг другу без слов, может быть, обещали... Не знаю. Они прощались. Гера встрепенулась и направилась в спальню попрощаться с сыном. Остановилась, обернулась... Я увидела ее лицо. Я запомнила это лицо на всю жизнь. Неописуемая мука. Она тихо по-немецки сказала: "Нет, я не могу. Господи, зачем ты даешь такие испытания?!" Те двое подошли к ней с двух сторон и увели ее уже как арестованную. Отец поехал за ними. Я осталась одна. Утром мы стали собираться в Москву.

В вагоне было душно. Мы с папой вышли в коридор. Стояли молча. Отец положил мне руку на плечо. Я теперь ничего не боюсь. Мой папа рядом, живой и добрый, он самый прекрасный, самый умный, самый веселый и сильный. Все любят его. Ничего плохого случиться не может. Мимо окошек поползли желтые огни, поезд подъезжал к перрону.

Приехав в Москву, мы отправились в нашу квартиру в Доме на набережной. Папа долго ходил по комнатам, что-то обдумывая, а потом мне сказал: "Они будут звонить, ты не открывай им дверь". Я удивилась: "Как же так? Они все равно взломают". "Да, конечно, но мы выиграем время". Я не знаю, что он имел в виду, не могла догадаться ни тогда, ни сейчас».

Последние дни и часы были, конечно, самыми трудными для отца. Лена пыталась вспомнить малейшие подробности. Вот что еще она рассказывала мне:

«Отец все ходил по комнате и даже пытался шутить: "Вот, Лена, — говорил он, — сколько раз я убегал из ссылок и тюрем, а отсюда не убежишь. Зачем я взял квартиру на десятом этаже, я даже в окно не могу выпрыгнуть, очень высоко". Папа пытался дозвониться до Молотова, тот бросал трубку или молча дышал. Папа просил его: "Вяча, ты же меня слышишь, я чувствую, как ты дышишь, скажи мне хоть что-нибудь, скажи, что мне делать?" Наконец, после очередного звонка, Молотов прохрипел: "Устраивай детей" и повесил трубку. Отец сказал: "Это все". После этого он отвез нас с Митей и няней на нашу дачу на Николину гору. Там после обеда он прилег на диванчик на маленькой терраске, снял пиджак, накрыл им голову и грудь. Я сидела рядом и не могла отойти. Может быть, я чувствовала, что вижу его в последний раз. Потом он встал и собрался уезжать. Мы попрощались, он поцеловал меня и сказал: "Аленушка, не волнуйся, я приеду утром. Будь хозяюшкой, береги Митю". Я сидела на ступеньках терраски. Пошел теплый летний дождик. Я ждала папу. Я ждала его один день, второй день, третий... А дождик все лил, не переставая...»

Отец вызвал из ВОКСа машину и поехал к Ежову на Лубянку (это известно уже со слов его секретаря Антонины Павловны Чертополоховой). Ежова он знал с юных лет по Казани. Антонина Павловна прождала его целый день, но он не вернулся. Он не вернулся уже никогда.

Сохранилось несколько разрозненных листочков в записной книжке, которую он носил при себе. Последнюю по времени запись он сделал в кафе «Националь». Он написал: «Я — как рыба, выброшенная из воды, а волна уходит все дальше и дальше от меня. Я задыхаюсь».

Глава 8
ДЕТИ ВРАГА НАРОДА

Узнав правду, я тогда написала письмо товарищу Сталину. Я написала, что это несправедливо, что мой отец ни в чем не виноват. Заканчивалось письмо так: «С пионерским приветом. Оля Аросева». Как ни странно, я получила ответ, он у меня хранится. В нем было написано, что дело отца отдано на пересмотр. Потом пришло письмо из военной прокуратуры: «Дело пересмотрено, приговор оставлен в силе». Это была ложь, потому что к тому времени отца уже не было в живых. И знала об этом только мама. Полина Семеновна, жена Молотова, сказала ей: «Не ждите, Саша не вернется». Но нам мама этого не сказала, а ее муж, Лобанов Михаил Алексеевич, вечерами тихо нам говорил: «Вы будете гордиться вашим отцом, отец ваш замечательный человек». Мама, когда слышала это, кричала на него: «Перестань, советская власть знает, что делает, зачем ты их настраиваешь?» А нас не надо было настраивать, мы были абсолютно убеждены в невиновности отца.

Мама, бедная мама! Всю жизнь она боялась. Сначала из-за своего дворянского происхождения, поскольку ее предками были графы Муравьевы, потом из-за того, что у ее троих детей отец — врага народа...

Мы часто ходили с сестрой Еленой на Лубянку и стояли в очередях, чтоб выяснить судьбу отца. Нам выдали справку, что он осужден на десять лет без права переписки... Не знали мы тогда, что это означает смертный приговор, у нас оставалась надежда. Мы продолжали ждать отца все десять лет.

Война раскидала всех нас. Мама уехала в эвакуацию с учреждением своего мужа, Наташа, старшая сестра, зная хорошо немецкий язык, как и все мы его знали, ушла на фронт и стала переводчиком в седьмом отделе армии. Я ее провожала и никогда не забуду метро «Площадь Маяковского», где формировалась их часть. Наташе дали кирзовые сапоги сорокового размера, а у нее был тридцать четвертый, шинель была до пола. После того как они сели в вагон и уехали, я осталась стоять у колонны и горько рыдала. Наташа в огромных сапогах, шинели и шапке-ушанке казалась такой маленькой...

А мы с Еленой поехали на трудовой фронт. Я могла и не ехать, посылали только старшие классы, но мне не хотелось оставаться одной, и я увязалась за сестрой. Нас повезли в Орловскую область. В селе Жуковка мы рыли противотанковые окопы, и там я познакомилась с ребятами из циркового училища.

Вернувшись в Москву, мы с Леной оказались совершенно одни. Мама оставила нам мешок сухарей, деньги и пропуск на выезд. Но мы решили никуда не уезжать, а заниматься своим любимым театральным делом. Елена поступила в театральное училище (МГТУ), а меня не взяли — я еще не окончила десятилетку. Я не очень-то огорчилась, пошла и поступила в цирковое училище. Я очень любила лошадей, мечтала стать наездницей, но все лошади были на фронте. В училище я научилась жонглированию, эквилибристике, гимнастике и актерскому мастерству, которое преподавал рыжий клоун (забыла его фамилию). Цирковое училище я не закончила. Получив аттестат зрелости в школе, поступила в театральное училище, с которого и началась моя профессиональная жизнь. Актерской профессии я верна и по сю пору.

Закончилась война, вернулась из эвакуации мама, вернулась с фронта Наташа, а мы с Еленой, наоборот, покинули Москву. Лену со всем курсом отправили в Вильнюс, создавать русский театр, а я уехала в Ленинград, в Театр комедии. Там все складывалось вроде бы хорошо, у меня уже были главные роли, но я продолжала чувствовать и слышать за своей спиной — дочь врага народа. Театр представлял меня на звание, но мне его не присвоили, за границу не выпускали. Причина была одна.

Я дождалась 1948 года, когда истек срок, к которому приговорили отца. На заявление с просьбой сообщить мне о судьбе моего отца я получила справку — умер в 1945 году в местах заключения. Это была очередная ложь. Невозможно себе представить, чтобы папа, будучи живым, не дал о себе знать за все эти годы. И я снова ждала. Ждала, как в детстве, когда он поднимался на лифте. Вдруг сейчас кто-то стукнет в окно или позвонит в дверь, и я или получу весточку, или увижу моего папу.

В 1953 году, когда умер Сталин, я сразу подала просьбу о реабилитации отца. Мне долго не отвечали, я подала две жалобы, у меня есть ответы на них. Потом я пошла в прокуратуру, и там мне очень просто объяснили: «Вы знаете, сколько миллионов людей нужно реабилитировать, мы просто не успеваем».

Позже там, где мы с Еленой выстаивали в очередях, надеясь получить хоть какую-то информацию, мне дали подлинные документы допросов отца, справки, протоколы заседаний тройки под председательством Ульриха. Я читала эти документы со слезами на глазах. После каждого допроса отец писал только одно — прошу не трогать моих ни в чем не повинных детей. С каждым протоколом почерк его становился все хуже и хуже.

Отца судили вместе с Антоновым-Овсеенко, судьба снова свела их, уже в последние мгновения жизни. Отца спросили, признает ли он свою вину, он ответил — нет. То же самое ответил Антонов-Овсеенко. Сын Антонова-Овсеенко написал в своем исследовании тех событий, что Ульрих махнул рукой и сказал: «Эти не признают».

В документах было написано, что приговор отцу был вынесен 8 февраля 1938 года, а 10 февраля 1938 года приведен в исполнение. Это была правда. В 1955 году я получила справку о том, что отец реабилитирован посмертно, в виду отсутствия состава преступления. И это тоже была правда, страшная правда.

Вскоре после этого раздался звонок, звонила моя тетушка Августа из Ленинграда. Она мне сказала: «Приезжай, отец тебе кое-что оставил у меня». Я сразу поехала, и она вручила мне вынутые из корзины, как из волшебной шкатулки, тетрадки — жизнь моего отца в последние годы. В них была его израненная душа, его кровоточащее сердце, его трагические мысли, попытки понять и осознать все, что происходит с ним и в личной жизни, и в стране. Читая, я почти ослепла от горя, от его почерка и от того, что прошлое навалилось на меня страшной тяжестью. Мои глаза стали плохо видеть, но я читала и читала, с жадностью впитывая каждый кусочек страданий этого человека, моего родного отца. Многое мне стало ясно, детские воспоминания соединились с моими взрослыми размышлениями об этой страшной поре в его жизни и в жизни нашей семьи.

Вот эти дневники, написанные с 1932 по 1937 год.

Дневники
А. Я. Аросева

ТЕТРАДЬ № 1
1932 год

Буду здесь вести дневник не столько событий, сколько своих мыслей. Не потому, что я мыслитель, а потому, что жизнь наша толкает каждого из нас на критику, анализ, воспоминания, размышления.

28 сентября

Сейчас бьет на башенных часах 12. Полночь. Жена уже спит. Дети – давно.

Делал сегодня двухчасовую прогулку, поэтому не так угнетен ежедневными заботами (они во время прогулки будто ниспадали с меня), вместо них вырисовывались главные заботы. 1) Определенно поставить вопрос о перемещении из Праги. 2) О невозможности жить на то, что получаю. 3) Продолжать писать роман «Правда» (о провокаторе Малиновском). Одолевают «гады». Недавно был из Карлсбада Г.И.П.[1] Это просто беда! Ему нужна машина в аренду. Но он капризен как больной ребенок. Сердясь на Муста[2], что тот не дал ему своевременно машину, Г.И.П. говорил мне: «Как же это, мне и вдруг Муст не хочет дать машины??! Да я могу его просто застрелить». Рассмеялся, захотел последние слова обратить в шутку. Но слова живут своей жизнью и характеризуют человека. Гуляя со мной по музею, дольше всего останавливался около группы чучел: стервятники теребят, вынимают клювами кровавые потроха фазана. Сказал: «Здорово расклевали». Но при этом он добрый человек. Рок.[3] живет, по его словам, очень плохо, постоянно болен, стоит в очередях за хлебом, работает по найму (работой его довольны) – дело происходит в Кустанае.

Из-под моего контроля вырываются целые дни, а хочется организовать их так, чтобы было известное количество времени для литературной работы. Я сильно отстал от нее (сегодня написал маленький рассказик «Нога» из серии трамвайных и начал рассказы октябрьские).

---

[1] Г.И. Петровский – советский партийный и государственный деятель.

[2] Завхоз посольства в Праге.

[3] Личность установить не удалось.

6 октября

Читал Шаляпина – воспоминания. Оказывается, историк Ключевский был, по словам Шаляпина, хороший актер.

Вызвал корреспондента ТАСС в связи со статьей о налогах с торгпредства. Пришел Лингарт с докладом о делах, потом Богомолова и Крачевский[1]. В 10$^1/_2$ пошел в баню. Подвергся массажу. Поехал в министерство к Крофте[2] (у него третьего дня умерла мать). Говорили о налогах с торгпредства и о статье. По дороге из министерства, купил цветы для жены и для проводов Кошеков[3]. Пообедали. Дети, Лена и Оля, были очень веселы. По приезде в полпредство мне доложили, что прибыла комиссия владельца дома, которой я назначил аудиенцию. Говорили около часа о перестройке дома. Потом явилась Майерова[4]; об устройстве своей книги в ГИЗ[5]. Скромная симпатичная женщина. Сидела недолго. Я пошел в детскую посмотреть, как укладываются дочери. Они шалят, смеются. Полежал у них, рассказал про свое детство. Уснули. Я пошел в своей кабинет. Читал газеты, написал несколько писем. Перед сном пишу эти страницы и за видую Майеровой, которая может заниматься только литературой.

Прощай еще один мой безлитературный день!

[1] Вероятно, сотрудники посольства.
[2] Камиль Крофта – заместитель министра иностранных дел.
[3] Друзья А.Я. Аросева.
[4] Мария Майерова – писательница, классик чешской литературы.
[5] ГИЗ – Государственное издательство.

20 октября

При социализме заводы суть храмы и центры человеческого жития. Они при капитализме были в загоне, ибо рассматривались как аппарат, обслуживающий жизнь, а не творческий. Теперь это творческие узлы.

30 октября

Завтра с утра – в Москву. Что-то меня там ждет, каково-то там настроение... Как широко пользуются свободой клеветы пакостники... Работа литературная мною будет поставлена на первое место, ведь жить осталось немного. Каждый человек, в том числе и я, – талант, а талант – хрустальная чаша с нектаром. Нужно, чтобы чаша была в движении и расплескивала бы свой нектар. Моя чаша мало, очень мало была в движении. В литературе я понимаю, вероятно, меньше, чем понимал до революции. Жизнь мобилизовала мои силы на другую работу. Теперь я снова должен тянуться к искусству.

1 ноября

В Берлине, в полпредстве, оказался Горький (проездом в Сорренто). С ним неотлучно его полусекретарь-полузавхоз некий Крючков[1], человек с циничным лицом, с водянистыми несмеющимися глазами. Кроме него при

Горьком жена его сына Максима, коричневая интересная женщина. Затем художник, бойкий, разбитной русский молодой паренек, но почему-то мне кажется, что в будущем – это доктор Астров чеховский. Отчасти он уже и теперь немного Астров. Дальше какой-то с красным рябым лицом путешественник. Он рассказывал, что бывал в Америке и плыл по Индийскому океану. Он симпатичнее всех остальных, смотрит прямо, говорит натурально, держится просто. Наконец, черная, вроде Кармен, сбитая, жена Крючкова.

Горький принял меня в отведенной ему комнате. Я увидел человека, согбенного под тяжестью набухших усов. Я видел его в 1910 г., т.е. 22 года тому назад на острове Капри, он и тогда был согбенным...

Горький расспрашивал меня о Чехословакии, о Масарике[2], об эмигрантах. Я поделился своими впечатлениями. Он сказал, что Масарик пользовался на Капри его библиотекой и до сих пор не отдал какую-то книгу.

По поручению Масарика ко мне обращался один из пражских редакторов с намеками напомнить Горькому, не пошлет ли он поздравление президенту Чехословакии к 80-летию. Москва была против поздравления Масарика ввиду отсутствия признанных отношений между СССР и ЧССР. Оказывается, Горький все-таки послал. Правда, как он сказал, «самое краткое».

Горький распорядился, чтоб дали чай. Полная пожилая женщина приготовила чай на русский манер. Горький стал расспрашивать о белогвардейцах, таких как Брешко-Брешковская[3], Милюков[4]...

Через полчаса мы попрощались. Условились встретиться за ужином у Хинчука[5].

Вечером за столом я застал большое общество во главе с Горьким. Он рассказывал анекдоты. Например: двое рассуждают по поводу памятника Пушкину в Москве: «Пушкин, ну что такое Пушкин? Гоголь – вот это действительно Пушкин!»

В таких тонах Горький подсмеивался над торжествами в его честь.

Отужинав, вся компания разместилась в машине, чтобы проводить Горького на вокзал, к поезду в Сорренто. На прощание я позавидовал доктору Левину[6], который провожает Горького до Сорренто. Там сейчас, поди, солнце и синее небо, а здесь – ноябрь.

---

[1] П.П. Крючков – секретарь Горького, связанный с органами ГПУ.

[2] Томаш Гарри Масарик – первый президент Чехословакии (с 1918 по 1935 г.).

[3] Е.К. Брешко-Брешковская – один из организаторов и руководителей партии эсеров. После Октябрьской революции эмигрировала в США, с 1924 г. жила в Чехословакии.

[4] П.Н. Милюков – российский политический деятель, историк и публицист.

[5] Л.М. Хинчук – советский государственный деятель, дипломат. В 1930–1934 гг. – полпред СССР в Германии.

[6] Л.Г. Левин – личный врач, ученый. Был врачом В.И. Ленина, В.М. Молотова, А.М. Горького и семьи Л.О. Пастернака.

2 ноября

В Берлин приехал я с Гр. Ив. Петровским. Нас поместили с ним в одной квартире в посольстве, а наутро мы поехали в Москву через Варшаву. В поезде после польской границы стало грязнее, обслуживающий персонал небрежнее и бестолковее. Будто бы все житейское начало понемногу терять смысл. Это ужасное отличие европейца от жителя польско-русской равнины. Последний как будто не совсем твердо знает, за каким, собственно, делом он появился на свет, каково его место среди других, европеец же с семнадцати лет это знает и знает, когда он умрет и при каком капитале.

Приехали рано утром в Варшаву. Она всегда провинция. Полпредство выглядит учреждением с фанерными перегородками. Провели нас в комнату, очень холодную.

Беседовал с Антоновым-Овсеенко. Он рассказал о кознях против меня М.П.[1] (советничек, а по существу сепаратист, но не вследствие национальных чувств, а вследствие мелкобуржуазной породы, не способной объять нужды и трудности государства протяжением громадном – от Атлантики до Тихого и от Белого до Черного – и ищущий возможности ковыряться мыслишкой только у своего плетня). Он подал на меня донос (в который уже раз доносчики интересуются мной! Награда за Октябрьскую революцию!), что я плохо веду политику и что мной очень недовольны местные коммунисты. По первому пункту «факты» – сплошная ложь, по второму – вовсе нет фактов. О своем доносе Пол. сказал своему варшавскому коллеге Подольскому[2] и просил: «Только, пожалуйста, никому не говорите».

Днем поехали в загородный парк. Он, в особенности у пруда, красив опадающими бордовыми и желтыми листьями. Как-то чувствуешь себя во власти настроений Мицкевича и Шопена...

У парка старый солдат показал нам часы, дареные ему на смотру каким-то царем. Получает за показ от нас, как и от других, злот. Он бил немца на войне. В событиях сегодняшнего дня понимает столько же, сколько в походах Юлия Цезаря, т.е. не имеет о них никакого представления...

И опять утром рано – на Москву. Вечером – граница. Толстый, дородный рыжий начальник ГПУ. Все дружески, здесь уже много у людей тепла. Мы приехали в страну – первоисточник всех наиболее сильных человеческих впечатлений, переживаний и идей...

Москва, Спиридоновка. Особняк. Бесконечно трудные телефонные соединения со знакомыми и родными.

Хочу увидеть Сталина. Он неуловим. Был у Вячи Молотова. Он приветлив, сдержан (с его женой я по телефону говорил, может быть, чересчур прямо).

Были в комнате Моссовета, откуда мы руководили восстанием. Там теперь такая же умоотупляющая канцелярия, как и везде. Только на стене скромная медная дощечка, как на дверях зубного врача, с объявлением, в какие дни и часы он принимает, – и на ней наши имена. («Их имена с нашей песней победной будут священны миллионам людей». Вот тебе и на!)

---

[1] М. Полоцкий – секретарь парторганизации в Праге.
[2] Б.Г. Подольский – советник полпредства СССР в Польше.

6 ноября

На торжественном заседании в Большом театре. В президиуме – политбюро. Воодушевление. Нам (мне, Пискареву и другим «октябристам»[1]) не достало места. Попросил охраняющих помочь. Один из них мотивирует отказ: «Товарищи, больше стульев нельзя сюда ставить (хотя свободного места много). Вы плановость нарушите». Мы перешли на другую сторону зала. Здесь нам не только не отказали в стульях, но сами их принесли.

Началось заседание. Особенно хорошо встретили Андре Марти (француза)[2].

Как только кончилось собрание, я поздоровался с Андреевым, Вячей, Ворошиловым, Сталиным. Он очень любезно меня приветствовал. Знакомых – толпы: пожал руку Михаилу Кольцову, дочери Бонч-Бруевича и др. Все ужасно сдержанны. Кажется, что были бы рады выражать свои симпатии и антипатии посредством нечленораздельных звуков, чтобы нельзя было понять, что говорится и восклицается.

---

[1] Участники октябрьского восстания.
[2] Андре Марти – секретарь Коминтерна.

7 ноября

Парад на площади... Стояли среди дипломатов. В них угадывается одновременно насмешка и трусость перед нами.

Один броневик заерзал на площади (сыро, закидывало задок), выправился, побежал дальше. Побежали танки. И одна из-за сырости волчком завертелась. Подъехал военный грузовик, увез раненую танку. На Мавзолее Сталин, Ярославский, Енукидзе, Орджоникидзе, Каганович, Андреев, Молотов.

После парада мы шли домой пешком. Проходил пролетариат с плакатами, карикатурами и знаменами над головами. По улицам, где 15 лет тому назад мы совершали революцию, отчаянно и скромно, мы с Тарасовым-Родионовым[1] (он шел с нами) особенно охотно предавались воспоминаниям.

Вечером на приеме у Калинина. Все как обыкновенно. Дипломаты, дамы, улыбки, беззубые разговоры. Лгущие глаза. Через них, как через незанавешенные окна, слишком отчетливо виднеется истинное состояние души.

Бас пел «Эй, ухнем» (под Шаляпина), Максакова — Кармен.

Подошел я к Ворошилову условиться о свидании. Он попросил прийти послезавтра утром, 9 ноября 1932 г.

Радек[2] шутил с Кошеком. Издевался над ним, а Кошек не понимал. Не понимал, во-первых, потому что не понимал, во-вторых, потому что изрядно улобызался с водкой, сдобрив ее икрой.

Леонид Леонов спрашивал про Европу и держал себя как малый из Калашного ряда, и то не в будни, а в воскресный день, когда гармошка делает человека немного бесшабашным. Не знаю, деланое ли это у него или родное. Б. Пильняк ходил по залам у столов со снедью.

64

Мелкота наркоминдельская нетерпеливо ждала ухода гостей, чтобы навалиться на сласти и сдобу – плоды поваренных трудов.

---

[1] А.И. Тарасов-Родионов – русский советский писатель. Репрессирован; реабилитирован посмертно.

[2] К.Б. Радек – советский политический деятель, публицист. Репрессирован; погиб в тюрьме.

8 ноября
День провели в отдыхе.

9 ноября
Утром пришел к Ворошилову. Его нет: экстренно вызван. Иду к Молотову. Он встречает меня на лестнице и говорит: «Иди, иди туда, в квартиру, там Полина[1] тебя примет, иди». А сам спешит, напяливая наспех пальто. Пришел в его квартиру. Полина Семеновна обеспокоена, Вячеслав ей не сказал, куда и зачем вызван. Ушел домой. Через два часа стало известно – его вызвал Енукидзе.

Вчера был товарищеский вечер у Ворошилова. Жена Сталина Аллилуева была весела, симпатична, как всегда. Потом, может быть, в час или два ночи, она, Сталин и Калинин ушли. Она – домой, а Сталин и Калинин решили проехаться по Москве. Вернулся Сталин поздно, часа в три. Заглянул в комнату Аллилуевой. Она спала, он и ушел. В восемь часов домашняя работница будит Аллилуеву, та не реагирует. Работница открыла одеяло – Аллилуева мертва. Одна рука откинута, другая окоченела, сжав маленький револьвер, дулом направленный в сердце.

Работница позвонила Енукидзе, он вызвал Молотова и Ворошилова. Они пошли к Сталину, разбудили его.

Ответственные и неответственные работники партии убеждали друг друга, что Аллилуева умерла. Однако, почти все знали истину.

Мне нужно было повидать Сталина, но разве можно при таких обстоятельствах...

---

[1] Жена В.М. Молотова.

13 ноября

У Литвинова[1]. Он убеждает, что мне надо уезжать из Праги. На основании глупейшего доноса Полоцкого. Крестинский[2] написал (конечно, как и все, что он делает по неразвитости и глупости пополам с хитростью) содонос в ЦК, а Литвинов как нарком сделал выводы не в пользу меня, конечно. Один Карахан[3] по-прежнему хорошо расположен ко мне, на доносе Крестинского он написал: «Аросева убрать из Праги не возражаю, но ему следует предоставить работу в другом полпредстве». Мы говорили с ним о Турции, Тегеране и даже Японии.

Литвинов убеждал меня, что в ГПУ имеется материал против меня. Я возражал – какой же там может быть материал, кроме искусных выдумок карьеристов. Литвинов сказал: «С моей точки зрения тоже это не материал, но они его считают материалом». Я отвечал: «Меня ЦК и Политбюро достаточно знают, чтобы выдумки и злопыхательства моих неприятелей могли повлиять на их решение». Литвинов спрашивал, почему же сотрудники жалуются только на меня. Я опять возразил: «Неверно, не только на меня» – «Ну, может еще на Антонова-Овсеенко из-за его жены», – заметил М.М. – «Нет, нет, Максим Максимович, есть и другие, на которых жалуются. Этот процесс – не что иное, как борьба против старых партийцев и истинных революционеров. Об этом я Вам говорил три года тому назад во Францисбаде и Вы тогда с этим соглашались». – «А, полноте, – отмахнулся Литвинов от своего прежнего "согласия"».

---

[1] М.М. Литвинов – советский дипломат. В 1930–1939 гг. – нарком иностранных дел СССР.

[2] Н.Н. Крестинский – советский государственный и партийный деятель, дипломат. В 1930–1937 гг. – зам. Литвинова.

[3] Л.М. Карахан – советский дипломат. В 1924–1934 гг. – зам. Литвинова.

14 ноября

У Кагановича. Я осторожно затронул вопрос о моей возможности работать в Турции, Японии или Финляндии. Каганович сказал, что скорее всего мне придется работать в СССР, предполагает, что в Коллегии Наркоминдел. Я согласился. Условились, что я напишу просьбу об отозвании меня по семейным мотивам (жена местная, из Праги) и меня отзовут по моему желанию в марте 1933 г.

15 ноября.

Отъезд в Прагу. За две минуты до того, как нам сесть в авто и поехать на вокзал, мне звонит Ворошилов. Очень дружески говорили по телефону. Я укорял его в том, что он мало поддерживает меня, когда интриганы на меня нападают, а он сказал: «Не мы тебя, а ты нас мало поддерживаешь». – «Как так?» – спрашиваю. – «Да так, семью себе там завел. Ну да это ничего, приходи ко мне сейчас». Пришлось сказать, что багаж уже в автомобиле и через пять минут надо ехать. Он попросил изложить ему по телефону, что я хочу. Я сказал, что не прочь поработать и в Москве, и за границей, но хотел бы одного: остаться на дипломатической работе. Клим обещал стоять на этом и обещал мне написать...

Я выехал в Прагу.

4 декабря
День посещений. В посольство пришел артист Москвин.

1933 год

30 апреля
Париж. Посольство. Вчера был у А.[1] Огромная вилла. В лесу. Похоже на уединенный замок. А. рассказывал, что Крегер[2] его хотел убить. Подослал двух: один нанялся к А. в качестве лакея, другой должен был непосредственно совершить «дело». Планировали уговорить А. кататься на лодке и опрокинуть ее. А. почувствовал, что в вечер, назначенный для его убийства (о чем он не знал и не догадывался), не следует выходить из дома, и отказался от прогулки. Потом очень выразительно говорил мне:

– Я чувствительный, я очень отчетливо ощущал приближающуюся опасность.

Только потом он узнал, что Крегер тратил ежегодно большие суммы денег, чтобы следить за А., который подрывал доверие к предприятию Крегера. Последний распространял об А. слухи, будто он назначен Москвой для снабжения финансами компартий в Европе.

Оказалось, что со многими видными политиками в Париже Валериан[3] не знаком. За столько лет не успел! Например, с зам. предпарламента.

Очень много думаю о детях. Ведь они – самое верное, самое прекрасное, неисчерпаемый источник деятельности и наблюдений.

Эти дни, что в Париже, почти не читаю и не пишу, а это ослабляет духовную деятельность, ибо назад человек катится всегда быстрее, чем шагает вперед.

---

[1] Инициал раскрыть не удалось.

[2] Ивар Крегер – шведский предприниматель, один из крупнейших финансовых магнатов мира 20-х годов.

[3] В.С. Довгалевский – советский государственный деятель, дипломат. В 1928–1934 гг. – полпред СССР во Франции.

18 июня

Кавказ, Сочи, санаторий Ленина.

В сущности, человек живет один день, всякий другой день – НОВАЯ ЖИЗНЬ...

Утро. Был рад, вспомнив, что отослал свою пьесу в Москву.

Завтрак. Тороплюсь на автобус, в Мацесту.

Сидел в ванне. Потом ингаляция. Лежал в зале отдыха. Читал П. Сухотина «Человеческая комедия». Читал, чтоб познакомиться, что берут наши театры. Вещь сама по себе несерьезная и неважная, хотя и сделана по Бальзаку и принята в театр Вахтангова. Она не отвечает современности. Пошел на почту (против здания ванн). Сдал письма.

2 июля

В 9 утра выехал в Красную Поляну. Это в 93 километрах от Сочи. Сначала вдоль берега моря, а потом, не доезжая одного километра до Адлера, в сторону, в глубь Кавказа.

Впечатление неотразимое и несравнимое по силе ни с чем. Не хотелось даже себя самого ощущать. И до сумасшествия стало жалко моей прошлой кривой жизни.

Дико в Красной Поляне: горы, леса, в них медведи, гиены, шакалы. Ночью, говорят, слышно, как они кричат. Горы стоят, как живые неподвижные гиганты. Здесь охватывает чувство предысторического, животное просыпается в человеке. Вдруг веет первобытным. Мозг костей знает, что в таких лесах и горах вместе со зверями мой предок жил долгие тысячелетия.

По дороге туда и оттуда нас останавливали разъезды ГПУ'сских патрулей. Видно, на дороге шалят.

Дорога в Красную Поляну идет через ущелья. Она строилась в 1872 г. пленными турками, стоила жизни многим сотням рабочих и нескольким инженерам. Место для прокладывания дороги расчищали, взрывая скалы.

В Красной Поляне – пустующий санаторий в здании большой царской дачи для охоты. В прошлом году был тут пионерский лагерь, теперь за отсутствием продуктов нет ничего.

Так же пустует и дача ЦИКа. Она оборудована хорошо, и можно было бы в ней жить. В избе около этой дачи живет ее сторож с женой и сыном. Повыше на горе – рабочий-украинец с больной сердцем женой и двумя детьми. Врачи посылали его жену то в Кисловодск, то в Мацесту – ничего не помогало, сердечные припадки продолжались. Болезнь прошла здесь, в горах. Мы дали хлеба семье, они были очень рады. Картошки много посажено вокруг их домика, но эту картошку они не могут копать – она принадлежит дому ЦИКа.

Дикие леса, дикие горы... Кажется, даже чувствуешь запах зверя, звериной хищной жизни. Впечатление никогда раньше не бывалое. Что-то очень первобытное закрадывается в душу. От этого делаешься молодым и по-особенному, как зверь, чистым. Сама земля здесь первобытна... Уголок земного шара – теперь немного таких – сохранивший всю первобытность, всю юность нашей планеты. Впечатление глубже всех других, родившихся во мне...

19 июля

Выехали из Сочи в 9.30 утра в Гагры. Платановой аллеей прошли в город, восточный, пыльный, но культурный. В кафе чистые скатерти, за столиками люди... Чем-то страшно напоминает Неаполь. Море прозрачное и синее. Даже бухта похожа... Магазины полны товаров.

Доти мои живут плохо, а я в раю. Я сделал неправильно, что отдал их матери, надо было, как предполагал раньше, отправить их в Крым... Стал писать письмо Леночке.

20 июля

Новый Афон, предмет моих давнишних мечтаний. Головокружительная, какая-то околдовывающая красота. Выехал из Гагр утром, отправив Лене и Оле письма.

1 августа

Беспокоюсь... Что-то ожидает меня в Москве...

6 августа

Ночью ездили на обсерваторию. Смотрели Луну. Мехлис[1] проявил невежество, характерное почти для всех теперешних культработников: он спрашивал, почему светит Луна. Получив надлежащий ответ, удивлялся. Удивился также, узнав, что над Луной нет облаков, ибо на ней нет атмосферы. И уже совсем был поражен, когда ему разъяснил профессор (о, терпеливый!), что на Луне нет воды...

---

[1] Л.З. Мехлис – советский государственный и партийный деятель. С 1930 г. – зав. Отделом печати ЦК ВКП(б), редактор газеты «Правда».

9 августа

Ко мне в поезде подошел мой старинный знакомый Пешков Максим, сын Горького, познакомил с женой. Рассказывал много интересного. Между прочим и то, что обе дочери писателя Гарина («Детство Темы», «Гимназисты», «Инженеры») расстреляны ГПУ за шпионаж против СССР. Брат их, сын Гарина, работает как чекист.

10 августа

С вокзала поехали в 1-й Дом Советов. Оказывается, комнаты забронированы в «Савое». Переехали в «Савой».

С нетерпением жду детей. Приехали наконец. Похудевшие. Мать настаивает оставить Олю у нее. Спорили. Я стою за патронат.

Звонил в секретариат Кагановича, Сталина. Звонил Вяче Молотову. Он деликатно расспрашивал, как я лечился, однако к себе не приглашал, несмотря на то что я говорил ему, что хочу прочитать ему свой роман.

11 августа

Еще не принят нигде. Кругом холодная стена. Получил билет об-ва Старых большевиков. Дружно живу с Леной и Олей.

Гуляли в Кремле.

13 августа

Мать детей городила чепуху. Передавала сплетни Полины[1]. Была мною разбита, разоблачена. Но упряма. Увезла детей до 15 августа к себе.

Вечером было грустно. Один. И стена.

---

[1] Жена В.М. Молотова.

14 августа.

Весь день идет зря. Ягоды нет в ГПУ (или не хочет принять). Кагановича нет (или не хочет принять). Пахомов[1] обещает предоставить квартиру в первую очередь, а когда – неизвестно. Как будет с детьми? Был Ильин-Женевский[2], он едет в Прагу...

---

[1] Н.И. Пахомов – зав. хозяйственным отделом ЦИК.

[2] А.Ф. Ильин-Женевский – публицист, комиссар Всевобуча. С 1930 г. – на дипломатической и партийной работе.

24 октября

Вечер. 11 часов... Вчера и сегодня два хороших дня.

Вчера Ворошилов и Бубнов[1] уехали в Турцию. Большая делегация... Все работают. Все горят. Почему же меня держат перед холодной стеной... «Держат». Буду в таком случае активен сам: писать, читать, работать систематически над своим образованием (по истории и математике, история включает и философию). Пойду учиться в Университет. Такое решение зреет... То, что держат меня без работы, неприятно и для детей. Наташа говорит: «Все девочки могут сказать, кто их папа, а кто – мой?» Не знаю.

Это вовсе не стремление к чинам, а к тому, чтобы сознавать свое место в Социалистической стране.

Я бесквартирный. Это состояние доводит меня почти до физической тошноты. Главное, не видно просвета. Вот записка Кагановича. Да разве они понимают?!

Вопрос о смерти, мучивший меня много лет, мешающий и писать, и работать, и прямо, без изгибов жить, кажется, приходит к разрешению. Смерть неизбежна. В ней я так же неповинен, как в рождении. Надо только смотреть решительно ей в глаза и приготовиться уйти не вяло и кое-как, врасплох, а приготовившись, устроив детей. Главное – устроить детей. Это трудно (в Европе кризис хозяйства, у нас кризис культуры, а воспитание – первое дело культуры). Если их устрою, тогда – сколько угодно! Не побоюсь тлена и могилы. Тогда будет уж другая забота: уйти с презрением к небытию... Теперь надо много записывать. Все для дочерей!

---

[1] А.С. Бубнов – нарком просвещения РСФСР.

25 октября

Сказали, наконец, что квартира может быть предоставлена в 4 комнаты. Предложил поселить с нами Наташу (что очень необходимо в воспитательных целях). Натолкнулся на решительный протест со стороны жены. Вот так утро!

19 ноября

Всеми покинут. В большом живом городе – один. Упорно никто не говорит со мной о работе. Был у Орджоникидзе. Говорит, что Сталин меня любит, хорошо ко мне относится. Быть может. А почему же все остальные носы воротят? Исторгают из жизни, делают чужим.

Детей, Лену и Олю, устроил в лесную школу. Сердце щемит без них.

Живем на новой квартире и каждый день в мещанстве совершаем прогресс: то скатерки лучшие на столе, то после долгих трудов добьемся какого-нибудь мастера или рабочего, который, не торопясь, что-нибудь улучшит в нашей квартире.

Америка, Америка открылась для СССР. На первой странице «Правды» – смеющийся Литвинов.

Вчера подал коротенькую записку Сталину, просил вызвать. Едва ли что выйдет, он занят перед пленумом и перед съездом...

Был третьего дня у Молотова. Шутили, говорили о пустяках да еще о моем романе. О работе – ни слова. А может быть, в этом я виноват? Не взять ли инициативу в свои руки?

О, мудрость жизни! Как ты проста и капризна.

Опять без завещания. Надо торопиться написать и встретить неизбежное как самое нужное.

Весь дом спит. Прощай, вечер!..

20 ноября

Со мной до сих пор никто ни полслова о работе. Итак, я остаюсь литератором. Это звание Салтыков заповедал своим детям ценить выше любого другого.

Наше государство, все общество впервые создает реальный идеал: хорошо жить всем (коммунизм). Раньше идеалы искали в отвлеченном или религиозном. Идеалом этим определялась и мораль. Теперь идеал материальный, хозяйственный (коммунизм – это преимущественно понятие хозяйственной категории), следовательно, и мораль будет иная, более реальная. А мораль дает тип человека.

День опять закатился морозным туманом в тот склад, где лежит все то, что было.

27 ноября

Неотправленное письмо. «Прошу использовать мои силы на той работе, где я мог бы приложить их на все сто процентов. Это можно сделать, только приняв во внимание мой предыдущий опыт и мои знания. Мой опыт – это дипломатическая работа в течение 10 лет. При этом – ни одного замечания как со стороны НКИД, так и ЦК ВКП. Наоборот, имею письмо Литвинова с хорошим отзывом и подобный же отзыв имею от руководящей инстанции.

Знания мои – языки: французский, немецкий, английский, плюс то, что я знаком с европейскими политическими направлениями, взаимоотношениями политиков между собою. Многих из них знаю по работе. Считал бы нецелесообразным терять эту свою квалификацию и приобретать новую ценою невольного нанесения ущерба делу новому для меня. Это было бы бесполезное рассеивание энергии и сил. Мне хотелось бы шире и глубже поработать в своей области и поэтому предпочитал бы остаться в Москве на работе в Коллегии наркома по иностранным делам, хотя бы руководя отделом печати или другим отделом.

С настоящим заявлением в ЦК заставляет меня обратиться то обстоятельство, что я в течение последних четырех месяцев живу как подвергнутый остракизму, несмотря на своевременную подачу о себе сведений в ЦК – и о своем прибытии в Москву, и о своих намерениях».

9 декабря

Утро. Коля Мальцев приехал из Персии. Помолодел и более глубоко смотрит на вещи. Согласен со мною, что аппаратчики (шефы аппаратов) фактически очень часто контрреволюционеры. Он будет докладывать... Едва ли поможет, дельцы – в чести.

Один. Товарищи изолировали меня (одни из чиновничьей трусости, потому что я никуда еще не назначен, другие из растерянности или осторожности, замкнутости, в которой теперь живут все, третьи – вожди ЦК – не хотят беседовать со мной по неизвестной мне причине). Теперь я совсем... непонятно одинок. Сначала это остро переживал, не спал ночами, теперь свыкся. «В своей земле я словно иностранец» (Есенин). Как он прав, наш белокурый Сергей. Бывает же! И Чацкий приехал, как в чужую землю...

1934 год

Даже тебе, мой дневник, признаться не хочу, как мне тяжело, очень тяжело. По-настоящему тяжко... Нет работы. Статей моих газеты не берут. На любые темы, любые газеты – не берут. Канальи журнальные выстроились в ряд и холодно стеной встречают меня. Потому что холодной встретил ЦК. Почему?

Только что закончил беседу с Мальцевым. Он нежон был и просил прощения, что не был на встрече Нового года. А не был опять-таки из-за страха: не знает, кто он (т.е. – я). Люди-человеки.

Дневнику можно жаловаться, лить чернила, как черные слезы, а с завтрашнего дня опять грудь вперед – нужно делать вид бодрый и взаправду быть бодрым и бороться...

Был на похоронах Луначарского. Замуровали пепел его в стену.

3 января

Был в об-ве старых большевиков. Вечер воспоминаний о Луначарском. Речи хорошие. Говорил и я. Публика поняла, кое-где посмеялись.

По пути с собрания Вегер (старш. дочь)[1] рассказывала, как поступили с Луначарским. Однажды он пришел на фракцию ЦИКа, сел за стол президиума. Кто-то подошел к нему, сказал:

– Напрасно Вы, Анатолий Васильевич, тут, на видном месте сели, ведь сегодня Вас будут «выводить» и из ЦИКа, и из Президиума ЦИКа.

Анатолий Васильевич был удручен, сгорбился. Собрался уходить и тут увидел Енукидзе. Но он отвернулся, не смотрит в глаза, избегая здороваться. Убитый неожиданностью, грубостью, унизительной формой, безмотивировочностью своей отставки, Луначарский ушел к себе в кабинет и там один переживал горечь. В это время напротив (перейти только через Красную площадь) его «выводили» из состава...

Потом он долго, месяцы и месяцы, добивался поговорить с Кагановичем или с И.В., или с кем-либо, от кого зависит многое – никто его не принял. Один Литвинов из симпатии к нему стал протежировать и после нескольких бесплодных попыток провел все-таки в полпреды в Испании. Как радовался Луначарский!

Смерть ураганом все превратила в прошлое... В свете рассказа Вегер мне понятнее стала моя безработица.

Ох, дети. Забота о них неотступно сидит в мозгу. Мне больше всего на свете стыдно перед ними, что я до сих пор не имею обязательной работы, т.е. в наших условиях я – никто...

_____

[1] В.И. Вегер-Яковлева – старший референт научного отдела СНК, дочь И.С. Вегера.

10 января

Мне всегда лучше думается по вечерам, когда истек день. Перевалило за полночь.

Что было сегодня.

Утром с Наташей. Все добивался, чтобы она стала ближе ко мне, чтобы поняла меня, что я изо всех сил хочу ее поднять и сделать из нее сильного волей человека. И хочу с ней в дружбе жить. Вместе с тем неотвязно думал о младших дочерях...

Вечером на партконференции Ленинского района. Говорил Микоян. Источник воровства – карточная система, по его словам. Довольно правильно!

15 января

Полночь. Чувствую бодрость, работаю. Окончательно выяснил для себя, что без детей больше жить не могу. Коллектив хорош, но он убивает в ребенке индивидуальность. Для правильного воспитания нужна комбинация коллективизма с индивидуальным воспитанием. Но к чему все это говорить, к чему эти жалкие слова...

По приезде из Праги, вернее после моего отъезда оттуда, дети мои не укладывались мною спать, не проводили ночи со мной под одной кровлей. А Леночка, обнимая меня и обливаясь слезами, сказала: «А ведь это папа, самое главное». Вот из-за этих-то слез все поставлю на карту, но возьму себе детей. Милые мои.

Сегодня не хватило храбрости прямо напомнить Полине о ее долге мне, хватит ли – прямо поставить вопрос перед Герой?

Да, хватит. Смелость, свежая смелость, приди и выпрями меня. Привет тебе, смелость!

26 января

Слушал Сталина на съезде. Говорил пять часов, не торопясь, будто беседуя. Острил. Чем дальше говорил, тем ближе был к аудитории.

Овации. Взрывы смеха. Полнокровно. Но речь практическая. Большое стремление быть хорошо понятым.

27 января

На съезде. Говорил Постышев[1]. Хвалил, говорил общие фразы. Интересны некоторые данные и бытовые рассказы.

Н.К.Крупская говорила о необходимости нажать на культуру и – очень хорошо – о разнице между нэповским хозрасчетом и социалистическим. Если из-за хозрасчета нет библиотек в совхозах, то это нэпманский хозрасчет и т.п.

После нее Хатаевич[2] очень возвеличивал Сталина (а Сталин его вчера укорял и острил на его счет).

В кулуарах много публики, когда говорит второстепенный оратор. Зал заседаний наполняется регулярно, когда берет слово «большой» товарищ. Делегаты получали «Беломорстрой». Эта книга – коллективный труд писателей.

---

[1] П.П. Постышев – советский государственный и партийный деятель. С 1930 г. – секретарь ЦК ВКП(б), одновременно зав. отделами ЦК. Репрессирован; реабилитирован посмертно.

[2] М.М. Хатаевич – советский государственный и партийный деятель. Репрессирован; реабилитирован посмертно.

3 февраля

Говорит Вяча М. Довольно шумно в зале: уходят, приходят, занимаются разговорами. А он говорит с душой и сердцем. Коля Мальцев слушает, превратив лицо в кувшинное рыло, оттого что сдерживает зевоту...

28 марта, 12 час. 30 мин.

Звонок. Поскребышев. Просит прийти к 2 час. Значит, или к Сталину, или на Политбюро. Ожидал назначения. Что-то скажут. Жаль, что до сих пор не приступил к изложению истории моего назначения. Занятно было бы. Волнуюсь. Пришел в Кремль, в секретариат т. Сталина. Ждал в приемной. Вошел Жданов, говорил по телефону. Пошел куда-то. Вызвали меня в кабинет Сталина. Там все: он, Ворошилов, Молотов, Каганович, Жданов...[1]

---

[1] Конец этой записи, вероятно, утрачен.

13 апреля

Вечером пошли в театр Немировича-Данченко смотреть «Катерину Измайлову» («Леди Макбет Мценского уезда»), муз. Шостаковича. Взяли Наташу.

Вещь большая и сильная. Музыка тесно спаяна с содержанием. В некоторых местах музыка жуткая... Удивительный ритм, дающий темп всей пьесе, темп – быстрый. В антрактах пили чай у Немировича-Данченко. Там был и Буденный с женой.

Пришло известие, что спасены 22 челюскинца, осталось на льдине 6, но и они, кажется, спасены. Перед первым актом Немирович-Данченко, находившийся в зале, сообщил это публике и сам возглавил хорошо, человечно «Ура». Ему, через него героям-авиаторам публика сделала овацию...

Сегодня, 13 апреля, звонил в ЦК, чтобы узнать, как обстоит дело с моим назначением. Оказывается, прошло в Оргбюро и дано на утверждение Политбюро.

Звонил Поскребышеву. Он говорит, что Сталин с удовлетворением читал тетрадку, которую я послал ему (стихи, старинные)...

Взял у секретаря Томского[1] разрешение на книги. После обеда хотел их получить. Поздно. Направился в ЦК, не пускают. Поздно. С партбилетами только до 5 час. вечера!

Ужин. Бережливость Геры (не дает лимона, печенье от древности пахнет затхлостью, несъедобное). Работаю над романом. Из рабочей колеи выбила Гера каким-то кухонным предложением: дать Наташе маленький чайник с недопитым нами чаем, а то она возьмет, чего доброго, новую щепотку чая. Работа над романом была нарушена. Сел за этот дневник.

На завтра работ полон рот, а концерт Прокофьева!

---

[1] М.П. Томский – советский государственный и партийный деятель. С 1932 г. – заведующий Объединенным государственным издательством (ОГИЗ). В условиях массовых репрессий покончил жизнь самоубийством.

26 мая

На днях был у Вс. Иванова, Павленко и Н. Тихонова[1] рассказывали, как отрыли прах Гоголя, Хомякова и Языкова. У Гоголя головы не нашли. Кто-то раньше ее взял, как и две другие. Черепа теперь хранятся в каком-то доме. Который Гоголя – определить трудно. Кто-то украл у Гоголя ребро. Сняли ботинки на высоких каблуках, отослали в Поленовский музей. Гоголь лежал в синем фраке. Хомяков – в поддевке. У него сквозь грудь пророс дуб.

Языкова (поэта) голова, когда открыли могилу, оказалась высунувшейся из гроба. Это потому, что крышка гроба треснула. Жутко. Прах этих людей перенесли в Новодевичий монастырь. Бессмысленная «унификация» и «централизация».

---

[1] Вс.В. Иванов, П.А. Павленко, Н.С. Тихонов – советские писатели.

12 июня

Долго не писал, но очень много думал. В особенности перед тем, как заснуть. Интимные думы о смысле жизни.

До сих пор не написал завещания.

Вчера жену свез в родильный дом. Она так сдержанна и трогательно-изящна в своей сдержанности! Вчера. А сегодня утром – приехал с проф. Корчагиным в роддом им. Крупской. Профессор щипцами вынимал сына. Он здоров, весит 8 фунтов. Жена тоже здорова. Щипцы стали необходимы потому, что пуповина двойной петлей обвилась вокруг шеи и душила мальчика. Если бы профессор запоздал, сын был бы задушен. Но профессор не опоздал, и вот он, новый человек, мой сын – на свете, среди нас, моя замена! Еду к дочерям – рассказать, что у них появился брат! Усталый я сегодня, две ночи не спал. А надо быть бодрым!

14 июня

Вечер. Ужин. У Крестинского. Во фраках. Микоян в белой рубашке, Бубнов в военном, Каминский[1] в простом сине-грязном пиджаке. Одна брючина поднялась выше носка. Глупо быть во фраках, когда руководители «налегке»...

Американский посол Буллит[2] немного краснокожий и глаза его темно-зеленые, глубоко сидящие, смеются над увиденным.

Англичанин с глазами, смотрящими в никуда.

Коллонтай совсем одинокая. Осталась только светскость. Редко говорит небанально о политике.

Шутки плоские.

Многие поздравляли меня с сыном и говорили об этом за отсутствием других предметов. Записал это утром, словно литературно умылся. Каждый день буду так заряжаться наблюдениями, размышлениями.

---

[1] Г.Н. Каминский – советский государственный и партийный деятель, один из организаторов советского здравоохранения. Репрессирован; реабилитирован посмертно.

[2] Уильям Буллит – первый посол США в СССР (с 1933 по 1936 г.).

15 июня

День такой же суетный, как 14 июня. Утром – работа.

Завтрак с Садулем[1]. Умный человек. Наташенька, старшая дочь, уехала сегодня в 6 вечера на пароходе по Оке, Волге, Каме и Белой. На двадцать дней. За ней понеслось мое сердце. Так грустно остаться без Наташи. Доченька моя.

Поехал с Тарасовым-Родионовым и Лидиным[2] выбирать место для дачи. Выбрал. Кажется, недурное (25 км от Москвы).

Как быть с детьми моими от первой жены? Где они будут жить? Покинуть их я не могу. И мальчика, сына своего, тоже начал нежно и бережно любить. Долго говорили с Герой. Поднимется ли она на прежнюю степень любви?

Были у детей – Лены и Оли. Обе крепко меня любят.

ВОКС, работа. О, боже, сколько надменных, ползучих, грязных. И все хотят жрать!

---

[1] Жак Садуль – французский офицер, коммунист.

[2] В.Г. Лидин – русский советский писатель.

Тетрадь № 2

Москва, Москва родная! Каждый уголок здесь выст-
радан. А кому пояснить про великую борьбу, кто поймет,
кому теперь это нужно!

18 августа

Вчера – открытие съезда писателей. Дом союзов ломится. Беспорядок с билетами. Скромные остаются на
улице, недопущенными, наглые прорываются сквозь цепи милиционеров и военных.

Там итальянец Брокиэри[1], облетевший весь СССР и
Сибирь, ухитрился, пользуясь покровительством Горького, пробиться в правительственную ложу и в перерыве, обнаглев окончательно, просил у Альтмана[2] провести на съезд и в ту же ложу еще своего знакомого.

Я был на трибуне. Говорил громко Жданов, а до него
произнес речь Горький.

К сожалению, после каждой речи вульгарная духо-
вая музыка играла какие-то бравурные и даже полупля-
совые туши. Словно не съезд писателей, а завтрак го-
родничих у генерал-губернатора.

Артузов[3] подошел ко мне: «Познакомьте меня с
французом Мальро[4], а я в свою очередь представлю
его коммунару парижскому, старику Икару». Долго искали (в перерыве) Мальро. Нашли наконец. Я представил его, пошли в комнату президиума. Потом Артузов

искал Икара. Старик демократически благородный хорошо поздоровался с нами и рад был Мальро.

Говорил с Крупской. Она весела, хотя здоровье ее ухудшилось, обострилась базедова болезнь.

Не дождавшись конца, пошел домой.

Горький говорил скучно (внешне). Тихо, и был прерван "антрактом" в 10 минут. Жарища в зале. Все потом истекали.

Сегодня в 13 ч. на параде авиации. У входа повстречал Кагановича со всем его семейством. Мило беседуя, поднялись в новый огромный павильон. Там – Ягода, Горький, Жданов, Вяча Молотов, Ал.Толстой, Афиногенов[5], Киршон[6] – все знакомые, знакомые.

Поднялись истребители. Виражи. Огромный павильон, где мы стоим, плохо построен. Сказал это Енукидзе. Каганович – тоже согласен. Смотреть приходится на южную сторону. Солнце блещет, мешает.

Оркестр играл арию Ленского «Куда, куда вы удалились». Аэропланы летали бреющим полетом и бросили двенадцать бомб, взорвав макет избушки, а оркестр играл арию месье Трике из той же оперы.

Я спросил Горького, получил ли он мое письмо. Говорю, что имею к нему кое-какие дела по вопросу о методах привлечения колеблющихся писателей Запада. Ему неловко было, что он не отвечал, тем более что я сослался на Вс.Иванова.

Каганович смеялся над моими широкими шароварами. Но смеялся мило, не зло.

Шверник[7] рассказывал мне о Париже.

На наших глазах 75 парашютистов выбросились с трех аэропланов. С 3000 метров сбросился Афанасьев[8]. Раскрыл парашют не сразу, а потом под парашютом долго, жутко мотался в воздухе. Упал на народ, что стоял возле аэродрома.

А. Толстой говорит, что третью часть «Петра 1» отсрочил писать, надоели все одни и те же действующие лица. Засел писать «19-й год», а потом, освежив себя этим писанием, приступит к 3-й части «Петра 1». Я думаю, что от перерыва 3-я часть романа пострадает и будет ниже первых двух. На прощанье условились встретиться после съезда.

Дома ожидали меня письма от Лены и Оли. Обе соскучились, и так же как Наташа, хотят выехать 22, чтобы быть здесь 24.

---

[1] Витторио Бэонио Брокьери – итальянский журналист.

[2] И.Л. Альтман – советский литературовед, литературный и театральный критик.

[3] А.Х. Артузов – один из основателей органов госбезопасности и разведки.

[4] Андре Мальро – французский писатель, культуролог.

[5-6] А.Н. Афиногенов, В.М. Киршон – советские драматурги.

[7] Н.М. Шверник – советский государственный и партийный деятель. В 1930–1944 гг. – первый секретарь ВЦСПС. Входил в близкое окружение Сталина.

[8] С.Н. Афанасьев – один из первых мастеров парашютного спорта.

30 августа

Вот сколько дней пропустил без записей. А было много пережито.

Гронский[1] возвратил рукопись «Правды» с назидательным письмом.

Съезд писателей. Приемы иностранцев. Приезд детей. Их первый контакт с Герой. Первый блин комом. Захворал легко Дмитрий. Выздоровел.

Большая компания у Сокольникова[2].

Читал главы своей «Правды» у академика Баха[3] в обществе писателей.

Делал доклад о Международном положении на Московском активе. Потом у метростроителей.

Начал пьесу.

---

[1] П.П. Гронский – общественно-политический деятель, правовед, историк, прозаик.

² Г.Я. Сокольников – советский государственный деятель. С 1932 г. – заместитель наркома иностранных дел.

³ А.Н. Бах – советский ученый, основоположник советской биохимии.

9 сентября

Время летит – не видишь. Вчера был большой банкет. Каждый день встречи с иностранцами. Третьего дня утром чуть в обморок не упал от плохого пищеварения. Вчера держал речи по-французски перед пятьюстами гостей.

18 сентября

Как-то грустно все. Выйдет ли из-под моего пера драма?

20 сентября

Я очень много вижу людей и событий, многих действователей сегодняшнего дня знаю хорошо. Если бы я описал час за часом каждый день, то, о чем довелось мне говорить с нашими вершителями судеб жизни и искусства и с иностранными виднейшими представителями науки – могла бы получиться большая картина событий наших дней.

Я буду так записывать. Приведу в порядок мои старые дневниковые записи. Может быть, это будет единственным наследством моему семейству, после того как факт моего существования отойдет в прошлое. Если не все, то часть или частями мои записи могут быть изданы.

На мысль записывать мои встречи, разговоры и наблюдения навело меня чтение журнальных материалов о Фирдоуси, составившем Книгу царей – «Шахнамэ», и еще – Стендаль и летописцы.

Слово вообще, или по преимуществу, существует для изображения прошлого, для записи того, что было. Во всяком случае, тогда ему верят больше, чем когда словом пытаются сделать наброски будущего, не бывшего.

Сегодня с Демьяном Бедным на чествовании Фирдоуси говорили о слове. Я утверждал, что открытие человеком возможности объясниться посредством слова с другим в свое время равнялось нынешнему изобретению радио. Люди научились на расстоянии понимать друг друга. В первое время и очень долго слово было магическим знаком, ему приписывали очень конкретную действенную силу. Отсюда ценность таких творений, как «Шахнамэ», гомеровская «Илиада» и т.п.

Приступаю к записи виденного сегодня.

Утро. Сплошное расстройство с неуклюжей кухаркой. Заботы о детях, встал рано: они разбудили. В $10^{1}/_{2}$ заехал к Р.[1] Как могут культурные люди жить в такой вони, среди ободранных, ничем не смягченных стен – ни картинок, ни даже ровной штукатурки. Не квартира, а пещера. Жутко, могильно. Когда будет хоть так чисто, как было у середняка-крестьянина в избе?! Ушел и на улице едва отдышался.

Приехал в ВОКС. Звонки – Накорякову[2] о моих книгах («Олимпия» и «Воскресшая Москва»). Накоряков ссылается на Беспалова[3]. Звонил ему. Беспалов ссылается на то, что завтра в архиве найдет. Милое обращение с рукописями! У нас явно не верят в магию слов.

Звонил Мусту – забронировать электрическую печку, Лугановскому[4] – освободить от пошлины бумагу. Лугановский кочевряжится: и да, и нет. Кажется, будет смотреть на свой пуп, чтобы оценили как самый мудрый ответ.

Пришла француженка от Дюшена[5]. Говорит по-русски, интересная. От Дюшена предложение – созвать интернациональное Общество связи. Француженка (коммунистка) жаловалась: поселили ее на 6 этаж Ново-Московской гостиницы, комната – 30 франков, стол – 80 франков. Бедняжка звонит, чтобы подали завтрак, – не может дозвониться. Уходит без завтрака. Обслуживают иностранцев «на американский манер». Взял ее на счет ВОКСа.

Пришел персидский искусствовед Нефеси. Худой, обезьяноподобное лицо, в очках. Цвет лица – будто по нему полосами размазана серая пыль малоазийских пустынь.

Все на нем коричнево-песочного цвета. Свободно говорит по-французски. В Персии очень любят Лермонтова. Есть и Пушкин, и Гоголь, но больше всего увлекаются французскими реалистами – Золя, Мопассан, Дюма и т.п.

Нефеси предложил установить с ВОКСом и библиотекой Тегерана постоянный книгообмен. Любит театр и его закулисную жизнь. Часто бывает в Европе, всегда через СССР. Плохо знает светскость: темы разговора иссякли, а он все еще сидит. Потом, после молчания, спокойным скрипучим голосом опять начинает из себя выдавливать какие-то ненужные слова. Ушел.

Послал управделами Головчинера (исполнительный и реальный) получить в ЦК ордер на мануфактуру и обувь для детей. Послал фордик за детьми в школу.

Звонили из МК. Просят завтра выступить на партактиве химзавода, где партийцы не понимают, почему СССР вступил в Лигу Наций.

Вызвал стенографистку Заботину, продиктовал ей речь, которую произнесу в Большом театре.

Приехал обедать. Приехали дети. Приехал сын.

К 7 часам подана машина, чтобы ехать в театр. Дома у нас гости. Да еще пришел неожиданно Вася Чернышев[6]. Все в детской – мешают дочерям делать уроки.

Началось. Енукидзе – председатель. Говорит мне, что решили никого не выпускать с приветствиями. Ни от Академии наук, ни от Союза писателей, ни от ВОКСа. Зря была вся моя и моих сотрудников работа над речью. Ничего-то в этом мире нет надежного, все проникнуто отменой бытия – смертью.

В своей речи Енукидзе почти моими словами выразил мою мысль (по ней я и строил свою несказанную речь), что Восточная культура играет не подсобную роль Западной культуры (для объяснения ее происхождения), а имеет самостоятельное и актуальное значение. Енукидзе говорит скучно, осторожно, а под конец – читает: другие ему написали. И приветствия, другие сняли, вероятно, Культпром! Мало ли что вчера Президиум ЦИКа СССР решил, Стецкому[7] или Юдину[8] это не нравится!

За Енукидзе говорил Орбели. Доклад неплохой. Потом поверенный в делах Персии (скучно, о, Господи!). Тут и персидский, и наш интернационал. Дирижер (военный, оркестр – военный) ловит слова оратора, чтобы поприветствовать приближение конца речи – и туш! Потом говорил Диба, потом Нефеси. Потом две-три телеграммы с приветствиями, закрытие «официальной части» и «Интернационал».

Поговорили по делам с Юдиным. Прозаик, циник.

Приехал домой.

---

[1] Личность установить не удалось.

[2] Н.Н. Накоряков – один из организаторов книгоиздательского дела в СССР. В 1930–1937 гг. – заведующий Государственным издательством художественной литературы (ГИХЛ).

[3] И.М. Беспалов – литературовед, главный редактор ГИХЛ.

[4] Э.В. Лугановский – управляющий Центральным коммерческим банком СССР, член Совета при Наркомате финансов СССР.

[5] Фердинанд Дюшен – французский писатель.

[6] В.И. Чернышев – языковед, член-корреспондент АН СССР.

[7] А.И. Стецкий – советский партийный деятель. В 1930–1938 гг. – заведующий агитпропом ЦК ВКП(б).

[8] П.Ф. Юдин – советский философ и общественный деятель. В 1932–1938 гг. – директор Института Красной профессуры.

21 сентября

Ждем заезда утром Кривича, чтобы отправиться осмотреть место для дачи. Погода божественная, и небо – как во Флоренции.

Поехали за 24 километра, деревенька «Переделки». Там, пройдя ее, в лесу строятся дачи писателей, в том числе и мне (вернее, будет строиться)...

Плана нет. Правительство отпустило 1 500 000 руб. «Этот кредит надо освоить... Не знаем, что делать с деньгами», – клялся Кривич. Он летчик, несколько раз падал. Я тоже падал. Поделились впечатлениями.

ВОКС. Евнух Аплетин[1] семенил ногами и исторгал слова, словно кожурки от семечек выплевывал. Он ненавидит меня, мою жену, все мое. Он – учитель чистописания. Трагедия его в том, что теперь отменены мундиры и панихиды.

Лена хворает. Температура 38,7. Фурункулы. В комнатах беспорядок, это раздражает меня.

Опять ВОКС. Слушал доклады.

По командировке МК еду на завод (химический). Там нужно растолковать партактиву значение нашего вступления в Лигу Наций.

В столовой завода молодые и пожилые рабочие, мужчины и женщины. Все записывали внимательно мои разъяснения. Я сделал обзор истории Лиги.

Рабочие задавали мне вопросы, когда я шел по двору после собрания. Например, если члены Лиги Наций передерутся между собой, не будем ли и мы втянуты в войну (конкретно между Германией и Францией). Отвел опасения, сказал, что всегда можно выйти из Лиги.

По окончании доклада тотчас же поспешил на доклад о съезде сов.писателей у командиров кремлевской охраны. Командиры встретили хорошо. Много молодых. Думают много, интенсивно. Читают. Смешил их порядочно.

Дома. Усталый до изнеможения, но это совсем другая, приятная усталость, не то что от приемов. Видно, натура у меня такая – перед публикой выступать.

---

[1] М.Я. Аплетин – зам. А.Я. Аросева в ВОКСе, председатель иностранной комиссии Союза советских писателей.

22 сентября

Обедал дома с детьми.

Навестил меня в ВОКСе Устинов[1]. Обсуждали «вермишель». У Эстонии свои артисты и художники. Как мило. Общепринятые вещи воспринимались с восторгом. Из жизни вычеркнуты 2 часа, во время разговора я это чувствовал.

В 8 ч. вечера – обед в честь... Фирдоуси!

Дорогой любовался луной, лесом, сумеречной прозрачностью.

Переоделся. ВОКС. Огни. Зал. Гости. Около ста.

Открыл собрание речью. Следом за мной Диба плел банальную чушь о влиянии персидской литературы на мусульманское искусство. «Синие купола храмов», «Возвышенность – ближе к небу»... и пр.

Захватывающе интересно говорил по-французски Нефеси. Он доказывал, что персы – все поэты, и с рождения до похорон каждый шаг перса сопровождается стихами и поэмами. На крестины даже у бедняка обязательно приглашается поэт. На похороны – также. Некоторые сочинители ходят из дома в дом и за деньги складывают стихи по заказу, объявления пишутся в стихах и пр.

Потом говорил зам.посла Саэд. Чересчур нас восхвалял.

Затем начался концерт. Квартет был хорош. Пианист Эйдеман надурен. Батурин – как рыба. Голос есть, а впечатления никакого. Певица Вербова (Толчинский, завхоз, про нее сказал, что она восьмую бутыль нарзану пьет!)

толста, черна, смугла (кажется, грязна!) и без голоса. Кто ее пригласил?

Арфистка Дулова. Чересчур сексуальна. Сексуальна, но не бодра, а упадочна. Хорошо, впрочем, играет.

Ужинали. У меня глаза слипались. Пильняк объяснялся в дружбе, звал к себе. Удивительно, почему мне Пильняк всегда казался и кажется беременной молочницей. Он и добр, и бодр, а все как-то пахнет хлебом, коровой и подойником!

---

23 сентября

Не спал всю ночь напролет. Страшно это. Ночь безглазая. Лицо кажется черепом. Чувство не только ненужности жизни, но ненужности смерти. За стеной спят дети. Их дыхания сонны. Что я только не передумал за эту ночь. Особенно о том, что никто не сочувствует моей трудности, и даже дети не будут знать, что я преждевременно умер от непосильной ноши семейной жизни и труда, часть коего мне не нужна (например, работа в ВОКСе). Лучше бы просто писать.

Вообще живу не так, как мне нравится. А это страшно.

Умылся в час дня, в два поехал к Кагановичу (в секретариат: нет ли ответа. Нет), потом в магазины (искал электропечку-грелку).

В шесть вечера доклад в Плехановском институте.

Лена хворает, но уже легче.

О работе.

День – вничью!

24 сентября

Детей отправил в Парк культуры Горького. Одевался, умывался. Играл с сыном.

За детьми, и в театр. «Кармен». Оставил там детей. Сам – в книжные магазины. Купил много интересного. Особенно доволен Петраркой.

Столовая СНК. Звонил Кагановичу. Он уехал в город, звонил в Кремль – еще не приехал.

За детьми. Отвел обедать в столовую СНК, сам в библиотеке столовой читал Ал.Толстого «Петр 1».

Домой.

Читал Петрарку. Положительно нет того, кто бы не бился над вопросом о смерти!

Балет в консерватории. Очень хорошая Мария Борисова из студии Дункан. Острая женщина.

Читал Петрарку.

25 сентября

Встал рано. Зубной врач. Персидский зам. посла позвал на обед – согласился.

ВОКС. Служебные доклады. В секретариат Кагановича за ответом. Секретари его принимают так, будто нарочно оставляют возможность на всякий случай трактовать их поведение как угодно. Никакого ответа. Что делать? На кого напирать? А уж без напора – ничего!

Обед у перса. Кушанья изысканны, а речи – нет. Все говорили, и я. Пили за мир, за культурсотрудничество. А потом, как вышли в столовую, так будто с цепи сорвались: стали прощаться с хозяевами и друг с другом. Диба, прощаясь со мной, захохотал и просил достать пластинок. Перс, лентяй, паразитическое отношение к культуре нашей сохранил: «Дай!»

ВОКС. Служебные доклады. Домой на минутку. Поцеловал жену, детей – и на прием.

Старик Вебб[1] говорил речь о своих впечатлениях и критических поправках к нашей жизни. Ему отвечали. Сидней Вебб соглашался. Обрадовался, когда я пригласил к столу. Умен Сидней Вебб, но умен по-английски!

Сидней ушел скоро. Я – в Худ. театр. Там жена и чехи.

Играли «Вишневый сад». Прекрасно. Гениально. Какая ясность видения у Чехова!

Дети хорошо спят. Пора ко сну и мне. Аминь!

---

[1] Сидней Вебб – английский экономист, общественный деятель.

26 сентября

В Наркоминделе совещание. Давтян[1], Гайкис[2], вахтанговцы (Миронов, Волкова и др.). Мой зам. Аплетин (опоздал, бедняга!). Бутерброды, чай, многословие. Решать что-либо не имеют права, поэтому «решили», чтоб Давтян переговорил завтра с польским послом Лукасевичем о том, что «мы» настаиваем на поездке театра в январе. «Решение» очень важное, тем более что и без него Давтян говорил бы о том же самом с Лукасевичем. Тут же решили, если Лукасевич будет настаивать на весне, следует согласиться, но тогда настаивать (опять «настаивать») на немедленном заключении договора. Ну а если Лукасевич не согласится? Тут было констатировано, что вопрос в сущности решается не здесь, а в Варшаве. Так-то и отказался Давтян поговорить решительно. Страшно плодотворное совещание. Много потрачено золотого, солнечного времени, ровно полтора часа. Оттуда в ВОКС. Доклады замов. Распоряжения. Благоглупости. Нет, тупости, неопрятности. Обед дома.

Звонил Молотов, звал на обед. «Не могу – прием». – «Ну, так после приема». – «Готов».

Выступали молодые наши мыслители. Я заключил неожиданно складной французской речью. Рядом со мной сидела интересная брюнетка, директор института. Не молода.

Отвез брюнетку домой. К себе домой зашел на пять минут и – к Молотову. Вслед за мной тотчас же пришел Евреинов[3]. Молотов рассказывал о своей поездке по Западной Сибири, о разгильдяйстве в колхозах и совхозах, об арестах, кои он произвел. Урожай большой, да его плохо снимают...

Я рассказывал о делах ВОКСа, о Сиднее Веббе, об индусском бримине. Говорил с юмором. Хохотали.

Много раз Молотов спрашивал Евреинова – как у вас в ВЦСПС? Как прошел пленум, каково настроение, что думают товарищи? Евреинов улыбался, как улыбаются японцы, не знающие языка своего собеседника, и молчал. Тяжело, упорно и войлочно молчал. Словно язык к зубам мочалом привязал. Дико. Меня, что ли, боялся.

Так и сидели до 2-х ночи. Возвратившись, уже не смыкал глаз до утра.

---

[1] Я.Х. Давтян – дипломат. В 1934–1937 гг. – полпред СССР в Польше

[2] Л.Я. Гайкис – сотрудник центрального аппарата НКИД.

[3] Н.Н. Евреинов – секретарь ВЦСПС.

27 сентября

Голова – котел. А надо принимать.

Первый посетитель (пишет по женскому движению) – русская просится за наш счет проехать по Средней Азии. Воздерживаюсь. Бесплатно хочет написать книгу. Не грабят нашу страну только ленивые и непредприимчивые.

Работал в ВОКСе до 7 вечера. Дома – писал. Гера на конференции. Поехал домой. Ждал.

Спешил на вокзал проводить Сиднея Вебба. Едва поспел. Старик был рад. Он аккуратен, образован, корректен, средне умен, в мышлении механистичен и профессиональный бюрократ. Спать ложится до 10 вечера ежедневно. Ему 76 лет. Жене его – 78. Перед сном танцуют фокстрот. На руках и лице очень тонкая сухая розовая кожа. Светлые глаза. Сбоку, когда их не закрывает пенсне, они умнее и мыслительнее, чем анфас, через пенсне.

28 сентября

ВОКС. Очень мало пишу. Грустно. Вкус к жизни трагически ослабевает. Работаю много. Много разъездов на автомобиле. Москва героически преобразуется. Дома новые, высокие. Площади широкие. Останется ли все это социалистическим? Да, останется, несомненно, но придется защищать!

29 сентября

Все то же. Очень зубы болят. Пиорея.

Я поехал на автомобиле в ВОКС (там прием).

Димитров[1], видимо, плохо чувствует музыку. Он во время чудной скрипки (Ойстрах) и виолончели (Одинцов) бесцеремонно громко разговаривал с И. Беспаловым (его корреспондент во время процесса[2]). Тут же была и Беспалова, женщина коричневого тона (платье и глаза). Интересная. Как только вышел петь Батурин, а потом одна контральто, понял – пение он любит. Особенно же с увлечением Димитров слушал веселую испанскую песню (певица – добротная, тяжелая, смуглая и сама походила на испанку).

Вечер прошел хорошо, а спал я плохо, потому что пришел после 3-х ночи. Динамов[3] угостился крепко (я велел его поить хорошо!) и говорил, что «СССР не мороженое» и что меня за границу не пустят. Потом брал меня за поясницу и говорил, что он, Динамов, выше Стецкого, потому что лучше его понимает Запад, и что готов работать в единении со мною, так как я тоже западник, что против меня многие в аппарате культпроп, а наверху – за меня. Я все выслушал. Молча.

[1] Г.М. Димитров – деятель болгарского и международного коммунистического движения.

[2] И.М Беспалов освещал Лейпцигский процесс 1933 г.

[3] С.С. Динамов – шекспировед, редактор журнала «Интернациональная литература».

30 сентября
Дети были в театре. Я гулял. Гера – дома.

Тускло прошел день. Дети отняли все силы, особенно нервные.

1 октября
Работал. Были посещения. Хлюст пробрался ко мне только потому, что сослался на письмо от Мильерана[1]. Пришел – никакого письма нет, только устная рекомендация от посла.

Шаромыжники думают, что улыбка придает им глубокомыслие. Они сидят, окутанные в нее с начала до конца беседы.

[1] Александр Мильеран – французский политический деятель, президент республики в 1920–1924 гг.

2 октября
Мелочи. Дети, чтоб не беспокоить Геру, обедают в ВОКСе. Приходят туда из школы. Сидят в моем кабинете (тут же и обедают, и шалят. Беспризорные! Жаль их, и трудно!).

Вечер у Динамова. А перед тем на концерте Вестминстерского хора. Я прошел за кулисы (по приглашению их регента). Весь хор встретил меня аплодисментами.

Дирижер (он был у меня накануне и произвел приятное впечатление человека безраздельно преданного искусству) приветствовал меня небольшой речью. Я ответил – по-французски. Он просил несколько слов сказать по-английски. Я сказал так, что меня поняли, несмотря на мой плохой английский.

В антракте – мадам Пайяр[1]. Она не может меня видеть, чтоб не приглашать на завтрак.

К Динамову. Там Барбюс и человек 20–30 чиновников от искусства и культуры: Аркадьев (он как портной), Боярский (молчалив, только став председателем РАБИСа, начал читать книги, и то не часто!)... Квартира, как вокзал. Темные углы в коридорах, в них ящики, корзинки, рухлядь. Долго трепали за столом убитых куриц, индеек, свиней и др. животных, много кушали плодов земли (огурцы, салат и пр.). Вкусное мороженое (все из ВОКСа!).

Барбюс распоясался: сидя рядом с Динамовой, навязывался прийти к ней один-на-один. Она советовалась с мужем, оба – со мной. Я посоветовал ей согласиться пойти с ним лишь в театр. На том и порешили. Барбюс кисло согласился.

Танцевали. Динамова ластилась ко мне, все звала танцевать.

Поздно вернулся, опять плохо спал.

---

[1] Супруга временного поверенного в делах Франции Жана Пайяра.

3 октября
Мелочи дня, поедающие жизнь.
Зубная боль.
Пригласил к детям воспитательницу.
А солнце неумолимо совершает круг.

4 октября

Хворает Оля. Захворала и Наташа. Изолировал Лену. Воспитательница существенно помогает.

Делал два доклада о Лиге Наций и СССР (Институт марксизма-ленинизма) и о съезде писателей.

Везде встречаю своих учеников-тверяков.

5 октября

Этот день был намечен для отъезда в Крым, но в ЦК все еще не решен мой вопрос о поездке в Европу (командировка для расширения связей). Все обещают (культпроповцы!) пустить. Жданов, которому я передал письмо первоначально, передал в аппарат культпропа, аппарат нынче, ой, много значит!

6 октября

Оля дома. Лена – в галерее с воспитательницей, а Наташа – у подруги.

Обедов не оказалось (столовая по выходным в нашем доме закрыта), ели кое-как.

Москва подтягивается под Европу. Но только мух много, а мухи – от грязи.

7 октября

Доклад Московскому землячеству красногвардейцев о плане кинофильма «Октябрь». Нет ничего более трогательного, чем сидеть семнадцать лет спустя среди тех самых товарищей, с которыми в пороховом дыму и в громе орудий мы шли на твердыни капитализма за то, чтоб теперь мы могли строить свои гиганты-заводы и гиганты-дома. Красные партизаны – все люди чувствительные, с поэзией внутри, с романтическим отношением к революции и каждый – герой. Они на всякое начинание, касающееся их, взирают с горячей надеждой.

Многие без квартир. Другие без медицинской помощи. Третьи – теснимы материальной нуждой. Четвертые – интригой, от которой не спасает их геройство и известная моральная высота.

Ругался с Вейцером (Наркомснаб. СССР) и с его замом Болотиным по формальной волоките: не выдают карточек ГОРТа. Дети без продуктов. Жена (она кормит ребенка) тоже полуголодна. Думает, что я не активен в деле добычи книжечек ГОРТ. Вероятно, скоро люди забудут, что это за магические книжечки, а мы в наше тусклое (в культурно-бытовом отношении) время без них не могли бы прожить!

Вечером был у Вячи Молотова. Рассказал и историю с книжками. Говорили на редкость дружественно.

8 октября

Книжки ГОРТа получил, наконец!

На чае в особняке на Спиридоновке, хозяин чая Уманский[1]. По мере того как делается усталым, меркнет (меркнет в нем даже глупость, он делается менее ярким глупцом!). Гости – журналисты.

Пришел Литвинов. Сел рядом со мной (тут же корреспондент Жиль).

Жиль спросил Литвинова о займах. Литвинов ответил, что мы (СССР) теперь в них не нуждаемся. Нам даже предлагают их, а мы отвергаем.

Поляк спросил, как Литвинов относится к австрийскому вопросу. Литвинов ответил – хотим просить у Лиги мандат на Австрию (полушутя), поляк удивлен. Литвинов пояснил: каждая страна в Лиге Наций имеет на какую-либо малую страну мандат. Мы претендуем на Австрию.

---

[1] К.А. Уманский – зав. Отделом печати и информации НКИД СССР.

9 октября

Оля хворает. Лена нервна и капризна. За ее головой надо очень, очень следить.

Был на квартире у Димитрова. Хорошо беседовали. Он, однако, на работе не такой уж детский: и сух, и строг как надо. После делового разговора – опять дружески и свежо по-детски!

10 октября

«Вермишель» дел. Приехал на доклад (вечером) в Клуб Моск. воен. окр. Собралось мало, доклад отменен. А я готовился.

Был у меня наш посол в Лондоне хитрый Майский[1]. Согласовывал культурные дела наши с Англией.

_____

[1] И.М. Майский – советский дипломат, историк, публицист.

11 октября

Доклад в Институте Совправа тоже не состоялся.

Вечером прием Барбюса (интимный), только культпроповцы и Мануильский[1] (хороший человек. Угнетен быстрым течением времени, которое нещадно посеребрило ему голову и усы, выветривает живые глаза!).

Динамова декламировала Достоевского – рассказ Настеньки из романа «Белые ночи».

Много говорили мы потом о прозе Достоевского. А я считаю лучшей прозой – чеховскую.

Днем был полпред в Дании Тихменев. Приходил согласовывать культурные дела.

_____

[1] Д.З. Мануильский – советский государственный и партийный деятель. В 1928–1943 гг. – секретарь Исполнительного комитета Коминтерна.

12 октября

Был на стройке моей дачи. Детей отправил в Астафьево с воспитательницей. В третий раз осмотрели места. В третий раз сказали наши пожелания. В третий раз нам все пообещали. Возвращаясь к автомобилю (он не доехал до стройки и ждал в лесу), встретили Каменева Л.Б. Тоже строит дачу. Он не любит людей. Он очень любит книги. Его ошибки и проистекают из того, что он думал посредством книг управлять людьми. Теперь он управляет только книгами («Академия»). Он даже смотрит не глазами, а буквами.

Обедали с женой в Туркм. Доме отдыха. Пахнет сортиром. Ложки липкие. Вилки с грязью. Вместо обеда пил молоко с сахаром. Пошел дождь. Поехали в город, и вечер провели с женой и Быками (П.М. Бык[1] и его жена) в кафе «Пушкин». Там, как за керосином: с улицы очередь, в дверях кафе человек в военной форме сдерживает напор желающих кофе. В Европе заманивают – не идут!..

То, что убит югославский король и Барту (мининдел Франции), наводит на подозрения, что геринговская рука использовала хорват для расстройства отношений между Францией и Италией. Об этом и газеты начинают писать.

---

[1] П.М. Бык – сотрудник ВОКСа.

13 октября

Утром много времени отняли сборы.

Работал в ВОКСе хорошо.

Был у меня американский (из Чикаго) антрополог. Хочет приехать на будущий год, но не хочет платить по официальному курсу за червонец. Американцы всегда останутся нахалами, потому что колонизаторы.

Инженер Груздев много отнял времени разговорами о плане нашей дачи.

Вечером раздраженно звонил Вяча: почему я не отправляю выставку (колхозно-совхозную) в Англию. Я сказал, что задержал ее. Он говорит, что я верчусь. А я нисколько не верчусь.

Поздно. Спать!

14 октября

Пропали рукописи двух брошюр: о Ленине и «Восставшая Москва». У Цыпина[1] пропали. Договоры на них заключены. Никто не сознается, где пропали книги Цыпин ссылается, что передал Накорякову договора, а Букалову (ГИХЛ) – рукописи. И вот среди эти трех сосен (Букалов, Накоряков, Цыпин) – рукописи мои затерялись. С каждым из них говорил каждый день. И каждый по отношению к другому рассуждает, как самый мелкий лавочник-конкурент (впрочем про Букалова это сказать нельзя), он поступает, как литератор.

Принимал вечером двух лейбористов Хикса[2] и Маклина[3]. Хикс более правый, Маклин – левее (угнетенная нация – шотландец). Хикс здоровый толстокостный англичанин. Ленивец, грубоват. Хикс – краснолицый, худой, белые седые волосы завитушками на висках, как у херувима...

Я спрашивал, почему нельзя в Англии создать единый фронт...

Хикс говорил, что в СССР творится все «правильно». В СССР укрепляется плановое хозяйство (Хикс никогда не сказал «социалистическое»), но что другие страны, например Англия, должны устраиваться по-своему. Вообще, в Англии, по его словам, немыслимо то, что делается здесь, в СССР.

Маклин, наоборот, печален и сожалел, что нет единого фронта в Англии.

С Хиксом была его дочь. Толстая, черная, полнокровная и полногрудая, в очках. Смеется от полноты жизни и притом негромко (от ожирения). Он был с женой. Худая: только нос да очки.

Дали им концерт (Нина Отто[4] – молодая, полная таланта и страсти).

[1] Г.Е. Цыпин – директор Детиздата. В 1938 г. расстрелян.

[2] Джон Ричард Хикс – английский экономист.

[3] Нил Маклин – шотландский политический деятель, член парламента.

[4] Н.В. Отто – пианистка, преподаватель.

15 октября
Работа. Мало писал. День – потерянный.

16 октября
Поздно лег спать, потому что решил закончить «Мадам Бовари». Она произвела большое впечатление. Всякая женщина в известной степени Бовари. Так же как всякий человек с определенной стороны Дон-Кихот.

17 октября
Прием вечером шведской писательницы. Были и Барбюс, и Жан-Ришар Блок[1]. Кроме того, блистали некультурностью и незнанием, что делать и как говорить – наши: Пильняк, Лев Никулин (вот убожество!), Уткин (красный галстук, как копченая краковская колбаса на груди), Серафимович и Новиков-Прибой. Прибыл нигде никогда не теряющий своих благородных обломков Третьяков (светский лев без гривы), Тарасов-Родионов (более Тарасов, чем Родионов). И целая куча наших сотрудников.

Говорили о пустяках.

Играла Нина Отто (прекрасно).

Звонил Жданов. Ждут нас завтра с Барбюсом.

[1] Жан-Ришар Блок – французский писатель-антифашист.

18 октября

У Жданова. Барбюс обязательно хочет, чтобы с ним был переводчик Прохитонов и секретарша Видаль. Не доверяет моему переводу. А формулировать поручает секретарю (разговор).

Утром детей отправил в Астафьево. Работал – приводил в порядок бумаги.

Обед. Прохитонов приехал за мною. К Барбюсу.

Жданов намекнул об Эренбурге. Барбюс очень определенно возражал против допущения Эренбурга к фактической работе. Как имя его следует взять, но к работе не допускать.

Жданов отмалчивается.

19 октября

Я пишу об этом дне несколько позже и никак не могу вспомнить, что было девятнадцатого. Менял путевку в Форос. Разные мелкие дела устраивал. Вечер был дома.

20 октября

Приглашен был на ужин к Ж.-Ришар Блоку. Но забыл за кипой мелких дел. Это редко со мной случается. Более чем досадно. Как удивительно, что ничего нельзя вернуть. Даже дневник этот не возвращает мне потерянных дней.

Почему они потеряны? Потому что выполняю маленькую, почти метрдотелевскую работу, хотя и во всесоюзном масштабе. Метрдотелевская: принимать и улыбаться, идеи коммунизма преподносить умело. Тяжко выполнять нелюбимое дело!

21 октября

Милые дочери! Скоро покину их, уеду, вероятно, на несколько дней в Ленинград.

Завтракал с Жан-Ришар Блоком. Он рассказал о своей жизни в провинции. Потом болтали об общем. А под конец он рассказал мне истинную историю о том, за что в Париже в 1910 г. гильотинировали рабочего. Это жуткая история. Я ее записал отдельно, чтобы сделать из нее рассказ.

Ж.-Р.Б. все же весь наполнен предрассудками французского провинциала. Этот провинциализм и мешает ему понять до большой глубины А. Франса, величайшего мыслителя в образах.

Конечно, к нашему столу подошла завтракавшая также в «Метрополе» французская журналистка Госсе. Энергичная женщина добивается во что бы то ни стало видеть Сталина. Ее поддерживает в этом Стасова[1]. Г. написала И. Вис. письмо. Посмотрим, примет ли.

_____

[1] Е.Д. Стасова – деятель коммунистического движения. В 1927–1937 гг. – зам. председателя Исполкома Международной организации помощи борцам революции (МОПР).

22 октября

Мелочи бытия. Все время ездим за мехом и все никак не может достать его. То заведующего нет, то меха!

23 октября

Предвыходной. Как промелькнул день? Посчитать бы час за часом – на что ушел, окажется, все дела, вместе взятые, недостойны часа жизни.

У меня был Раскольников[1]. Болгарские дела. Мичман так же воодушевлен, как при поездке в Данию. Деятельно ищет болгарские связи.

_____

[1] Ф.Ф. Раскольников (наст. фамилия Ильин) – политический и военный деятель, дипломат, литератор. В 1934–1938 гг. – полпред СССР в Болгарии.

24 октября

Дети ушли с воспитательницей, я остался один. Немного работал и приводил в порядок рукописи.

Вчера мне вернули роман «Правда» – не принят. Обширная мотивировка-рецензия безграмотного фельетониста. Как они не любят, когда хоть про какой-нибудь факт революционного движения пишут правду. Будто бы они не знают истории и будто бы немного ее боятся.

Я отправился к Димитрову. Раскольников – тоже. Димитров серьезный, симпатичный, был в военной форме. Она не идет к нему. Руки у него красивые, очень красивые. О болгарских делах. Вернулся домой. У меня уже сидели Барбюс и Госсе.

Пришли Раскольниковы. Все мы тепло и дружно беседовали о зверствах фашистов. Много фактов рассказывал Барбюс. О прошлых днях нашей русской революции – тут было первое слово мне. Я приводил так много интересных фактов, что французы требовали писать обо всем и давать в переводы.

Что ж, пожалуй. Только редакторы безграмотны и с притупленным чувством красоты.

В 9 вечера, когда ушли Барбюс и Госсе, я с женой – к Тарасову-Родионову. Там его обычная компания. Там же Каменев и прекрасный пианист Луговской и туда же пришел прощаться со мной уезжающий на Дальний Восток т. Чиненов (бывший солдат, прекрасный мужик и чуткий революционер – скромный). Пианист хорошо играл. В особенности Листа, пьесу, посвященную «Восстанию лионских ткачей». Я прочел Чехова, Зощенко. Заразил чтением так, что даже Каменев стал читать стихи Волошина (конечно, однотонно, но с приукрашиванием).

В автомобиле он подарил нам по яблоку (гостинцы деревенской коммуны, которую он создал еще в 1918 г.). Чиненову запомнились слова Ленина: «Отдадим всю землю крестьянам, а этим заставим их нас поддерживать. Кряхтеть будут, а поддержат».

25 октября

Прием в ВОКСе болгарского посланника Михалевича и наших философов и теоретиков (Деборин, Митин, Милютин, Кильман, он оказался чехом и др.). Скучно.

Концерт. Пианистка Отто. «Петрушка» Стравинского. Гости, в особенности сам министр, шуршат разговорами, относиться хорошо к музыке не умеют.

В 8 вечера дома.

В 12.30 на вокзале и – в Ленинград.

С нами в поезде Вася Чернышев.

Дмитрий, сын, в купе – не спит. Душно.

26 октября

Ночь не спал. Голова – ее лопает кто-то изнутри. Страшный день. Жуткий день. Полусон, туман и адская боль. Никогда раньше так не было. Видно, надо торопиться писать завещание. А его трудно писать. Трудно, потому что автор заранее знает, что эти строки завещания прочтут, взвесят и обязательно обсудят только после его смерти. Наверняка после того, как он перестанет быть и никогда к бытию не вернется.

Уснул, не выходя из номера, утонул во тьме своей усталости.

Звонил в Москву детям.

27 октября

Приехал Кулябко[1]. Бессодержательный с большими лирическими отступлениями доклад.

Был в ВОКСе. Пивная с высокими креслами.

Был у Позерна[2]. Дело. Обедали в Смольном.

Меня хватил такой прострел, что ни повернуться, ни сесть, ни лечь – ужас. Держусь упрямо, бодро. Но хожу, как подагрик. Страшно.

Вечером у Самойловича. Весело. А ко мне – доктор. Диагноз: прострел.

Вечером массаж, теплая ванна, компресс.

Очень плохо себя чувствует Дмитрий. Боюсь, не делает ли с ним чего плохого нянька.

---

[1] Зам. А.Я. Аросева по ВОКСу.

[2] Б.П. Позерн – советский партийный и государственный деятель. В 1934 г. – заведующий отделом культуры и пропаганды Ленинградского обкома партии.

28 октября

В спине у меня немного лучше. Был в Смольном у Чудова[1]. Обещал за мной заехать и взять к себе. Но этого он не сделал и, как потом оказалось, – укатил в Москву. Его секретарь Филимонов корил какого-то сотрудника за то, что он в русской рубашке и тем проявляет свою некультурность. А сотрудник отвечал: «С каких это пор русская рубашка некультурной стала?» Они на эту тему долго говорили в гоголевском стиле.

Вечером у меня сидел Вася Чернышев, а жена пошла на балет. (Я, конечно бесполезно, ждал Чудова.)

Вася говорил о воровстве в Торгсине. Он прекрасно во всем разбирается. Смеялся над многим. Например: «Ал. Софроныч классически сидел на праздновании этого, как его, Сахия-Мухия (на самом деле Фирдоуси)».

Наверное, ни он, ни 90% театра не знали, кто такой этот Сахи-Мухия... А пришли и праздновали.

Потом с ним за Герой в театр. Беседовали в ложе.

---

[1] М.С. Чудов – советский партийный деятель. В 1928–1936 гг. – второй секретарь Ленинградского обкома партии.

29 октября

На обеде в Смольном встретил жену Кагановича. Очень обрадовался и через нее направил ему письмо.

Утром был у академика Павлова. Он низок ростом. Согбен, зад его узкий, как-то отпячивается, коленки согнуты, руки с тонкими мозолистыми и кривыми пальцами, на правой руке, на тыльной стороне ладони, волдырь-шишка – все это плюс заросшее белой шерстью лицо и большой рот делают его похожим на обезьяну. Павлов рассказывал о Петропавловской крепости.

В этих маленьких клетушках работали Морозов[1], В. Фигнер[2] и др. Могучая сила мысли у человека: думать о необъятных вселенских пространствах, об ослепительных лучах света, о синем небе в закутке, похожем на отхожее место, почти без света, с крысами. Никто не описал, не проник в душу героев тюремных камер. Кажется, Бабель делает попытку. Конечно, сделать это – значит раскрыть одну из значительных сторон психологии русского революционера. Говорят, что современная молодежь и западно-европейские товарищи интересуются этим. А я сомневаюсь. Пробовал рассказать о заключенных. Часто не верят тому чудесному, что иногда случается в тюремной жизни. У них свое представление о ней. Может быть, его можно разбить и сделать реальным, если своевременно, вот теперь же, выступить с описанием... Сколько мыслей, сколько воспоминаний, сколько переживаний ощутил я, проходя по коридорам побежденной тюрьмы.

Теперь тут экскурсанты. В некоторых камерах – куклы, изображающие женщин-заключенных. В некоторых участках коридоров куклы-часовые. Жуткие неподвижные привидения из недавнего прошлого нашей страны.

---

[1] Н.А. Морозов – русский революционер-народник.

[2] В.Н. Фигнер – русская революционерка, террористка.

30 октября

Искал свою сестру, артистку Александринского театра. Занимался обычными делами. Страдаю ишиасом. Смотрели, что купить в комиссионных.

Хотел устроить свою рукопись «Правду», но нет Лебеденко[1]. Он скоро будет.

---

[1] А.Г. Лебеденко – сотрудник Ленгиза.

31 октября

Готовился к докладу завтра в Доме ученых.

Захворал сын. Был доктор.

Был в другой лаборатории Павлова. Это настоящий ученый. Захлебывался, когда говорил. Далекий от конкретной жизни, он не знает, кто я, что такое ВОКС, от кого зависит выезд за границу и т.д.

1 ноября

Утром осмотрел золотую сокровищницу Эрмитажа. Как-то жутко: прекрасные золотые вещи, относящиеся к 200 году до нашей эры. Есть и поздние, 3 и 4 века до нашей эры. Все нашли в могилах. Если бы не хоронили людей со всеми золотыми вещами, какие окружали их в жизни, истории было бы трудно.

Скифы ранних периодов убивали жен, если у них умирали мужья. Среди золотых изделий есть золотая маска женщины. Лицо греческое. Маска кованая. Может быть, это не точный слепок покойной, а символическое изображение.

Есть золотые вещи, доставленные из Сибири Петру 1. К какому они времени относятся и где найдены, никто не знает. Но работа грубая. Лучшая работа греческая 3 в. до нашей эры. Золотые вещи этого времени найдены близ Керчи.

Переговоры в Смольном с Угаровым[1]. Он, видимо, не особенно слаженно работает с Позерном. А может быть, я ошибаюсь. Во всяком случае Угаров назвал мне своих кандидатов для уполномоченного ВОКСа.

С Угаровым сидел Королев[2]. Он обо всем разговаривал удальски, а на Угарова смотрел вопрошающими глазами. Я старался не впасть в тон Королева и говорил тихо и сдержанно.

Когда мы договорились об определенном решении и я сказал, что пришлю управделами, Королев просил, чтоб последний зашел прямо к нему.

– А где вы, в какой комнате? – спросил я.

– Да там найдут как-нибудь, – ответил К. тоном провинциальной знаменитости.

В Доме ученых сделал доклад. Председательствовал Н.И. Вавилов.

Старик Курнаков (химик) хитро улыбался и выражал довольство Менделеевским съездом (там были только фашисты от Германии). Ассистент Курнакова, большеголовый, лобастый, рыжий малый, бритый, гладкий, розовый – кажется, тоже не особенный друг Советского строя. Уж очень он нейтрален, ни на кого не смотрит.

После доклада говорил Вавилов, потом Цвибель[3], потом Державин[4] блистал словесностью – и Курнаков вставил словечко. И все в одно: надо урегулировать дело посылки наших ученых на международные конгрессы.

Это Угаров подсказывал мне, что они будут атаковать меня по вопросам выезда за границу. Во многом ученые правы: нельзя наши научные делегации ставить в сложное положение, т.е. тянуть решение вопроса о выезде до последней минуты, так что ученые потом едут либо без докладов, либо с наспех сделанными докладами, либо опаздывают и приезжают после конгрессов.

После доклада ужин, т.е. скромные бутерброды. К ужину были «нажимисты» – Державин (я заметил, что эстеты всегда, почти всегда чревоугодники), Цвибель и Курнаков. Последний аппетитно закрыл свою грудь салфеткой. Цвибель как инженер и к тому же награжденный, т.е. в некотором смысле «юное дарование», кушал без салфетки. Державин приглашал меня к себе на завтрак.

Лег спать. И как всегда теперь – мои ежевечерние предсонные думы – думал о смерти, как останутся дети, успею ли написать им завещание.

---

[1] А.И. Угаров – второй секретарь Ленинградского горкома партии.

[2] Лицо неустановленное.

[3] В.Н. Цвибель – доктор технических наук, профессор.

[4] Н.С. Державин – филолог, славяновед.

2 ноября

Утром в ВОКСе. В 13 часов у Державина. Супруга его из «малявинских баб».

Удобный кабинет для занятий. Державин очень трогательный. Он мне нравится, в нем много сентиментальности. Он – Карамзин нашего времени, а Карамзина я люблю.

Скудно, но вкусно и изысканно. Была еще жена сына Державина. Вспоминали Прагу. Моих дочерей. Плывет вода времени.

Вечером в театре (Александринский). «Бойцы». Плохо играют.

3 ноября

Много было мелких дел. Провели вечер у Самойловича. Была Августа, хорошо декламирует (из «Женитьбы» Гоголя). И я выступал.

4 ноября

Приготовляемся к возвращению в Москву.

Покупали посуду. Я, потихоньку от жены, чтоб сделать сюрприз, купил ковер, который ей очень понравился. Его везет в Москву Головчинер[1].

У нас был Самойлович.

Сын совсем выздоровел.

Ночью поехали. Вильм оказала неисчислимые услуги. В поезде все знакомые – Томский и др.

Томский долго не ложился спать, громко говорил, пил и пел. Он хочет забыться и, забывшись, войти в ритм нашей жесткой, непрощающей жизни.

Не сразу, а все же угомонился.

---

[1] Управделами ВОКСа.

5 ноября

Москва. Свежий континентальный воздух. Моих замов на вокзале нет. Черт их знает, почему. Кажется, сами себя перехитрили.

Дома. Дети в школе.

Ушел в ВОКС. Гера была поражена ковром. Мне удалось его пронести и разложить в ее комнате раньше, чем она вошла.

Дела...

Звонил Барбюсу. Задал вопросы аппарату по подготовке материалов к моей поездке.

Кулябко долго докладывал разные принципиальные вопросы.

Наконец дома – и объят детской милой радостью. Дети, дочери, разве я могу с вами расстаться? Никогда. А все же должен им сказать, что думаю на $1\frac{1}{2}$ месяца ехать за границу. Надо знать их дочернее к этому отношение. Но не сейчас, позже скажу.

ТЕТРАДЬ № 3

16 декабря

Париж. Дневник кончился 5 ноября 1934 г. периодом моего девятидневного пребывания в Ленинграде.

В Москве я все время готовился к отъезду и столь интенсивно, что не мог уже ни в театр ходить, ни уделять достаточно времени жене и детям, иногда день кончался полным обессилением и каким-то внутренним разломом. Мне все кажется, что делаю не настоящее, а какое-то эфемерное дело. Настоящее же дело нашего государства делают бывшие наши враги. Посол в Италии Штейн, бывший кадет, органический враг всего, что есть революционное. Трепещущий чиновник Якубович послан в Норвегию. Тихий и нестроптивый Тихменев – в Данию. А на внутренних постах тоже архаровцы. Они делают в работе много ненужных (впрочем, может быть, им нужных) затруднений.

Наконец, согласовав содержание своей поездки, я направился в путь.

Простился с милыми, удивительно прелестными дочерьми.

Хотел оставить завещание детям. Все-таки пора, к полсотни года подходят. Но не успел. На этот раз даже не боялся, как обычно, а просто не успел.

Варшава. Вечер. На вокзале разговоры с секретарем полпредства. Сын спит.

Берлин. Суриц[1] – умный, «ощупывательный»: он вперед идет, как в потемках. Знает цену себе. Принял хорошо.

Очень трудно с сыном.

Прага. Встретили на вокзале хорошо. Приехали в довольно жаркую душную комнату. Отец Геры мне нравится. Он человек без предрассудков или не страдает от них.

Сразу приступил к работе. Интересно. Деловые свидания. Веду особый рабочий дневник.

На обеде у Боучена[2], где был редактор «Прагер Пресс», позвонили по телефону и сообщили, что сегодня (1.12.1934) убили в Ленинграде Кирова.

Я ночью же послал телеграмму в ЦК.

Киров один из очень искренних бойцов и героев революции. Он прекрасный к тому же человек и товарищ. Его убийство – рана на сердце.

Утром надоумил и быкообразного полпреда Александровского[3] послать телеграмму. Думал что-то, потом подписал.

Устроил траурный вечер, а с него наш полпред – прямо в кабак с женой. У него, видно, нет раны на сердце.

Утром он устроил прием. Во всяком его движении виделась борьба против меня.

Собрался уехать.

Сначала побывал, впрочем, у Креги. Приняли меня там хоть и по-провинциальному, но с большой душевностью и дружбой. В особенности замечательный Крега. Этот человек буквально перегружен своими мыслями, и мысли у него здоровые. Он пытается свою специальность – архитектуру осветить светом марксовой теории.

Архитектура классова. Для СССР при постройке новых домов и мебели нужно учесть педагогический момент, т.е. надо нашего трудящегося приучать к известному стилю и удобствам современного жилья.

– Вот, например, – говорил Крега, – входит в эту комнату рабочий (мы сидели с ним в кабинете советника нашего полпредства). Вы предлагаете ему сесть. Рабочий смотрит на предмет, который вы указываете ему, чтобы он сел. Рабочий видит самое современное кресло. Оно удобно. Но он сначала с опаской оглядывает его, потом чуть-чуть тряхнет и затем садится, при этом только на самый краешек, т.е. в самой неудобной позе.

Таким образом, форма кресла имеет не только эстетический, но и глубоко социальный характер.

На эту тему Крега читал цикл лекций в технической школе «Атеней». Это самая лучшая пропаганда. Техническая интеллигенция, по мысли Ленина, приходит к коммунизму через свою специальность.

Когда пошли на улицу, Крега говорил о том, как полицейскими мерами прячут нищету, угоняя ее на окраины и в подворотни из центральных частей города.

Кроме смерти с человеком никогда ничего особенного не будет. Но было бы жалко умереть, не упорядочив жизни для сына и дочерей, не оставив им завещания.

Поехал в Париж. В поезде много читал.

Париж. Он мне показался скучным. Сразу приступил к работе.

Рубакин[4] пригласил остановиться у него, т.к. в полпредстве не было комнат. Мы привезли вещи к нему на квартиру. К вечеру же оказалось, что мои вещи он перевез в Дом ***** на ******* и что я должен ночевать там. Это мне показалось странным.

Рубакин говорил, что там живет швейцарка, преподавательница их школы, но, как мне проговорилась консьержка, там же влачит свои дни какой-то маркиз. Однажды, проходя по коридору, я видел его в неуютной столовой прибиравшим какие-то запыленные вещи (ими в беспорядке полна вся квартира).

Я ждал целый день, скажет ли мне Рубакин о втором жильце. Сказал наконец. Я ответил, что жить в таком соседстве не могу, и переехал в его собственную квартиру.

Я понял, почему он не хотел, чтобы я останавливался у него: ему жаль электричества и отопления. Рубакин очень экономный человек.

Хотелось плакать, но страшно плакать одному среди совершенно мертвых вещей. Высшее мучение, истязание и пытка для меня – это быть одному совершенно. И мне тогда кажется, что отлично понимаю, что происходит в душе тех, которых вздымают на дыбу или выворачивают руки, или делают какие-либо другие мучения.

В Париже я страшно занят. Надо приступить к записи рабочего дневника. Чем сильнее я занят, тем интенсивнее проходят встречи, чем более я к вечеру усталый, тем мне все больше и больше кажется ненужной моя работа.

Почему я – ВОКС? Почему я должен заботиться, чтобы в Париже получали книги, скажем, по химии от нас, а мы – от них? Почему я должен устраивать обмен театрами? Почему я должен выслушивать каких-то посредников, убогих переводчиков, учителишек, почему я должен улыбаться гнилым и беззубым ртам и, с другой стороны, почему я практически очень мало могу сделать истинным и большим нашим друзьям, таким как проф. Ланжевейн, как Андре Жид, Виктор Мэргерит? Они полны буколической любовью к нам, они не без идейных мук и колебаний пришли и теперь научают нас. Переход к нам для них большой риск. Они не могут не видеть во всех нас черт чиновников, некоторой мертвенности и деревянности лиц. И мы мало им делаем. Мы даже как будто обязаны немного бояться их. Я и Вяче Молотову написал, что эта работа – не настоящая. Она – работа посредника, метрдотеля, а не творческая, но ведь силы мои не угасли, я могу и хочу творить.

Имел в Париже интересные встречи с В. Мэргеритом. Он уже довольно стар. Жена его черная, смуглая, с массою металлических браслет и колье, гремит, когда говорит, потому что жестикулирует. Артистка, выразительная. Сначала кажется не светской и не умеющей себя держать, но по мере того, как ее чаще видишь в обществе, начинает выглядеть очень тактичной. Она сердечна. Сердечность эта и производит оптический обман, будто она не светская. Она любит СССР. Учит русский язык, понимает характер русских песен (а вообще-то, народ Франции удивительно мало музыкален).

Мэргерит – умный, больше художник. Приятный собеседник и в меру остроумен. С ним не смеешься до надсаду, а временами улыбаешься. Он, видимо, переживает большую душевную драму и переступает какой-то внутренний порог. Внутренне он страшно далек от мещанства. Прост, любознателен. Витальный старик. Пользуется очень большим уважением и авторитетом в кругах мыслящей, хотя бы и правонастроенной французской интеллигенции. С левыми и даже с нашими коммунистами он старается идти в ногу. Он тонок в беседе и, видимо, очень хорошо схватывает суть того, что ему говорят, и характер собеседника. Смотрит просто, но испытующе, как будто потому, что подкарауливает момент понять собеседника, когда он того не замечает.

Беседы наши вращались вокруг влияния французской литературы в нашей стране. Он готовится к поездке в СССР, чтобы писать там свой новый роман «Новый человек».

В обществе циркулирует мало – скромен.

Затем я беседовал с Андре Жидом. Это тяжелый, будто свинцом или дегтем наполненный человек. Философия его густая, течет медленно и тяжело. Он мне сам отпер дверь (живет в хорошей квартире на пятом этаже). Провел меня по коридору, уставленному книгами, в свой кабинет, обставленный по последнему слову. Ничего, однако, легкого, все тяжелое. Где-то на стене украшение африканских народов, где-то в другом месте орнамент с кричащей головой. Рога буйвола. Из кабинета – лестница вверх. Столик, на котором пишет, маленький, простой.

А.Жид в теплых войлочных туфлях и теплой, тоже вроде войлочной пижаме, усадил меня у маленького стола. Из-под очков стал внимательно на меня поглядывать. Он силен, крепок, лыс (голова бритая). Скулы широкие монгольские. В затылке много упрямства. Глаза напоминают монгольские, чуть насмешливые, в них веселое перемешалось с грустью. Страшно скуп на слова, отлично знает им цену. Говорит отчетливо, законченно, лапидарно. В этом отношении на француза не похож. Он одинок. Говорят – гомосексуалист. Он, правда, один, как в замке, в тишине. Это хорошо помогает мыслить, но и отделяет от жизни. Этот среднего роста лысый мыслитель умом пришел к нам. Он внутренне уже перешагнул границу, считает, что в этом отношении сделал многое, почти все. Усиленно работает. Написал пьесу. Главная его проблема – это личность и общество. По его мнению, всякая организация убивает личность, и в особенности художника. Она убила Маяковского, убила Горького. Поэтому он на все мои настояния присоединиться к создаваемой в Париже международной ассоциации писателей отвечал отказом.

– Лучше я буду писать революционизирующие книги, чем присоединю имя к сотне других и этим свяжу себя и свободу своего творчества.

Я отвечал ему, что он вправе такую проблему (личность и общество) ставить, но он разрешает ее на старый манер. Некрасов, например, говорил:

> Борьба мешала быть поэтом,
> Поэт мешал мне быть борцом.

А у нас эта проблема разрешена иначе.

Ему понравилось некрасовское. Он даже это записал и говорил, что у нас в СССР эта проблема стоит действительно иначе, а что он, Жид, живет в капиталистическом обществе, примкнул к революции. Проблема здесь так же, как стояла в России времен Некрасова.

Мое указание на то, что отказ его усиливает реакционные элементы и что в организацию следует идти даже в том случае, если пребывание в ней до некоторой степени ограничивает творческие силы. Конечно, в том случае, если сама организация и ее работа имеет большее значение, чем творчество отдельного, хотя бы самого талантливого художника и мыслителя. Жид тут стал колебаться. Я уверен, что если с ним поговорить еще, он сдастся. Он просто тяжелый человек. Чтобы говорить с ним, надо пуд соли съесть.

В разговоре он сел ко мне поближе, сказав, что это чтобы компенсировать его отдаленность, несогласие со мной.

Сидел у него часа полтора.

Простились хорошо.

На другой день видел его в ресторане с дельцами. Должно быть, говорил о своей пьесе. Он страшно склонен к знанию языков. Немного знает русский. Настолько, что вместе с кем-то, кто хорошо знает русский, перевел Пушкина «Пиковую даму». Редактировал ее, опираясь на русский текст.

Хочет ехать весной в СССР, но не как турист и не для чествований как писатель, а чтобы сначала месяца два в Ленинграде или Москве поработать над новой вещью, а потом отдыхать в Крыму.

Интересно также мое свидание с Эррио[5]. Это – бес. Фавн. Огромный, наполненный виноградным соком, музыкой и грехами. Сколько греха в его улыбке, и в его огромной широкой лапе! Он протянул ее мне, едва открыв двери и заулыбался бесовской улыбкой темно-зеленых глаз. Их разрез таков, что внешние концы чуть-чуть опущены (как раз обратное монгольским глазам А. Жида). Эррио прост, толст, любит бить по плечу, хватать за руки.

Откровенно хвалит свой Лион и архитектуру тамошнюю. Предлагает приглашать архитекторов. Я сказал ему, что хотел бы пригласить Равеля. Эррио обрадовался и осведомился у меня, слышал я «Болеро» Равеля? Начал в кабинете (дело происходило в Министерстве морской торговли) громко напевать. Я спросил его о госпоже журналистке, о предлагаемой ею организации «Дома наций». Эррио ответил: «Это птичка, ее предложения совершенно несерьезны. Я ее уважаю, она милая дама, но птичка».

Я выразил свое полное согласие. Она говорила мне, что предсказала Лавалю[6] франц.-советское сближение и что теперь она предсказывает ему франко-итальянское. Гордится тем, что они вместе с сенатором «создали» Чехословакию. Когда, сидя с ней за ужином и видя, что она ищет карандаш или ручку, чтобы что-то записать, я предложил ей свое стило зеленого цвета, она сказала:

– Нет, нет, я ничего зеленого в руки не беру. Это приносит несчастье.

– А цветы, листья, стебельки? – спросил я,

– Ну, это другое дело, это произведения природы, а все зеленое, что произведено руками человека, приносит зло.

И это в Париже в 20-м веке! Эррио прав.

Эррио начал говорить об устройстве в Москве выставки французской живописи и тут же сообщил мне:

– Только что перед Вами был у меня французский художник. Я купил у него картину. Прекрасная. Убитая, умирающая женщина... На груди у нее ребенок. Ах, как сделано, исключительно! Картина вот там, у меня за стеной.

Эррио настаивал, чтобы я ехал в Лион. Были и другие интересные разговоры с не менее интересными людьми, но менее известными, например с благородным и симпатичнейшим сенатором и министром. Высокий, худой, с бородой, усами – совершенно будто бы сорвался с иллюстраций к рассказам Мопассана, он развертывал передо мною благородные идеалы создания Международного университетского городка и международной библиотеки по истории общественных движений с 1914 г. (начала войны), говорил об организации международной библиотеки по истории искусства и т.п. Все в интернациональном масштабе. Благородно говорил о трудностях выбранного пути и улыбался с надеждой преодолеть эти трудности.

Так проходили мои дни в большой занятости до 25.12.34 г.

Очень поддержала меня доченька Наташа. Она прислала хорошее письмо, даже два – прекрасные, полные любви и искренности.

Так как же, лучше взять ориентацию на детей?

Надо все-таки покончить так или иначе с неустройством семейной жизни.

---

[1] Я.З. Суриц – советский дипломат. В 1934–1937 гг. – полпред СССР в Германии.

[2] Лицо неустановленное.

[3] С.С. Александровский – советский дипломат. Преемник А.Я. Аросева на посту полпреда СССР в Чехословакии.

[4] А.Н. Рубакин – старший сын русского книговеда и библиографа Н.А. Рубакина. В 1934–1939 гг. жил в Париже, читал курс здравоохранения и гигиены в рабочем университете. О своих встречах с А.Я. Аросевым рассказывает в книге «Над рекой времени». См. приложение 1.

[5] Эдуард Эррио – французский государственный и политический деятель, писатель.

[6] Пьер Лаваль – французский государственный деятель, премьер-министр Франции в 1931–1932, 1935–1936 гг.

26 декабря

Еще один день канул в невозвратное. Завтра еду к Ромэну Роллану.

27 декабря

Визы швейцарцы не дали. Т.е. обещали, но дней через десять.

Утром удирал от шпиков и вывернулся из их кольца с большой ловкостью. Пил кофе почти за городом.

Рубакин увез к себе завтракать. Он представляет собою доброе сердце и жадную руку.

На обед на столе заяц едва ободранный, напоминающий живого зайца, в несчастье удирающего от смерти задницей вверх. Потом у него будут отрезать лапки. Я решительно не мог есть несчастное животное. Как это любят и могут люди есть, когда животное еще не потеряло свою живую животную форму!

Потом об этом долго думал.

В посольстве все писали приглашения, я помогал.

Возвратился домой усталый. Жаль, что опять не работал в литературе. Завтра утром!

1935 год

7 января

Пишу вечером на вилле у очаровательного Ромэна Роллана.

Приехал вчера. Встретила его жена – Кудашева, она русская.

Горы, покрытые лесом и снегом. Женевское озеро. Солнце. В вилле запах книг и земли из сада. Спал хорошо.

Разговоры с этим большим человеком задвигали меня всего. Все сдвинулось с места. Хочется работать так, как поет птица, т.е. – как он.

Человек неисчерпаемого благородства. Лицо его все в сиянии. Глаза светлые, большие, исключительной доброты. Брови сосульками по краям, свисают вниз. У него даже в улыбке много мысли. Прост. Нет, я никогда еще так сильно не вдыхал атмосферу работы мысли и литературы, как здесь у него. Этот великий художник, спаянный в одном человеке с мыслителем, живет так, как будто направляет всего себя, всю свою мысль и художественное мастерство вперед, независимо от тела. Он работает, работает много. Но работу свою не выдает.

Очень интересовался, кто из наших руководящих товарищей более склонен к пониманию художественной литературы.

Прервали. Вошла его жена.

– Ах, я вам помешала...

Позже Кудашева показывала мне гравюры разных художников. Вошел Роллан. Он гулял по двору в пальто, шляпе, высоко, до носа, закутанный шейным шарфом. Он болен бронхитом. Боится воспаления легких. Кроме того, у него сужение толстой кишки. Диета. Не спит ночью. Полдня лежит, но все время работает. За столом, когда кушает, тяжело дышит, и грудь его вздымается. Глаза – большие, светлые и очень свежие. Он говорит, что ум его работает все время и очень энергично, не чувствуя усталости. Действительно, Роллан работает весь день.

Мы ходили с его женой в Монтре за покупками и на почту. Она хорошая женщина, дочь француженки, которая жила гувернанткой в дворянских семьях. Мать Кудашевой настроена реакционно.

Кудашева Мария Павловна открыла мне, что на ее мужа сильное тормозящее влияние в отношении поездки в СССР оказывает его окружение, в особенности же сестра Роллана, старая дева, сторонница Ганди. Она и Роллана усиленно кормит гандистской литературой. Роллан до сей поры (он собирается ехать в СССР уже который год) не решается сказать об этом намерении сестре, т.к. испытывает чувство благодарности к ней. Когда он был одинок, сестра помогала ему, не жалея себя. Роллан уверен, что именно из-за него она не вышла замуж.

Я думаю, что в СССР надо пригласить его с сестрой.

Он очень тактичен. Тихо преклонясь к моему уху, вчера вечером после ужина сказал:

– Последние расстрелы из-за Кирова многих оттолкнули от СССР. Я получаю много писем (я тоже!) с недоумениями и протестами. Жестокость принимают за слабость.

И опять интересовался, кто такой Сталин, Молотов, какова жизнь революционеров подполья. Я рассказывал о тюрьмах и ссылках.

Он удивительно красиво слушал. Так слушать умел только Ленин (по крайней мере, это мои личные впечатления). Правильно один товарищ его назвал «чувствительным радиоприемником». Роллан так реагирует, так тонок, нервен, чуть что хорошее скажешь, глаза улыбаются и от глаз морщины, как сияние. Никогда не хохочет. Он весь смягчен и внутренне очень здоров и свеж. Будто бы в нем совершается настоящая весна.

Так мило показывал мне палеховские коробки. Потом снимались в комнате и на балконе. Причудливые верхушки горной цепи, окаймляющей Женевское озеро, как вырезанные из бумаги. Они снежны, лесисты. Но солнце – вовсю, и не холодно. Я сказал Роллану:

– В Европе климат – постоянная весна.

Он улыбнулся, ответил:

– Верно.

– И земля здесь пахнет весной.

– Да, у земли запах очень приятный.

За последним ужином много говорили о предстоящей его поездке в СССР. Он боится холода и невозможности соблюдать диету. Я приглашал его в мае и гарантировал хороший уход. Поехать он хочет не для осмотра, а для работы. Но не роман писать, а работать для себя, внутренне (он не выдает – как).

Я понимаю его. Недаром же, когда я рассказывал о Демьяне Бедном, сказал, что этот писатель не всего себя дает, а, может быть, 50%, что он в потенции гораздо более сильный, что он усиленно работает над собой, никому не выдает состояние дел своей внутренней лаборатории. Р.Роллан такой же.

Уехал я от этого человека, как от большой совести нашего века. Образ его крепко запечатлелся во мне.

Провожая меня на вокзал, жена Р.Роллана рассказала следующее:

– Вы такое огромное впечатление произвели на Роллана вашим живым изображением жизни революционеров, что, ложась спать, он грустно сказал: «Ну, вот, видишь, как люди боролись, а я такую неинтересную прожил жизнь». Мне даже жалко стало. Роллан ни с кем из СССР не говорил с таким интересом, как с Вами. Все прошлые разговоры были скорее официальными или полуофициальными. И никогда Р.Р. не смеялся так, как с Вами».

А мне, признаться, от этих слов Марии Павловны, и самому стало стыдно. Я сам свою жизнь считаю скучной и очень внешней, мне хотелось бы также жить мыслью, как он, хотя бы в тысячной доле.

Все, что написано здесь зелеными чернилами, сделано 14 января в Берлине, значит, о Р.Р. записал не сразу.

Покинув вечером Р.Р., я заехал в Лозанну к Рубакину. Это 86-летний народник. С ним Мария... не то Генриховна, не то Адольфовна – русская, по-видимому, из немецкой фамилии.

Они взяли меня к себе ужинать.

Рубакин живет в своей библиотеке. Она преобразована им в биопсихологический институт. Содержит всю революционную литературу с 1857 года («Колокол» неполный). У него вся русская периодика и несколько десятков тысяч писем читателей крестьян и рабочих.

Я окончательно убедил старика покончить со страхом перед швейцарской провинцией и принять советское гражданство. Он теоретически с этим согласился. Роллан предупреждал меня, что Руб. – фантазер, наивник и, как дитя, неосторожен. Однажды он пригласил к себе Р. в общество русских эмигрантов. Было не очень весело Роллану. Я тоже этого боялся. Но, слава богу, кроме Марии с немецким отчеством и русским отечеством, никого другого при нас не было. Впрочем, и М. меня стесняла изрядно.

Рубакин, конечно, хвалил русский дух и пр. Он чистейший народник. Кушает с большим аппетитом и, кажется, в еде понимает толк. Впрочем, на диете, и вина не пьет. Здоров. Работает много.

Поздно вечером ночным поездом я уехал в Париж. И почему-то не спал всю ночь... Лицо Р.Р., его глаза, его слова, мысли стояли всю ночь передо мной.

8 января

Рано утром – темный Париж. Дробиков встретил на вокзале (шофер полпредства).

Меня ждали письма, телефонные звонки, деловые рандеву.

9 января

Состоялся в полпредстве завтрак по приглашению Потемкина[1].

Гости засиделись, так что хозяин стал первый с ними прощаться: он торопился к Лавалю, только что вернувшемуся из Рима.

Очень, кажется, постепенно и правильно мы следим за словарем французов и немцев.

Ночью поехал в Берлин. Скучно. Север.

---

[1] В.П. Потемкин – советский государственный деятель, дипломат, ученый. В 1934–1937 гг. – полпред СССР во Франции.

10 января

Берлин. Снег. Грубая жизнь немцев. На первом месте математика и потом эстетика.

Ученые немцы дали мне завтрак, было 30 человек. Говорили в нейтральных словах. Вообще и пр.

С немцами сейчас нечего делать. От этого не только мы, но и они страдают.

Поздно вечером на вокзале встретил Геру. Она бежала мне навстречу, как сама весна. Сын внимательными большими глазами дружески смотрел на меня. Неужели узнал? Кажется, что да!

11 января

Покупки, визиты Сурицу (полпреду), заботы о визах. Дети, милые мои дети, где-то вы? Говорят, в Москве морозы до 35, 40 и даже 45 градусов, а у дочерей, кажется, и валенок нет. Особенно боюсь за Наташеньку, будет геройствовать и простудится. Тем более она с ее знакомою в каком-то доме отдыха. Лена и Оля – в Астафьеве.

Как только опять начал вести жизнь с Герой – идея написать завещание как-то отодвинулась.

12 января
Все то же самое, что и вчера.

16 января
Покинул Берлин.

Заходил прощаться к Сурицу.

Горбач[1] – типичный представитель реакционеров в коммунистической шкуре. Надутый, подчеркивающий вам в глаза, что улыбка у него искусственная, дипломатическая, что он ею как бы даже тяготится. А все-таки будет получать в Женеве от Лиги Наций 60 000 франков в год и будет жить так же, как жил.

Неужели он всерьез делает красную дипломатию? Нет, у него дипломатия лиловая, и делает он ее, чтобы в большем комфорте умереть, оставив приличное наследство продолжателям его рода.

---

[1] Г.Ф. Горбач – высокопоставленный сотрудник ВЧК–ОГПУ–НКВД.

19 февраля

11 часов ночи. Усталый я сегодня, хотел поспать. До 4 часов работал в ВОКСе. Сидел у Леночки. Она – источник всего милого и нежного. Пришла Олечка из школы... Долго ли я выдержу с ними разлуку. Насколько жена чувствуется мне родной, когда дети с нами! Насколько я тогда силен, неутомим и целен сам в себе! И насколько от жены веет чужестью и враждебной каменностью, когда дети где-то там... Долго ли я вынесу такую глубоко мучительную разлуку?!

Опять, как тогда с Ольгой (первой женой), в доме стало жутко, словно бледная умирающая бабушка вот-вот отойдет сейчас в небытие, а за ней все еще надо ходить.

Третьего дня она сказала мне: разведемся.

Ну как после этого встречаться, пить вместе кофе и пр.

27 февраля

Возможно ль!! Целый месяц дневника в руки не брал. Отношения мои с Герой как будто запылились. Колеса стали вращаться со скрипом.

Дети обнажили свое отношение ко мне и к Гере. Оля и Лена заявили, что только из приличия они радовались переезду в новое жилище. На самом же деле им тяжело, когда отец с Герой живет в хорошей просторной квартире... От подруг своих они знают, что их семейства в еще более стесненных квартирных обстоятельствах, но все же живут вместе, даже неродные дети вместе живут... Много, много укоров наговорили мне дети, все трое в один голос. Моя оборона была слабой, потому что в словах родных моих дочерей много правды. И в это время я их любил и понимал сильно. Но не меньше любил и моего сына. Я их всех четверых прекрасно чувствую.

Сегодня со вкусом записывал для Сталина мои разговоры с Ромэном Ролланом.

Звонили от Кагановича, сказали, дадут квартиру больше и место для дачи. Каганович все же носит в себе наследство тысячелетней культуры, у него есть хорошее отношение к человеку и даже известная бережность.

А Вячеслава (М.) просил о «Соснах» (Дом отдыха), к тому же я на них имею право. Он обозвал меня (по телефону) мещанином, а когда я в растерянности спросил, как же мне быть (т.е. к кому обратиться за защитой своего права), он сказал: «Ну, до свиданья!» – и повесил трубку.

Ну что бы ему хоть объяснить по-товарищески. Прошло, кажется, это «по-товарищески»...

4 марта

Произнес вступительное слово в Доме ученых в день 100-летия со дня первого издания «Калевалы». Аудитория была довольно черная. Поэтому моя речь, внутренне искренняя, звучала как фальшивая.

Вчера лег в 4-м часу утра. Принимал Еврейский театр (25-летний юбилей). Режиссер произнес хорошую речь. У него отвислая губа, он низенького роста. Комок энергии и любви к искусству. Пели еврейские песни.

Танцевали еврейские танцы. Среди гостей был чешский журналист Мрквичка (Морковка). Он много раз подходил ко мне, начиная всякий раз так: «Я сам Мрквичка (я – Морковка)».

Ах ты «Мрквичка»...

Сегодня утром зашел к Лене. Узнал, что Оля подняла большой и позорный скандал, била старшую сестру Наташу. Все радости да радости мне... О скандале знает весь ВОКС. Стыдно. Обещал Олю отдать в лесную школу. У сына (в другой моей квартире) оказалась дизентерия. Голодает, плачет, тощает. Не понимает, почему его морят голодом...

Хоть кто-нибудь подошел бы ко мне и просто спросил: «Ну, как тебе, человече, не легко, поди?!» – И дотронулся бы теплой рукой до моего плеча...

Писать хочу. Ужасно хочу. На днях получил от Гронского (ред. «Нового мира») грубое письмо с обруганием моего рассказа «Любовь рабочего Жана» и романа «Правда».

На днях Кагановича назначили НКПС[1]. Все смущены.

Сегодня Енукидзе назначен президентом Закавказской республики. Еще больше все смутились.

Нужно аппарат рассредоточить.

Вчера Молотов сам мне звонил.

Хитрецы какие пошли теперь. Долго верил Кулябко (мой зам), но он решил сделать карьеру на моей шее. Ему досадно, если что-либо удается помимо него. А сегодня (после месяца работы) приготовил доклад т. Сталину и настаивает на присоединении своей подписи к моей... Прямо расталкивает локтями. Когда, дескать, мне представится случай писать Сталину, а тут за спиной простоватого Аросева – пройду.

Холодно жить среди таких, холодно!

---

[1] Народным комиссаром путей сообщения.

5 марта

Утро. Сын болен. Температура 39. Младшая дочь Оля больна – 37,1 (свинка). Ленушка здорова. Наташу не видел. Хотел бы ее повидать.

Работа. Журналист Мрквичка! Опять Мрквичка! Очень почтительно на меня из-под очков смотрело растерянное лицо этого журналиста. Потом танцовщица Дина с ее другом. С ней подписали договор, теперь расторгают. Бедная американка совсем растеряна. А большую рекламу себе делала. Левая. Это тоже в составе рекламы, иначе ей здесь не прожить!

Потом мои дела, служебные.

Выверял стенограмму доклада. Кулябко сильно напирал, настаивая на своей подписи на докладе Сталину. Я старался подсунуть еще Чернявского[1] (высокий, толстый, с женским задом, эрудицией – меньшевик, из литераторов), чтоб не выпирать этого Кулябко. Он не прочь был и втроем въехать в поле внимания Сталина. Однако мудрый еврей Чернявский отказался подписать, конечно, «не из-за себя, а из интересов дела».

Дома. Обед.

Жена:

– Ты, оказывается, у детей проводишь целые дни.

– О, нет, очень мало.

– Мне говорили, ты все время там, и завтраки тебе туда носят, а здесь торопишься, скорей, скорей туда.

Между тем я у детей действительно, дай бог, если 20 минут в день бываю, а упреки от жены получаю каждый день.

– Гера, это старо. У детей я буду столько, сколько мне надо.

– И завтраки туда носишь.

– Да. Мне полагается, я уступаю им, сам не завтракаю (два бутерброда). Ничего в этом плохого нет.

– А мне не можешь принести яблок, хотя бы от вчерашнего приема.

– Этого нельзя, Гера, потому что завтраки мне полагаются, а таскать продукты казенные, определенные для приема, нечестно.

– Да, да, детям так все можно, а мне – нельзя.

Сей деревянный, неоднократно затеваемый женой разговор, полный глухой и глупой зависти, так мне надоел, что я на последующие речи Геры не отвечал. А она продолжала говорить все в том же духе:

– Мне нельзя, а им все можно...

Пообедав, я заторопился.

– Ну вот, от нас всегда торопишься.

– Пойми, у меня там работа (Кулябко с докладом).

– Да знаю, какая работа: к детям. (Они живут в комнатке того дома, где учреждение). – Ты хоть Розенталь (доктор) не забудь вызвать...

– Разумеется, – ответил я. – Скажи только, когда.

– Сам узнай. Для детей все узнаешь, а для Бумсика (сын) не хочешь!

Между тем к Бумсику я только что сам лично привез врача и теперь готов привезти второго. Гера буквально как сумасшедшая. Я тут же подумал: этого сорта ее разговоры буду подробно записывать в дневник, чтобы понять ее...

Аптека. Лекарства. На пленуме Правления писателей. Записался говорить. Уехал домой перекусить. И снова на пленуме. Щербаков (не литератор, а ген.секретарь Союза писателей, курносый, толстое бабье лицо и бабье тело. В очках), потрясая руками и головой перед воображаемым врагом, на холостом ходу читал по бумаге написанную ему речь. Читал и пальцем водил по тексту. Его слушали внимательно. Все знали, что он только голосовой аппарат, через который передаются директивы, и на его невыразительное круглое лицо смотрели, как на блестящий круг радио, или граммофон, или на пластинку.

За недостатком времени мне не дали слова.

Впрочем Щербаков потом уже обещал дать завтра. Я опять ушел ни с чем.

Слышал клочки разговоров на улице. Женщина об руку с мужчиной, оживленно:

– Нечего тебе обижаться на рабочий класс.

Два бухгалтера, один седой, другой не седой.

Седой – не седому:

– Разве это метод мобилизации масс?

Я потрясал кулаком в рваной перчатке перед лицом не седого.

В доме у меня тишина, но сын спит очень плохо...

---

[1] Сотрудник ВОКСа.

6 марта

Ах, мой дневник! Пишу его как мой страшный отчет перед самим собой и перед никем. Пишу по вечерам, когда все стихает и прошлое делается прозрачнее. Мне, собственно, нет времени писать дневник, но какая-то потребность вкладывает мне ключ в руку. Она отпирает заветный шкаф, я вынимаю тетрадь и пишу. Потребность писать – потому что я круглый сирота и неудачник, и одинок...

Пошли с Леной в Большой театр. Там я оставил ее, а сам направился в Дом писателей на пленум Правления. Как раз подходила моя очередь выступить с речью. Я произнес слово об интернациональном значении нашей литературы. М.М. Шкапская[1] потом мне говорила: «Вот тут вы хорошо говорили, потому что обеими ногами стоите в этой области».

С правления писателей пошел к больной Оле. Побыл у нее с полчаса. Вызвал авто и поехал за Леной в театр. Спектакль уже кончился, Лена стояла, одевшись, в ложе, одна, с беспокойством в глазах (боялась, что я не приду за ней).

С Леной возвратились в комнатку детей.

Лена, З.Я.[1] и Наташа обедали в Наташиной комнате (в квартире через двор, дети живут разбросанно!), а я был с Олей. Она спала. Я читал «Кола Брюньон» Ромэна Роллана. Потом правил стенограмму своего доклада.

Вечером отправился в Вахтанговский театр на «Интервенцию». Был у артистов. Они удивлены, что на сей раз я один. Я не менее удивлен этому.

---

[1] М.М. Шкапская – поэтесса и журналистка.
[1] Зинаида Яковлевна, воспитательница.

13 марта

Прошла пятидневка. Работа трудна. Дети не устроены. Бесконечно так тянуться не может. Обратился к Кагановичу. Это было как раз накануне его назначения наркомом. Каганович, как всегда, пришел на помощь. Распорядился, чтобы расширили квартиру и дали бы участок для дачи.

...Вспомнил, когда он говорил о вельможах и о честных болтунах – я тогда же подумал, что приготовляется отстранение от работ всей старой гвардии. А Литвинов об этом говорил еще в 1932 г. во Францисбаде.

Дети мои живут неудовлетворенно. Оля выздоравливает и опять начинает скандалы. Очень нервная девочка. И все оттого, что разрушена семья. Думал отдать ее в лесную школу, но нет, лучше, кажется, заняться индивидуальным воспитанием.

Третьего дня были в гостях у Новикова-Прибоя. Конечно, гости поздно собрались. Новиков рассказал занятную историю с цыпленком, вылупившимся из яйца благодаря тропической температуре (на Мадагаскаре).

Вообще он весь живет Цусимой, не замечает века. Его гости молчаливые. Смотрят на меня и друг на друга испытующе. Толстые женщины с глупыми улыбками, худые – с жалкими. Мужчины без улыбок, и лица их восковые. За столом – чистое наказание, все следят за тем, чтобы пили и ели. Следят с остервенением и горячностью. Это и есть хваленое гостеприимство.

Получил письмо от редактора «Нового мира» Тройского. Он назвал рассказ «Любовь раб(очего) Жана» беспомощным в художественном отношении. Строг Иван Михайлович!

Вчера провел день один, сам с собой в Астафьево. Читал Петрарку (беседы Августина с Франциском).

Вечером говорил по радио о заграничной поездке.

Вспоминаю 8 марта (женский день). Митинг на заводе «Прожектор». Все молодежь и бабы. Темнота ужасающая.

– Советская власть действительно о нас заботится. Вот я теперь имею комнату и живу с четырьмя детьми и матерью и нам хорошо, а раньше я жила у брата... Больше сказать ничего не могу... (Из речи старушки – члена президиума). Вот высота уровня и критерий оценки Советской власти.

Второй день «Правда» подозрительно выступает против «Известий» и в особенности против Бухарина.

Вылетел Енукидзе. Теперь Бухарин на очереди. Не помогут его искренне умиленные статьи.

Был у меня сегодня маленький Будда, китайский артист Мэй Лань Фан.

В пять часов дома гости: чехи, Миреа – архитектор, И. Ильинский[1].

Вечером – балет.

---

[1] И.В. Ильинский – актер театра и кино.

24 марта

Вчера был в Астафьево у детей, Лены и Оли.

Дневника почти не пишу, оттого что жизнь переполнена встречами, разговорами, новизной и разнообразием. Не знаешь, на чем пристальнее остановить свой взгляд. И жаден ко всему, и осмыслить хочется, и своя собственная жизнь стала до невыносимости скучной – а жизнь к тому же так коротка. Еще каких-нибудь пять лет полной разбросанности и только. Конец.

Нужно работать.

Третьего дня и вечера – на спектаклях Мэй Лань Фана. Мэй Лань Фан – китаец-актер. Выглядит 25-летним, на самом деле – 41 год. Низенький, широколицый. Очень умный. По-китайски церемониально вежлив.

Когда играет женщину, а он только женщин играет, дает нежный и трогательно кокетливый женский тип. Со своими артистами обращается, как феодал, просил не приглашать их на вечера, где присутствует он, Мэй Лань Фан.

Молчаливый китайский посол использует поездку Мэй Лань Фана в каких-то своих видах. У посла племянница, женщина лет 32-х, конечно, моложавая. Высокая, черная, гибкая, как змея, с ясными и сладкими глазками. В нее все влюблены.

Ей под стать кукольно милая, с маленьким носиком, намалеванная Баттерфляй.

3 апреля

Сегодня Иден – лорд-хранитель печати – выехал из Варшавы в Прагу. 31.3 я видел его на балу английского посольства, 28 – на балу у Литвинова. Худой, высокий, густобровый, 38-летний английский министр. 28.3 улыбался светящимися глазами и держал рот чуть-чуть открытым, он будто пожирал славу, которая здесь, в Москве, вдруг поперла на него. 31.3 после разговора со Сталиным (после посещения Большого театра) выглядел совсем другим. Глаза потеряли блеск, потому что смотрели не на окружающих, а в самого себя. Иден был уже и проще, человечнее, он больше не пожирал славу, он стал задумываться над ней, над Москвой, и над ее людьми.

Подвыпивший изрядно английский посол Чилстон рассказывал о содержании беседы между Сталиным и Иденом. Бубнов (Наркомпрос), отведя меня в сторону, говорил:

– Если хочешь знать содержание беседы, обратись к Штейгеру[1]. Он знает ее во всех подробностях.

– От кого?

– От Чилстона.

А Чилстон рассказывал главным образом одно – Сталин говорил: вот видите, англичанин (про Идена), но такой, который говорит честно и с ним можно и должно говорить откровенно. Я вижу перед собою честного англичанина.

Было ли это правда или продукт воображения Чилстона – история разберет...

Отдыхаю в Морозовке, пишу о заграничных впечатлениях. Поздно, но пишу.

---

[1] Б.С. Штейгер – уполномоченный Коллегии Наркомпроса РСФСР по внешним сношениям. Сотрудник ОГПУ – НКВД.

4 апреля

Совершенно бестолково вчера приехал в город. Весь вечер (лучшие часы) – в ВОКСе, разговоры пессимистические: никто не учитывает, каких усилий и трудов могло бы и не быть.

Утром у Акулова[1] в ЦИКе. Просил у него разрешения поместить сына в Астафьеве. Ответит завтра.

Потом у Юдина в ЦК. Юдин, перегруженный работой, думает, что перегруженность – это удел всех гениев (Ленин, например) и что можно перехитрить натуру и выработать особенную, не устающую партийную чуткость, выслушивал мои и Кулябки «проблемы» (текущие) в ВОКСовской работе и давал от культпропа ЦК свои решения.

Выйдя от него, как всегда, в угнетенном состоянии и с весельем висельников, мы с Кулябко делились впечатлениями. Он со свойственным ему сарказмом говорил:

– У меня такое впечатление, будто нам в задний проход пытались вставить тяжелые бюрократические чернильницы, пытались, пыхтели, потели, но ничего не вышло, чернила разлились по штанам... То, что мы говорили Юдину, было похоже на вот что: погодите, мы снимем штаны, удобнее будет... «Нет, ничего, – отвечает Юдин, – мы пытаемся как-то ввинчивать чернильницы через штаны...»

Утешало нас то, что нам доклад читает Сталин и что есть слух, что культпроп упразднят... Хорошо бы. Смехотворное учреждение, особенно если учесть задачи, лежащие на нем.

Работал. Провел обеденное время у детей. Разговоры наши стали спокойнее.

Уехал в Морозовку, продолжал писать об Андре Жиде.

Сегодня Крестинский в меру своих старческих сил поручил мне впервые работать с делегацией бельгийских ученых, заняться приемом у турок и у нас по случаю отъезда наших артистов в Турцию. У меня обещал быть Ворошилов. Это в зависть бросило лысого замнаркома. Пытается сорвать.

Благодаря кривой и неустроенной жизни (то на квартире, где жена и сын, то в тех комнатах при ВОКСе, где живут дети), я никак не мог приступить к писанию дневника, хотя эту тетрадку мотал с собой то туда, то сюда. При этом всегда боялся за ее судьбу: надо было или запирать, или держать под рукой, чтобы досужий глаз не позабавился этими строками. Поэтому сегодня, в выходной день, когда я никуда не ходил (кроме гуляния с женой по Воробьевым горам), попробую суммарно вспомнить за все эти незаписанные дни встречи и дела, которыми трудовой день мой набит был, как дырявый мешок картошкой, дополна, через край.

Пятого я был вечером на приеме в японском посольстве. Большое общество – главным образом корреспонденты. Вечер был по случаю пребывания в Москве кинорежиссера (с присноблаженным и постным лицом) Камияма. Показывали кусочек японского фильма (весна, лето, осень, зима в Японии); и портреты (рекламные) Камиямы в разных ролях. На ужин столы были распределены так, что главные гости сидели вперемежку, но у каждого стола был свой шеф (она или он) и каждый стол называли именем какого-либо цветка, например: «Лилия», «Роза», «Хризантема» и т.д. Соответственно этому и на плане рассадки каждый стол был отмечен рисунком определенного цветка. В столовой посредине каждого стола была ваза с букетом соответствующих цветов. Столов было около 20. Во время обеда кавказский (грузинский оркестр), грузины танцевали лезгинку.

---

[1] И.А. Акулов – советский партийный и государственный деятель, первый прокурор СССР. В 1935 г. – секретарь ЦИК.

7 апреля

Должен был докладывать в академии, но отменили по случаю приема у турок.

Этот прием имеет свою интересную историю. Еще на приеме у английского посла я уговорил Ворошилова прийти к нам в ВОКС на прием турок по случаю отъезда артистов Большого театра в Турцию. Клим охотно согласился. После этого я эту договоренность закрепил по телефону. Послал ему список гостей на согласование.

Н.Н. Крестинский, мелкий интриганишка, вдруг звонит мне – турки-де претендуют на прием у себя. Тогда я предлагаю – пусть турки у себя сделают в 5 часов, а у меня – в 10 вечера. Н.Н. согласился, узнав, что у меня обещает быть Ворошилов. Однако он поспешил его найти, представил ему так, будто турки обижаются, если им не позволят сделать приема. В один день неудобно, а завтра артисты уже уезжают. Конечно, он убедил Клима. Уж очень ему не хотелось, чтобы К. был в ВОКСе. Тем самым авторитет его в глазах всей партийной и правительственной челяди поднялся бы высоко. Вчера окончательно телефонирует: «Прием будет только у турок, и Клим в ВОКСе не будет». Пришлось, да, пришлось согласиться.

На приеме хорошо играл Шостакович. Певцы и певицы ординарные. Турок произнес плоскую речь, хвалил нас. Ему ответил Н.Н. кратко, но так «выразительно», что ничего нельзя было понять (трус – перестраховывался). Позже всех, как всегда, пришел Бубнов.

Насилу упросил великорослого и малоумного турецкого посла отпустить нас домой.

8 апреля
Меня посетил Гордон Крэг[1]. Чудной, капризный и жадный старик.

_____
[1] Гордон Крэг – английский актер и режиссер.

11 апреля
Прием в честь Гордона Крэга. Все театралы и английский посол.

Плясали девушки школы Дункан – плохо.

Качалов декламировал исключительно сильно. В особенности монолог Брута из «Юлия Цезаря» Шекспира.

Крэг долго засиделся.

13 апреля

Покупал подарок Мэй Лань Фану. Не зря ли я трачу время.

Посетили меня «двинцы» бывшие солдаты, повстанцы 1917 года. Очень чистые люди. Какая в них, во всех людях 1917 года, особая революционная деликатность и скромность.

Днем делал доклад на заводе. В одиннадцать – на прощальном банкете Мэй Лань Фана.

А детки мои одни. И жена одна. И литературу я не пишу. Буднично жизнь протечет! Вот чего я смертельно боюсь, и эта боязнь пронизывает всего меня постоянно! По ночам, что ли, не спать? Ускоришь смерть

15 апреля

Завтрак у китайского посла. Радек балагурил. Племянница посла (красавица) дома сдержанна.

16 апреля

Брехту и немцам показывал «Чапаева» и сам наслаждался им в десятый раз.

19 апреля

Доклад на заводе о международном положении.

20 апреля

Секретарь бельгийской делегации был у меня. Говорит, что имеет поручение от бельгийского премьера переговорить с нашим премьером или наркомом индел. Морто[1] довольно нахальный социал-демократ. Кажется, хочет быть у нас послом Бельгии или играть роль в наших взаимоотношениях.

Вечером был на партактиве.

Кнорин[2] старательно делал доклад, и было сразу видно, что перед докладом он торопился проглотить свой обед в столовой Совнаркома.

Цитировал интересные места Отто Бауэра[3]. Приводил примеры исключительного изуверства и издевательств фашистов в Германии... Но сам по себе доклад – банальный. Комбинация слов.

---

[1] Секретарь бельгийской делегации.

[2] В.Г. Кнорин – советский партийный деятель. Руководитель информационно-пропагандистского отдела Коминтерна.

[3] Отто Бауэр – австрийский политический деятель.

21 апреля

Был на приеме бельгийцев во Французском посольстве. Альфан (посол) что-то холоден. Зато жена советника Пайяр – горяча.

22 апреля

Завтрак в ВОКСе с бельгийскими учеными.

23 апреля

Делал доклад о международном положении в ВИЭМе[1].

Вечером – у американцев. Посол Буллит решил удивить московский свет. Приглашения были разосланы, когда он еще находился в Нью-Йорке. Твердо веря, что гарантирован от смерти (она, вследствие научных достижений, теперь кажется уже не за плечами), он протелеграфировал в Москву приказ о приглашенных. Созвано было до тысячи человек, а с дамами, может быть, и больше.

Особняк в Спасопесковском переулке был обложен автомобилями. Я знаю этот особняк, был в нем на приемах у Калинина всего три года тому назад. Тогда мы еще не знали Америки. Особняк служил Калинину, а жили в нем скромно Карахан и Флоринский[2]. Первый теперь, вопреки своему желанию, – полпредом в Анкаре, за несогласие о Литвиновым, а второй – тоже вопреки своей воле – в тюрьме за несогласие с декретом о запрещении удовлетворять любовные страсти посредством молодых мужчин... Он в своем рвении добрался, кажется, до кого-то из американского посольства. Нельзя же американцев «употреблять»...

Я поднялся по знакомой мне лестницо и очутился перед Буллитом – молодым еще человеком с красноватым лицом индейца и с голубыми, будто немного пьяными глазами. В их зрачках светился огонек насмешки над всем, что не Нью-Йорк.

Огромный зал был наполнен танцующими и теми, кто не знал, что есть в жизни вещи более приятные, чем, заложивши руки за сутулые рыхлые спины, рассматривать жмущихся друг к другу мужчин и женщин – одни по старости, другие – по службе и, может быть, кто-то от любви.

Оркестр от танцующих отгораживала двойная решетка, сделанная в форме дождевых струй. Решетка была сплошная, так что к оркестру проникнуть было нельзя, музыканты как низшие существа были отделены от гостей.

В столовой посредине стоял огромный стол, в белых лилиях утопали огромные серебряные блюда с яствами. По бокам – маленькие столики, в глубине еще один большой полукруглый стол для избранных гостей. Перед этим столом – как бы сцена, и на ней среди искусственно сделанных гор гуляют молодые козы и овцы. Слева от этой сцены была еще одна, где среди искусственных стволов деревьев резвились три медвежонка. Они были отгорожены от публики легким барьером, и каждый мог дотронуться до лапки или морды этих черных волосатых созданий, привезенных бог знает из каких лесов и отнятых от матерей. В стенах зала полувделаны квадратные колонны, приблизительно двенадцать в каждой стене. Наверху колонн подвешены клетки, в них – дремлющие петухи. Всего около 24 самых разнообразных петухов.

Одна гостиная была исключительно для любителей изысканного сладкого. Наверху, на галерее, – кавказская шашлычная, грузины с грузинками танцевали лезгинку и т.п. Так как перила галерей были только что выкрашены свежей белой краской, то на многих фраках и женских шлейфах оказались белые печати американского бала.

Из напитков – только нарзан и шампанское. Его пили, как воду, немудрено, что многие почтенные люди науки и искусства выглядели, как сапожники. Кушанья были исключительной изысканности. Фруктов – большой выбор. Подавались свежие ананасы. Одним словом, американец удивил Москву – прием был сверхъестественный. В пять часов запели петухи. Козы к этому времени разбежались среди танцующих. Медведи шалили на своей сцене. Птицы, большие и малые, пищали жалобно, не зная, ночь это или день. Гости разошлись в 8 ч. утра, позавтракав как следует.

Мейерхольд, подвыпив, говорил глупости и объяснялся со мной, спрашивая, какой театр нравится мне больше – его или таировский.

Новые русские слова: мы хотим «опосредствовать» работу, т.е. хотим, чтобы работа производилась посредством нас.

---

[1] Всесоюзный институт экспериментальной медицины.

[2] Д.Т. Флоринский – начальник протокольного отдела НКИД.

24 апреля.

Был с детьми в Астафьеве. Вечером – обед у латышей. Пустые разговоры. Неутомимый латышский посланник очень радостен, как всегда. Оттого что у него желудок хорошо работает.

25 апреля

Вчера весь день провел с детьми, Леной и Олей, в Астафьеве.

Уехал в Москву в 8 вечера. После кошмарного сна успел написать четыре страницы нового рассказа.

Работы много. Обед с турками на Спиридоновке у Уманского. Посол опять говорил речи против женщин. Он говорит с такой элоквенцией, словно лапти плетет. Огромен, лыс, шея лезет на затылок, затылок ее не пускает. Жирные валы набухают – импотент. Всегда клянется в дружбе к СССР и всегда в одних и тех же словах. Уманский острил. Он думал, что он Литвинов в миниатюре.

26 апреля

Утром у Плетнева[1]. Освидетельствовал боли в сердце. Оказалось – межреберный ревматизм.

Плетнев о конституции сказал вдруг: «Интересно, как эту фикцию проведут».

Произнес доклад на заводе (международное положение).

---

[1] Д.Д. Плетнев – профессор медицины.

27 апреля

Мелкие дела. Звонки большим людям. Все безрезультатно, все заняты.

28 апреля

Единственный, кто меня, видимо, любит и принимает – Шкирятов[1]. Сегодня принял по первой просьбе во время совещания. Говорили о ВОКСе и моих делах. В ВОКСовских обещал помочь.

---

[1] М.Ф. Шкирятов – советский партийный деятель. С 1934 г. – член Комиссии партийного контроля при ЦК ВКП(б).

29 апреля

Вечер. ВОКС. Сотрудники смотрят кино. Там же мои дочери. Я один в своем кабинете. Никого у меня нет, а со мной одни проблемы. Настолько они вгрызлись в мой мозг, что даже писать не хочется. Писать – значит все ворошить, а я не Достоевский: он думу свою, как шевелюру, пятерней взбивал.

...Вчера был неудачный прием журналистов, иностранных, их было мало. Должно быть 42, пришло 15. Скверная организация Кулябко. Удивительно, в нашей стране все деятели какие-то заштатные.

Делал успешно доклад в ВЭИ (Всесоюзный электротехнический ин-т).

Был командирован на МОГЭС[1] выяснить отношение рабочих к Первому мая и к международному положению. Секретарь парткома сказал, что рабочие интересуются, будет ли выдана зарплата, которую по формальным соображениям решили отсрочить, хотя выдача согласно закону – 3 числа. Поэтому секретарь не советовал мне приступить к беседам с рабочими.

Всем праздник, а у меня опять одни проблемы. Дети без воспитательницы. Гера их видеть не хочет. Я завален работой. Дети – как беспризорные, даже хуже. Они знают, что могут и должны не быть ими. Поселил их на один день в отель «Националь».

Звонил во все места во все часы, прося билеты на парад. Укоряют тем, что дети были на параде в прошлом году. Но ведь они идут без специальных пропусков! М-да...

Вечером у Раскольникова. Получил от Уманского (выскочка и не умный. Это свойство заменено нахальством) билеты на парад как иностранный корреспондент. Спасибо Уманскому!

---

[1] Московская государственная электростанция № 1.

1 мая

Японец все время фотографировал парад киноаппаратом. Часовые смущались, но поделать ничего не могли.

Как только кончился военный парад и пролетели с шумом все бомбовозы и истребители, я пошел за детьми. Привел их. В отеле они были, как в тюрьме. Пришли на парад. Геры не было. Побыв на параде, пошли домой обедать. Потом отправил детей в Астафьево. Сам сидел дома.

2 мая

Этот день чудно провел с детьми: вместе читали и гуляли. Дети любят меня хорошей любовью. Ею нужно дорожить.

Днем заехал к Беку[1]. Уезжает в Иркутск. Выслан из Москвы официально как «выдержанный большевик в новый район».

Я несколько дней тому назад говорил о нем со стариком Коном[2]. Он будто бы где-то пытался отстоять Бека.

Сегодня, во всяком случае, простились с ним. Долго на него смотрела исключительно трогательными глазами его дочка Риточка. Она и улыбалась, и глазки ее блестели, а на дне маленького сердца –

глубокая тоска. Будто приговоренная. Почему никто не подумает о том, зачем без надобности увеличивать на земле человеческие страдания. Самое ужасное – детская глубокая затаенная грусть. Потом узнал, что Бек прогнал ее с вокзала, не позволил ждать ухода поезда, чтоб не рвать детского сердца. Это со стороны отца святая жесткость. Я должен научиться так действовать с детьми. Но тогда где же и в чем радость? Все только жестокость да жестокость со всех сторон.

У поляков, по случаю их праздника, был в посольстве. Битком людей искусства. Никто никому не интересен. Наблюдательность моя притупилась. Локтями толкали женщин и мужчин, наши чиновнички из НКВД бросали на меня ужасные отчужденные взгляды. А многие подчеркивали оскаленным ртом (улыбки), – они теперь такие опытные дипломаты, что могут (увы, должны, устали!) искусственно улыбаться. Это значит, мы вас не уважаем, мы улыбаемся вам по должности.

Какая жизнь короткая. Иногда вырываешься из этой кунсткамеры – она еще короче кажется.

В 8 вечера на ужине в турецком посольстве. Все по-холостому.

Штейнгер шептал мне, что одновременно в Берлин приехали турецкие журналисты и сейчас сидят за столом с Гитлером. Эта новость была неожиданна для наших дипломатов. «Шпингалеты», получающие за их злобную свистопляску галеты, обвиняют Карахана, долбят справа и слева близорукими зенками по его имени. Крестинский харкает, как свинья, и не знает, как теперь говорить с турецким послом. Да и этот милый наш друг тоже скис, словно кто на него опару вылил.

Пил изумительно сладкий водочный напиток «ракия».

Ночью заехал в Моссовет по поводу квартиры. Хотел написать записку Мельбарту (зам. пред. Моссовета Булганина), его секретарь Ворошилов, однофамилец Клима, выхватил у меня из-под носа блокнот с бланком Моссовета: «Теперь, знаете, с бланками надо быть осторожными, нельзя их всем давать!»

Моссовет... Сколько за него жизни отдано! А теперь – бланки...

Я написал записку на простой бумаге. Все равно результата не будет (хлопочу квартиру ВОКСа передать мне для детей).

---

[1] Сотрудник ВОКСа.

[2] Ф.Я. Кон – польский революционер. В 30-е годы занимал различные должности в советском партийном аппарате.

4 мая

Секретарь польского посольства Шербинский надоедал просьбами приглашения их артистов.

«Вермишель» дел.

В 2 часа дня – завтрак с турками.

А в душе, как зубная боль, забота о детях: теперь они без воспитательницы, кто же наблюдает порядок их жизни?

Вечером докладывал в Доме советского писателя о моих встречах и беседах с представителями западноевропейской интеллигенции. Говорил два часа.

5 мая

Принимал чехов-инженеров, показывал им «Чапаева». Сам в двадцатый раз восторгался. Лена и Оля были.

Вечером был у Молотова. Он звал с ним на дачу, но я пообещал приехать завтра, потому что очень неустроены детишки мои.

Утром шестого (выходной) детей отправил к Наде, сестре, и брату. Сам уехал к Молотову.

Играли в теннис, а в сердце боль о детях. Довольно боли, я имею все данные жить хорошо. Жена просится уехать на лето за границу, ну и пусть ее едет.

От Молотова приехал к брату Аве, взять детей (Лену и Олю, где Наташа – не знаю, она только ночевать приходит!). Он приглашал зайти. Это с его стороны не хорошо, ведь мне очень важно, чтобы дети своевременно шли спать.

Надя добрая, решила нас проводить (а это далеко: с Малых Кочек!). Приехали к квартире, где живут дети.

6 мая

Один день. (Вроде рассказа.)

Канун. Вечер. Кино. Чехи. Дети, Лена и Оля, пришли – одна с урока музыки, другая из сада, – посмотреть кино.

У них нет ни воспитательницы, ни даже домработницы. Живут в комнате при ВОКСе, поэтому сестра Надя изъявила желание побыть с ними вечер, помочь. Пришла, присоединилась смотреть кино. После конца фильма мне надо было спешить к Вяче М., Надю попросил идти к детям.

Уехал. Поздно звонил по телефону – как дети.

Спят. Бедные, сирые. Одни. Недавно Антонина Павловна, моя секретарша, знающая меня 14 лет, сказала: «Вас ненадолго хватит, если Вы так будете отдельно от детей».

Правду сказала!

Звоним – нет ответа. Видимо, квартирующие в том же жилище – отсутствуют. Ключ? Где ключ? Я прошу всех – Наташу, Лену, Олю ключ оставлять у швейцара. Оказывается, ключ унесла с собой Наташа. Ждали на лестнице около часа. Измучились.

Что же делать? Куда же ехать? Ко мне? Гера жестока, она запротестует...

Поехал с детьми в отель «Новомосковская гостиница». Я недавно просил правление «Интуриста» дать мне там две комнаты и врал, что будто бы мне нужно приютиться по случаю ремонта моей квартиры.

Приехали. Являюсь к дежурному администратору. О комнатах ничего не известно. Я обескуражен. Ко мне на выручку приходит случайно находящийся тут же агент ГПУ в кожаном облачении, Он меня знает. Удостоверяет, что действительно мне определены две комнаты. Тогда администратор требует паспорт. У меня его нет, Он не дает комнаты. Агент ГПУ настаивает дать и выговаривает администратору за формализм. Я – к телефону, чтоб позвонить главе «Интуриста» Курцу. Он в нашем же доме правительства. Но я забыл номер телефона и справляюсь в комендатуре. Комендант отказывается дать его, т.к. телефоны лиц, живущих в доме правительства, не сообщают. Я в тупике. Дети ждут в машине. Время – половина одиннадцатого ночи...

Агент ГПУ шумит, настаивает дать комнату. Администратор уступает. Получаю ключ. Комната на четвертом этаже. Сырая, чужая. У детей ни мыла, ни ночных рубах – ничего, чтобы ночевать в чужом месте.

Поздно был дома. Спал, как чужой абсолютно всем.

8 мая

Была испанка – искусствовед, эмигрантка. У нее семья: дочь и муж дочери, тоже эмигранты, участники последних восстаний в Испании. Она интересна, но странно-сдержанна. Пригласил ее на прием Мазереля[1]. Отказалась. Хочет получить работу как профессор теории искусства (главным образом живописи).

Сегодня принят Ежовым. Совершенно замученный человек. Взлохмаченный, бледный, лихорадочный блеск в глазах, на тонких руках большие набухшие жилы. Видно, что его работа – больше его сил. Гимнастерка защитного цвета полурасстегнута. Секретарша зовет его Колей. Она полная, озорная, жизнерадостная стареющая женщина.

Ежов смотрел на меня острыми глазами. Я доложил о «беспризорности» ВОКСа. Он понял. Об американском институте – понял и принял к действию. О поездке жены за границу. Немедленно согласился. Обещал посодействовать и в отношении квартиры.

Вечером принимал Мазереля.

---

[1] Франс Мазерель – бельгийский художник-экспрессионист.

10 мая

Мелкие дела. Письма. Хлопоты. Пришла воспитательница детей. Объяснилась и согласилась снова жить с детьми. Они очень рады. Я еще больше. Можно работать без того, чтобы саднило мозг от тупых забот.

13 мая

Встречал Лаваля. Чины. Караул. Почетный рапорт. «Марсельеза». Напев французской проигранной революции – музыкальная тема ее. За ней – «Интернационал».

Пока встречали Лаваля, рапортовали ему, вели сквозь строй завороженных дисциплиной солдат и пропускали сквозь «толпу» (см. толпу в «Борисе Годунове» у Пушкина), которая приветствовала аплодисментами и криками французского кулачка (далеко не дурачка!), его журналисты в количестве 28 человек сидели запертые на ключ в вагонах. Им не полагалось выходить вместе с министром (классы уничтожены у нас). И только после того, как Лаваль, погрузившись в теплое сиденье литвиновской машины, отбыл с вокзала, несчастных людей пера освободили из-под замка. Некоторые из них от наивности произносили протестующие слова.

Особенно Садуль и Роллен[1].

В час дня в «Метрополе» с этими журналистами завтрак во главе с Бухариным.

Во время завтрака, как и полагается в приличном буржуазном обществе, он постучал ложкой по столу и начал речь. Гостей было до 200 человек. Журналисты и люди искусства. Прежде всего он заявил о скорби по поводу кончины маршала Пилсудского и предложил почтить его память вставанием. Мы все стояли в честь лютейшего врага коммунизма. Потом Бухарин читал речь. Обычная. Отвечал Роллен. Потом неожиданно взял слово старик Немирович-Данченко и сказал, что французы – это наши учителя в области политики и искусства и наши театры развиваются под руководством великого Сталина.

После этого завтрак подошел к концу, я пошел работать в своем кабинете.

В тот же день в десять вечера в особняке НКВД на Спиридоновке. Приказано быть во фраках (странно, а у французского посла завтра вечером – в пиджаках. Мы перещеголяли их в протокольном совершенстве).

Много говорили с Ворошиловым. Он какой-то стал тихий и задумчивый. Без всякого сомнения, что-то глубоко переживает. Когда я говорил о Лавале, о наших переговорах с ним, о большом значении приезда, он старался отмалчиваться. Я не слышал из его уст ни одного дифирамба происходящему.

Подошел Лаваль и стал просить показать военный парад, хоть кусочек. Его активно поддерживал Садуль. Клим Ворошилов сначала все уклонялся, говоря, что нужно, чтоб не Садуль об этом хлопотал, а сам Лаваль. Когда инициатива последнего в этом деле стала ясна, Ворошилов согласился показать только авиацию, а красноармейцев – лишь в казармах, в их бытовой жизни. Лаваль этому предложению страшно обрадовался.

– Посмотреть жизнь казармы – да для меня это во сто крат большее имеет значение, чем парад.

– Покажем вам клубы, занятия и развлечения наших красноармейцев, как они воспитываются.

– Это прекрасно, о лучшем мечтать нельзя, – соглашался Лаваль.

Он говорил, что Ворошилов – самый популярный человек во Франции.

Клим с казенной улыбкой (но очень приятной, потому что она светилась озорством) ответил, что и Лаваль очень популярен в СССР как виднейший деятель мира.

Подошел Потемкин. Лаваль стал рассказывать, как он с Потемкиным усердно работал в деле выработки пакта. Работа была трудная.

Подошел турецкий посол, как всегда с объяснением в политической любви к нам. Клим опять за словом в карман не полез, а ответил, что когда он был в Турции, то чувствовал себя в среде народа, создающего свою культуру. Мы все выразили радость, что Клим – почетный гражданин города Смирны.

Турецкий посол приглашал меня для культурных дел в Турцию. Клим сказал:

– Обязательно тебе туда надо съездить, обязательно...

В двенадцать часов открылись столовые, и гости (в количестве около 600 человек) двинулись к столам. С нами были Раскольников, жена моя и Раскольникова. Лакеи подавали медленно и неуклюже. Они ходили между столов, как опоенные.

Бухарин после обеда долго говорил с Лавалем. Кажется, научно агитировал его.

Лег спать в четыре утра.

---

[1] Корреспондент французской газеты «Тан».

14 мая

Завтрак в Тушино, в аэроклубе.

Во главе – дурак Уманский. Это не ругательно, как не ругательно, когда доктор говорит: «У вас сифилис». Против него Эйдеман[1], который рассказывал, что Клим предписывает своим генералам «убрать животы».

– Как увидит, что кто-нибудь с брюшком, так приказывает, чтобы в кратчайший срок этого не было. И все как-то вылечиваются от животов. Вот и я...

Уманский с большой убежденностью подтверждал это чудодейственное влияние приказов наркома обороны по части животов.

Рядом с Эйдеманом – наша прекрасная парашютистка Нина Камнева (не потому ли, что летит камнем вниз). В своей речи она говорила, что самое прекрасное в прыгании с парашютом – это удовлетворение от преодоления чувства страха. Нина – маленькая, красивая, смуглая, худенькая. С детской ужимкой у губ. Говорит отчетливо, но детским голосом. Густые волосы – шатэн – подстрижены. Веселые коричневые глаза. Говорит без жестов.

Меня оседлал расспросами Афиногенов. К двадцатилетию Октября он пишет пьесу. Хочет дать в ней и Октябрьскую революцию, и гражданскую войну, и строительство. Все действие пьесы растянуто, по его словам, на 20 лет (не многовато ли?). Нашу силу и историческую жизненность он хочет доказать тем, что английские и другие шпионские организации работали очень энергично и ловко и тем не менее не могли справиться с Советской властью. Я рассказывал ему о деятельности некоторых шпионов, пойманных нами в период 17, 18, 19 годов. О них Афиногенов так подробно расспрашивал, что не давал ни отдыха, ни срока и доставил мне самому приятность воскрешать героическое прошлое. Просил разрешения протелефонировать, чтобы выкачать из меня интересные истории.

Бургес (воспитанник Саратовского университета, в совершенстве владеющий русским языком и бывший у нас в первый период революции, теоретик музыки, впрочем, сменивший теперь этот интерес к истории интересом к политике) сидел рядом со мной. Он поражался тому, как изменилась Москва и все Советское государство. Власть стала очень сильной.

– Но меня особенно удивляет ваша эволюция. Вот, например, Бухарин, я его знаю по первому периоду революции, это был тигр, мы же, вся буржуазия в Западной Европе, боялись его и считали тигром. А теперь, когда вчера он предложил почтить вставанием память Пилсудского, произвел на меня впечатление прирученного тигра. Совершенно прирученный зверь. Теперь у вас многое стало не от идей, а от людей. Идеологию заменила личность, а на личность легче влиять, чем на идеологию. Теперь у вас вместо идей – имена вождей. С этой стороны вас еще многие в Европе не понимают. И прежде всего не понимают ваши же собственные коммунисты.

После завтрака мы смотрели, как парашютисты прыгают с аэропланов. Один из них делал все по команде, передаваемой по радиотелефону с балкона нашего аэроклуба. Телефонист говорит, например, «поверни вправо аппарат» – поворачивал, «поверни влево» – это делал, «выходи на крыло» (парашютисту) – на летящем аэроплане на крыле появлялся человек. «Прыгай!» – Аэроплан покачивался с боку на бок в знак того, что приказание принял и в удобной точке парашютист прыгнет. Он действительно прыгнул. У парашютиста был тоже телефон. Телефонист ему говорил, в то время как парашютист летел к земле. «Раздвинь ноги» – парашютист раздвигал. «Раскинь руки» – парашютист тотчас же выполнял команду.

Французы удивлялись и записывали в книжечки.

Вечером у французского посла Альфана.

Все битком наполнено народом. Тут и Молотов, и его зам. Межлаук, и Ворошилов, и Розенгольц[2] (Молотова и Ворошилова не было на приеме у американца).

За обедом – танцы кавказские с кинжалами. Пение квартета. Альфан, играя в демократизм, пригласил певцов за один из столиков (гости сидели за небольшими столами по 7–10 человек). Пелись кавказские песни. После сладкого, когда шампанское шумело в голове, вышел плясать «русского» Буденный. Сначала один, потом со своей женой, потом с женой Розенгольца. Вслед за ним вышел плясовой походкой и сам Альфан. Он вызывал на пляс жену итальянского посла, интересную женщину. Она, утопая в белых кисеях, отказалась. Плясала опять жена Розенгольца с Буденным.

После этого гости стали расходиться.

Я успел только несколько раз обменяться с Вячей Молотовым приветственными улыбками.

Закусили вишнями.

---

[1] Р.П. Эйдеман – советский военный деятель, комкор. С 1932 г. – председатель Центрального совета Осоавиахима.

[2] А.П. Розенгольц – нарком внешней торговли СССР.

15 мая

На завтраке у предмоссовета Булганина. Белый зал. Столы буквой «П». Отовсюду страшный свет киносъемок. Столы полупустые: многие не пришли.

Французы-журналисты тоже не все: многие сегодня по телефону сносятся с Парижем. Вчера Лавалю показали ЦАГИ и авиацию.

Булганин прочитал речь (банально, впрочем, он весь скучный). За ним выступил Лаваль. Сказал, что у нас и у французов одна цель: обеспечить народам мирный труд. Я чувствовал себя Маниловым только потому, что мы спокойно сносим такие речи в таком зале, который видел... Как, как он много видел, этот зал! В октябрьские дни был казармой для восставших солдат, а теперь оказалось, что их цель и Лаваля – одна и та же. Затем говорил Литвинов, этот замечательный лицедей хвалился тем, что мы отлично различаем, где друзья и где враги, и с друзьями ищем связи. Хороших он друзей нашел – Лаваля. Не потерял ли других, настоящих? А в общем, все довольны, сидевшие за столом «ура» кричали и Лавалю, и Литвинову и Булганину.

«Максим Горький» – большой дирижабль – пронесся низко над Моссоветом.

Гости стали расходиться, когда прибежал Роллен с женой и заявил, что голодны. Я усадил их и велел подавать обед. Но в это время ребята из Московского совета уже расходились. Никто на Ролленов не обратил внимания. Они куда-то исчезли.

Напившись, ребята кричали «ура» Булганину. Мельбарт, заместитель Булганина, предложил метрдотелю дать дамам розы, метрдотель схватил огромную хрустальную вазу, оправленную серебром и наполненную огромным пучком роз, стал тыкать ее в руки журналистки, которая уже одевалась, в волнении искала, заглядывая под стол, свой шарф. Она все же взяла одну розу. Мельбарту, который издали командовал подачей роз, показалось этого мало, и метрдотель дал ей еще три. Пока он с ней возился, другие дамы разошлись, поэтому ребята опрокинули розы на Булганина и даже хотели его качать.

16 мая

Кон Ф.Я. и я открыли в музее западного искусства выставку Мазереля, Кон что-то, вопреки своему обычаю, говорил совсем не горячо и почти шепотом. Его речь была политической. Я сказал следующее: «Франц Мазерель дорог нам не только потому, что он великий и замечательный художник, но также и потому, что он является мыслителем, чутко отзывающимся на социальные явления. При этом работа мысли так тесно сплетена с работой его таланта, что разрыва между той и другой нет.

В одном из своих величайших произведений, а именно «Таис», Анатоль Франс говорит про Таис, что в движениях ее тела была мысль. Это же самое мы можем сказать про изобразительную форму творчества Мазереля. В изгибах его линий, в сочетании светотеней выражается концентрированная мысль. Благодаря этому, Мазераль значителен не только своей формой, но и своим волнующим содержанием. Богат содержанием может быть только художник, владеющий в совершенстве формой.

Надеюсь, что вы не упрекнете меня в злоупотреблении вашим вниманием, если я позволю себе процитировать еще одного большого французского писателя, а именно Жюля Ромэна, который в предисловии к изданию гравюр говорит, что если бы все художники овладели в совершенстве формой, то им не оставалось бы ничего другого, как совершенствовать выразительность содержания изображений. Для нас эта мысль очень полезна. Она подтверждает, что когда мы боремся в нашем искусстве за реализм, тем самым являемся сторонниками самой высокой и самой совершенной художественной формы, ибо только владея ею, можно дать наиболее реальное содержание...

Тот же Жюль Ромэн совершенно справедливо говорит, что труднее всего быть именно реалистом. И вот на этом трудном, но достойном пути стоит один из величайших художников современности, которого мы имеем удовольствие здесь видеть и картины и гравюры которого скажут нашему уму и сердцу о нем и его творчестве гораздо больше, чем все теоретизирования».

Эту речь я начинал за обедом в столовке СНК и сам ее перевел.

Вечером по наряду МК отправился на доклад о международном положении в текстильный институт. На путевке значилось, что должно быть 500 человек. Пришел – в аудитории дремали человек 20, а рядом с аудиторией любители из студентов разучивали песню: «И кто с песней по жизни шагает, Тот никогда и нигде не пропадет» – из фильма «Веселые ребята».

Ко мне подошла унылая женщина без возраста, секретарь парткома, и жаловалась на то, что митинг не мог состояться, так как все ушли на демонстрацию по поводу открытия метро. Я заявил, что не буду выступать перед 20 человеками. Секретарь говорила, что часам к 11–12 ночи (начало митинга назначено на 9 час. вечера) подойдут многие. Я ответил, что очень ценю время и два часа ждать не могу.

– А вы начинайте сейчас, покуда то да се, – все и соберутся, – убеждала меня руководительница парторганизации.

Я отказался наотрез и позвонил в МК, секретарше пришлось умаливать швейцара открыть комнату, где телефон. В коридоре, где она умоляла швейцара, а я стоял и ждал, с обеих сторон пахло ватерклозетами, а у старика-сторожа было поистине княжеское лицо. Да и кричал-то он как-то уж очень литературно.

Из МК зав. пропагандой ответил, что они парторганизацию текстильного института взгреют.

Опять много думал о детях.

17 мая

Завтрак у французского посла Альфана. Он давал коммюнике о беседе Лаваль-Сталин-Молотов-Литвинов. Мазерель говорил мне, в какое же положение попали теперь после такого коммюнике (было заявлено, что Сталин понимает необходимость государственной обороны Франции) коммунисты французские и всех стран. Симпатичное радушное лицо Мазереля было очень-очень обескуражено. Будто плохое узнал о своей возлюбленной.

Поехал вечером с детьми в Морозовку.

Из Морозовки звонил Ворошилову. Обещал принять меня как-нибудь... Когда же это? Ведь мне переговорить с ним так важно. Я хочу настоящей работы, а не службы метрдотеля во всесоюзном масштабе.

Перед отъездом дети показали мне свои рваные башмаки. Пришлось сначала ехать в ВОКС обувать их.

Тупой труд ухода за детьми, которые расхлябались, будучи выброшенными из семейных рамок. Жена торопится с отъездом. Но я не могу отдать ей сына.

18 мая

В Морозовке. Плохо спал, потому что приехавшие в два часа ночи без всякого стеснении стучали дверями, громко говорили, моясь в ванной – переговаривались с комнатой как будто у себя дома. Откуда у русских такой бесстыдный паразитизм.

Пришла страшная новость. Сегодня в 13 часов аэроплан «Максим Горький» с 48 человеками пассажиров (ударники ЦАГИ) разбился около Москвы у села Всехсвятского. Все убиты. Причина: маленький аэроплан ударил в крыло «Максиму». Кажется, и маленький погиб.

Приехала в Морозовку Гера. Детям читал «Мертвые души» и заканчивал этот дневник.

Получил письмо от Ромэна Роллана. Он решил приехать в СССР. Мазерель, который об этом знает, опасается, как бы последний курс (коммюнике Лавеля) не поразил бы отрицательно французскую натуру Роллана.

19 мая

Работал. Кроме того, тьма семейных мелких забот. И какое-то очень глубоко сидящее элегическое настроение. Думы о том, что вот скоро уедет жена. Самое трудное то, что увезет сына. Буду всеми силами сопротивляться. А впрочем... зачем? Зачем делать ей жизнь отвратительной. А мне? А моим детям? Всем: и дочерям, и сыну. Ведь и ему не очень-то хорошо будет в той мещанской обстановке, жадности куриного мирка с куриными и петушиными заботами.

Гонимый сомнениями, элегическим расположением духа, теплым весенним вечером, после краткого свидания с милыми дочками в саду ВОКСа я пошел, как всегда в грустные минуты, в Художественный театр. Я всегда туда, именно туда хожу, когда сердцу от тоски неймется. Или к Вахтангову. Мне все равно, что там идет. Все хорошо, что у них. Думал кого-либо пригласить, но нет, пошел один и сидел там, созерцал и сцену, и публику. В тысячный раз переживал свое прошлое, эпизоды борьбы (играли-то «Дни Турбиных»).

После спектакля – руки назад, шел один. И вдруг ярко и грустно вспомнил свою старшую дочь Наташу. Я с ней строг, очень она неряшливо недисциплинированна, и главное, эгоистична до паразитизма. Но внутренне – мила. Она недавно плакала о том, что дома не видит ласки. Ее слезы острием торчат в моем сердце. И мне мучительно затосковалось, захотелось сказать что-нибудь очень хорошее, прощающее, дружественное, отцовское. Ведь она и в самом деле покинутая, одинокая. Ждет маму. Живет, как на вокзале. Ломаю голову, как бы ее поселить поближе ко мне. Ах, Наташенька, свет мой и первая настоящая радость моего бытия.

Телефонировал ей. Ее еще нет дома, а уже почти 12 ночи. Позвонил ее приятелю, и у него нет. Где же, где же она, моя ненаглядная. Придется с нетерпением ждать завтрашнего утра.

Мне как-то не хотелось спать в том доме, где жена, причина моей разлуки с детьми. Сидел и ждал чего-то. Вдруг в полночь звонок. Думал – Наташа, оказывается, Вяча Молотов. Он позвал меня к себе на дачу ночевать, предложил заехать за мной. Я с радостью согласился.

У него сегодня мне будет очень тепло и родно. Ведь более 25 лет связывает нас дружба – борьба, кровь и железки.

С наслаждением вошел в его автомобиль, когда Вяча заехал за мной.

22 мая

Прием по случаю 50-летия со дня смерти В. Гюго. Был французский посол. Наркоминдел отсутствовал. Альфан (посол) вошел в раж и даже декламировал стихи В. Гюго. Было сердечно. Но, как говорил Фридлянд (профессор, цитировавший интересные документы – донесения царского посла о похоронах В. Гюго), – чересчур много неопределенного романтизма, демократизма, расплывчатости и даже национализма. Альфан говорил, что сегодняшний вечер показывает, насколько глубоко славянская душа понимает французскую душу. Фридлянд говорит, что это все элементы того же самого расизма, что развивается в Германии. Подобных альерановских излияний дружбы вообще стало очень-очень много.

Единственная испанка-коммунистка Нелькен. Она, прекрасно ориентирующаяся в предметах, кратко и выразительно дала, вернее, в меру корректности пыталась дать, классовый анализ Гюго. Ее все, даже непонимающие французского языка, слушали с напряженным вниманием.

Ужин. Остроты и разговоры с Альфаном. Он умен и скрытно думает, что он обрабатывает нашу страну.

Очень много благородной сдержанности и аристократичности проявила Нелькен. Она удивительна. Говорят, что испанцы вообще благородный народ.

Артисты (Вахтангова) хорошо дали кусок «Марион Делорм». Ждал увидать беленькую Вагрину (артистка Вахтангова) и как всегда, когда я жду женщину, она показалась мне менее интересной, чем тогда, когда я вовсе не ждал ее.

Разумеется, Кулябко был во главе самых некультурных и шумливых.

Вернулся домой. Жена жалела. У меня блеснула радость возвращения счастья, но – пропала. Утро все это уничтожило.

23 мая

Утром в ЦК «на ура» к Щербакову – новый зав. культурным отделом ЦК. Бывший муромский уездный работник, успевший уже побыть секретарем Союза писателей. Очень курнос, с манерами урядника, чуть-чуть тронутого либерализмом какого-нибудь студента-соседа. Это он вычеркнул меня из списка тех, кому строятся дачи.

Вспоминаю из «Петра I» А. Толстого: «Будь с ним человечнее, от этой сволочи теперь многое зависит!»

Был у зубного врача. Чтоб отрезать кусочек десны, он впрыснул кокаину. Я вдруг стал терять сознание. Сбежались врачи. Зубной (Каган) перепугался больше всех. Прислал на дом врачиху. Дома слабый лежал.

Вызвал дочь Лену (Оля больна – краснуха). Сейчас же озлилась жена, ушла в свою комнату: и умереть мне при детях нельзя!

Окрепнув, поехал к дочерям. Оля делала все, чтоб только меня раздражать. Лена тоже. Я сидел с ними потому, что воспитательница поехала снимать им дачу.

Было много мелких расстройств, что насилу дождался возврата воспитательницы.

Ночь спал мучительно плохо. Томился жаждой.

24 мая

Был дома. Какая-то слабость во всем теле. Дети были в Троицко-Лыкове. Я снял там крестьянскую избу и жду теперь разрешения, которое неизвестно от кого зависит, ибо все прячутся друг за друга и, не отказывая прямо, фактически дело тянут так, чтобы я сам обессилел в хлопотах и отказался. Местность Троицко-Лыково является запрещенной зоной. Там живет Каганович, кроме того, строятся дачи для Куйбышева, Чубаря[1] и кого-то еще. Рядом с дачей Кагановича – туркменистанский дом отдыха с текучим составом отдыхающих до 700 человек. Они могут жить без всякого специального разрешения.

Все это я накануне еще изложил т. Паукеру – начальнику безопасности во всей Московской округе и ответственному за жизнь каждого из руководящих товарищей. Единственный Паукер не прятался, а говорил откровенно: «Бросьте, не стоит там селиться».

Когда я с сожалением согласился, он сжалился, позвонил Филатову[2] и сказал, чтобы тот дал мне ордер на вселение.

Сегодня писал рассказ о Беклемишеве[3] и Домогацком[4].

---

[1] В.Я. Чубарь – зам. председателя Совнаркома СССР.

[2] Н.А. Филатов – председатель Мособлисполкома.

[3] Ю.С. Беклемишев – советский писатель. Псевдоним – Крымов.

[4] В.Н. Домогацкий – советский скульптор, художник.

25 мая

У меня были гости: испанка Нелькен с дочерью, ее мужем и сыном, чехи Гофмейстер, Иловская, Моковений, Мазерель.

Я еще не знал, что для Мазереля потихоньку от меня устроил прием Кулябко. Чего он хитрит? При этом неуклюже. Значит, и он мелкий бес наших пыльных канцелярий?!

Мазерель пил много водки. Он тяжелодум, молчалив. Позднее пришла м-м Пайяр. Она хотела у нас быть одна, а мы, зная это, приготовили ей целое общество: не лезь в интимность! Тем более что вчера давала завтрак для Садуля, Мазереля, а мне ни гу-гу.

Вечером с чехами пошел на «Аристократов» к вахтанговцам. Постановка, конечно, ниже, чем у Охлопкова (в реалистическом театре). У Охлопкова, благодаря отсутствию сцены и многим условным символам (вместо снега разбрасывают конфетти, люди – в голубых костюмах) получается очень интимно, будто кто-то за дружеским чаем вышел из-за стола, встал и начал рассказывать. Получается убедительно. Нельзя не верить, что это именно так и было в действительной жизни. А у Вахтангова – рампа. За ней нужны другие, особые средства убеждения. Их-то и не дает пьеса, а актеры не создали.

Филатов вместо того, чтоб дать Троицко-Лыково, надписал: «Дать Жуковку». Значит, даже после решения Паукера он проявляет еще свою самостоятельную «трусость».

Пишу ему протест.

26 мая

Работал. По телефону говорил с секретарями Филатова. Меня утешили: Филатов изменил резолюцию в желательном мне духе.

27 мая

Постановление Моссовета о предоставлении мне разрешения передано Панову (начальник областной милиции). Секретарь его, ссылаясь на то, что постановление еще не получено, просил моего посланного (управделами) прийти к вечеру, в четыре часа. Я звоню Панову. Он обещает выдать ордер немедленно. Посылаю управделами. Секретарь Панова отказывает и велит прийти вечером в 9 часов. Мой управделами приходит вечером, ждет до 10 часов – секретарь отправляет его ни с чем по той причине, что бланки все вышли и не на чем писать ордер.

28 мая

Утром еду к Панову сам. Он на заседании. Секретари Панова – типики самые застенные. Знают меня по фамилии, называют. Заседание у Реденса (нач. Моск. ОГПУ). Я – к Реденсу. Его секретарь – сама вежливость. Пишу записку Панову, секретарь Реденса относит. Возвращается:

– Панов как раз сейчас делает доклад.

Я ухожу. Секретарь берется все выяснить и сообщить мне. Действительно, через 2 часа просит прислать за ордером. К вечеру этого дня ордер у меня на руках.

Вечером дети поехали на дачу.

Ах, как безумно мне жаль Наташу, Наташеньку, она осталась одна. Изломанная вся. Внутри хорошая, но гниль может просочиться и внутрь.

29 мая

Был в ЦК в приемной Ежова и у Щербакова.

Был у детей. Пил чай, писал, читал им «Мертвые души».

30 мая

С детьми и чехами в театре на «Мертвых душах». Был впервые за кулисами этого идейного и могущественного театра.

Голову ломило, как будто мозг превратился в камни и начал распирать мозговую коробку.

Завтра в Ленинград, открывать фестиваль искусства. Я стал мировой метрдотель. Надо как можно скорее бросать эту протухшую жизнь!

31 мая

Был у детей, чтобы проститься перед Ленинградом. Одинок.

Утро работал дома над своими рукописями.

Позавчера с Кулябко имел серьезный разговор о приемах без разрешения. Бедняга влип как кур в ощип. Пытался цепляться за что-то... Мелкий, незначительный, а еще – я – я! Эх, ты!

21 июня

Грипп все еще держится кашлем.

Днем ходил за покупками. В четыре дня – на чай с Давтяном. Ясные глаза очень быстро уловили, с кем они имеют дело в лице нашего посла.

А он самолюбовался:

– Я не могу идти вниз пить чай, потому что меня там сейчас же узнают и все станут смотреть.

На него и на Роллана?!

Роллан улыбнулся одной из своих очаровательнейших улыбок.

Я ушел в полпредство, ждал звонка из Москвы, писал этот дневник. Следом за мной, слышу, и Довтян вернулся. Ему, конечно, один на один с Ролланом долго было не вынести, это, брат, не с дипломатами о погоде беседовать и наши трудности объяснять с видом человека, владеющего чарующими тайнами: «Мы ведь, знаете, понимаете, мы ведь диалектики».

– Но массы-то ведь еще не диалектически мыслят, – возражал Роллан, говоря о последних международных шагах Советской власти.

– Вы будете у Сталина, – опять улыбался Давтян, – он Вам обо всем этом расскажет гораздо лучше.

Совсем как чеховский дьячок отгнусавил с записочкой «За упокой» и «О здравии».

– Иди к отцу дъякону, он разберет, кто тут живой, а кто мертвый, он в семинарии учился.

22 июня

Варшава, вокзал, неуютность, вечер. Бусловский завхоз и такой же консул встретили меня. Они настолько бусловские, что кажутся манекенами модных магазинов, которых завели, и вот они стали двигать ногами и руками. Впрочем, они ими двигали довольно четко.

Я в той же комнате, где был с женой и сыном в прошлом году и где был в позапрошлом. В этом доме шесть лет тому назад я хворал ангиной и со мной находились дети Лена и Оля.

Телефон к Давтяну. Зашел к нему. Неохотно, с колебаниями (как бы не сделать ложного шага!) согласился он наконец удостоить Роллана своей встречи. Пошли на вокзал к 2 ночи.

Неуютно, деревянно. Поезд кишкой выжимается из брюха темноты. Нетерпеливо выходят пассажиры. Я ищу, ловлю глазами Р. Роллана или его маленькую жену. Все нет и нет. И вот кто-то, похожий на него. Лицо завязано шалью. Глаза его.

Поздоровались горячо. Представил Давтяна ему и его жене.

Р.Р. говорил с трудом, чтобы не глотнуть воздуха,

Проводил их до отеля. Давтян покинул нас еще на вокзале. Из отеля я скользнул во тьму варшавских улиц один.

Я объезжал с Р.Р. Варшаву. Шофер давал объяснения. Потом пришел Давтян.

Вечером ждал звонка и был один. И опять ждал Москвы (там буря), и опять один.

19 июня[1]

Путевые наблюдения.

Москва-Негорелое, вагон-ресторан.

Пришел, сел и вот уже полчаса на меня никто не обращает внимания. При входе два стола заняты – один официантом, который принимает деньги и смотрит унылым взором на счеты, лежащие перед ним. Другой стол занят человеком в штатском. Он потягивается и томится бездеятельностью. Мог бы читать или писать, но он, как все русские, ленив и не знает цены быстротечного времени. По-видимому, наблюдает, вроде комиссара.

Пришли два молодых англичанина. К ним подошел официант, но так как он ничего не понимал, подошел второй. И второй их не понимал. Тогда подошел сам бездельник – наблюдающий. Все трое свесили свои унылые физиономии над англичанами, и все трое ничего не понимали. Наблюдающий ленивым, неохотливым движением подозвал четвертого официанта и отрекомендовал его как знающего немецкий язык. Официант спросил:

– Булочка, чай?

Англичане, услышав знакомое им русское слово, разом ответили:

– Чай!

Другие официанты лениво, неохотливо, как телята от пустого корыта, стали расходиться, а говорящий по-немецки и наблюдающий (от нечего делать) все еще висели обеими физиономиями над англичанами.

– Что-нибудь еще? – спрашивал официант.

– У них интуристские билеты, спроси, может, яичницу?

И официант перед глазами англичан сделал жест, подобный тому, какой делает Петька Чапаеву при характеристике Фурманова. Этим официант хотел показать взбитую яичницу.

Англичане подтвердили.

Между тем четыре официанта начали свой разговор о счетах, о деньгах и о прочем. К посетителям подходили без охоты и небрежно.

Наблюдающий опять сел за стол. Другой, принимающий деньги, хлопал глазами, смотря в угол вагона.

Англичанам подали приборы, одна вилка искривленная. Они рассмеялись. Потом долго-долго молодой англичанин ловил глазами и руками какого-нибудь официанта, чтобы сменить вилку. Ему сменили. И переглянулись.

Подали яичницу.

Над ней опустил свое лицо прежде всего контролер (наверное, тоже от нечего делать). Казалось, он вот-вот пощупает ее пальцем.

– Дай ложку, – сказал официанту.

– У них есть вилки.

– А яичницу-то брать со сковороды...

– Чайную ложку?

– Нет, десертную.

Пока они так, не спеша и неясно произнося слова, говорили, англичане посмеялись и положили себе яичницу при помощи ножа и вилки.

Вместо чая им принесли нарзан: официанты умозаключили, что яичница горячая и соленая – нужно что-нибудь прохладительное. На всякий случай к нарзану принесли и масло. Англичане с видом обреченных съели яичницу, выпили нарзан, до талого масла не дотронулись и ушли из вагона.

Наблюдатель грустным хриповатым голосом пояснял официанту, как надо писать отчет, сверять счета с талончиками, талончики с корешками и если это все сходится, то как надо писать отчет в Москву.

Официант смотрел на него с расхлябанным ртом.

Одна американка, после того как поймала за рукав официанта, позавтракав пустым кофе (ее тоже не поняли, что ей нужно, и тоже дали к кофе нарзан) и запив нарзаном, встала и блеснула русским словом, произнеся очень чисто:

– До свиданья.

На нее посмотрели угрюмо и ничего не ответили.

Два раза в ресторан заходил какой-то взлохмаченный человек без пиджака, с растерзанным воротом рубашки, в штанах, перетянутых ремешком, весь грязный, заспанный, низенького роста с густым басом.

– Тут я на столе ничего не забыл? Вы ничего не убирали?

– А нет, ничего, – мертво отвечали официанты, и человек убегал, слегка помахивая в воздухе рукой с окурком папиросы.

---

[1] Эта и следующая записи сделаны по воспоминаниям прошлых дней.

4 июня

Негорелое.

Я долго гулял, шел в ту сторону (в польскую, западную), куда исчез поезд. Как скиф или монгол, таю в себе великую тоску по западу и ничто не действует на меня так, как вечереющее небо или заходящее солнце. Я обожаю запад и хотел бы идти вслед за солнцем. Закат его всегда что-то особенное.

Сегодня я вспоминаю свою юность, когда в погоне за солнцем я сквозь препятствия прошел на запад. Щемит мою душу, острит сознание тоска по солнцу, по отраде, по дружбе, по теплым объятиям.

На таможне, стены которой выбелены по-заграничному, зажглись огни. Я почему-то вспомнил юность. Опять томило сердце тоской по путешествиям. С ясностью ужасающей вспомнил, что я всегда был одинок.

Последняя надежда жарких объятий – Гера и сын – исчезли на Западе.

Перламутровый свет. Закат такой, что нельзя не писать. Я вошел в вагон и написал эти строки!

2 июля

У Вячи М. на даче. В.М. попрекает тем, что чересчур услужлив Ромэну Роллану – до надоедливости.

– Знаю, – говорит он, – твои манеры. Они могут показаться навязчивыми.

Значит, и это дело, которое я делал с таким вдохновением, завистники хотят испортить. Ничего конкретного, просто навязчив. А я почти что не бывал с Ролланом, я максимально держался в стороне

Вяча говорил, что Сталин остался недоволен моим переводом и думает, что я передавал неточно и кое-что вставлял от себя, что меня часто поправляла Мария Павловна. Она меня поправила всего два раза и только потому, что ей легче понимать мужа, она лучше слышит и разбирает дикцию, кроме того, она, безусловно, была самим Р.Р. подготовлена к разговору. Я же – совершенно нет, я не мог и не говорил с Ролланом о том, о чем он предполагает беседовать со Сталиным. Понятно, что мой перевод был сырой.

Решили, что я был не бесстрастен и сух, как обычный переводчик, а вставлял свои замечания, но этого не было. Может быть, просто кому-то надо, чтобы мой перевод не понравился? Может быть, против меня продолжается страшная и большая интрига, и, может быть, поэтому-то и вызывали меня к Сталину для беседы, чтобы поиграть со мной, как тигр с маленьким мышонком?

Мне инкриминируется также и то, что я не сумел вместе с Румянцевым (человек из охраны Сталина) сагитировать Р.Р. переехать на дачу правительства.

– Вяча, Вяча, – ответил я моему обвинителю, – ведь ты не знаешь, до твоего прихода я беседовал на квартире Сталина в присутствии Кагановича и Ворошилова, ночью, когда был вызван из театра, где Р.Р. смотрел «Бахчисарайский фонтан». Тогда Сталин настаивал, чтоб я взял с собой Румянцева и, вопреки моим возражениям, настоял, чтоб я предложил Р.Р. немедленно переселиться на дачу правительства (Липки). Это было невозможно.

Старик, усталый от бдения, от спектакля, от московских впечатлений, живший всю жизнь на одном месте, давно не видевший публики, большого скопления людей, а поэтому страшно утомленный, ночью получает странное приглашение переселиться, да еще при этом присутствует специальный человек в военной форме! Конечно, провал был обеспечен, я предупреждал об этом. Меня не послушали. Только пришедший Вяча, сам по себе, без моих доводов, понимал, что ночью делать такие гостеприимные предложения не следует. Я это предложение сделал потому, что настаивали и тем самым сорвал возможность пригласить его в подходящий момент разговора, на другой день.

Кажется, Вяча понял, что меня нельзя осуждать. Мария Павловна все же во многом виновата, она ведет свою линию. Вяча ко мне лучше относится, чем она. Обо всем этом нужно написать Сталину.

17 июля
Много дней пропустил или писал на бумагах.

Вчера приехал в Лондон. Выехал из Москвы 14.7. Предполагал выехать 12.7. Но как только встал из-за стола в присутствии родственников и товарищей, чтобы уже ехать на вокзал, был поражен сильным сердечным припадком, какого не имел уже давно, а может быть, и никогда раньше. Он продолжался $1/2$ часа. Были доктора из амбулатории и проф. Плетнев. Пульс доходил до 126, через полчаса – 110, потом – 104 и сразу – 78. Наконец – 70.

Я не помню всего, что было. Гости и дети ушли в столовую. Со мной были только доктора и те товарищи, которые клали холодный компресс. Как я потом узнал, детишки, Лена и Оля, очень сильно плакали. Бедные, не понимая значения болезни, они чувствовали ее большую опасность.

На другой день опять легкий перебой сердца. В квартире была только одна кухарка.

Отдыхал два дня, до 14.7. Все время хотелось спать. Вялость. Глаза режет, будто не выспался.

Пришли из комсомольской газеты взять интервью у моих дочек, Лены и Оли, по поводу беседы с ними т. Сталина (14.7.35). Беседа была напечатана на другой день, 15.7.[1]

Вечером пришли Адоратский[2] и Герман[3]. Адоратский показал письмо Лозовского[4] Сталину об архиве. Сталин ответил резолюцией: «Поручить это дело Аросеву».

Это интересно, но не задержит ли меня за границей? Детишки так грустно плачут, когда вспоминают, что через несколько часов я должен уехать. Они сдерживаются и все же плачут, плачут. Они состязаются в сдержанности, мои бедные сироты. Я готов уступить и не ехать. Сказал им это. Может быть, в их слезах детская мудрость и мне в самом деле не нужно ехать, ибо поручение неопределенное, темное и мало шансов на то, что оно удастся. Может быть, дети правильно чувствуют.

На вокзале они сильно плакали и так сердечно прощались, что мое сердце было разорвано на мелкие кусочки от тоски и беспокойства за моих детенышей. Лена и Оля бежали за поездом, как когда-то в их возрасте Наташенька, которая провожала меня лет восемь тому назад, когда с Леной и Олей я уезжал в Прагу, а Наташу оставлял одну. Теперь Наташа, ушедшая к матери, уже не провожала меня...

В купе, как только тронулся поезд, стало немного жутко. Сердце. Герман мягко, заботливо обходился со мной. Готов был помочь раздеться и все вещи укладывал сам.

На другой день в полдень – граница. Телефонировал детям. Не дозвонился.

Такси. Посольство. Кенсингтон, 13 (против дома Ротшильда).

Спали, потому что ночь не спали. 13 ч. Ужин у Мауского. (Полпред, бывший министр у Колчака, бывший меньшевик.)

18 ч. Скромный ужин в молочной. Уютно. Интересно. Незнакомо.

$20^1/_2$ – на танцах.

$23^1/_2$ – дома, 24 – в отеле, где живут наши танцоры. Они очень наивны и плохо понимают окружающую их жизнь. Энтузиасты, но и эгоцентристы: все время спрашивают, точно дети: «Ведь мы первые, мы лучше всех танцевали, не правда ли?»

На другой день – 18.7 – был утром в обществе культ(урного) сближения с СССР. Много очень честных, преданных и героических натур тянутся к нам.

13 ч. У леди Астор[5]. Там были ее муж, человек, искусственно улыбающийся. Он первый встретил меня. Потом – она. Низенькая женщина, стареющая, вернее даже не стареющая, а угасающая, с острым лицом, мутными серыми прозрачными глазами, с техничными движениями. Встретила меня так, будто 1000 лет знала. Все уже сидели за столом, и она представила меня только Бернарду Шоу. Он в коричневом костюме, с совершенно розовым, старчески розовым лицом. Кожа так нежна, что кажется составленной из лепестков роз, глаза зеленовато-белесые. Откинул в сторону салфетку, сгорбился немного (он высокого роста и привык ссутуливаться перед людьми нормального роста). Брови его острыми внешними концами чуть-

чуть поднимаются вверх и придают ему бесовскую наружность (так же были приподняты острые кончики у Ленина). Рука тонкая, сухая. Но весь он очень приятный.

За столом сидели еще два лорда, проф. Юугган (из Америки), сестра леди Астор, очень интересная женщина, моложе своей озорной сестры, молодой профессор-физиолог и еще какие-то господа и госпожи, среди них, самая незначительная видом и поведением, жена Б.Шоу. Впрочем, был и еще какой-то родственник Шоу. Леди Астор ударяла по плечу Бернарда Шоу, заставляя его говорить со мной по-французски. Шоу мотал головой неопределенно, упрямо, как бык, привязанный к столбу. Говорил по-английски.

После завтрака под руководством леди Астор все дамы, быстро шурша платьями, удалились в какую-то другую комнату, а мы, мужчины, остались за столом в обществе Бернарда Шоу.

Ему стали задавать вопросы об Абиссинии. В особенности толстый молодой лорд с лицом короля Людовика XVI. Он соглашался с Шоу в том, что создать международную организацию для урегулирования спорных вопросов нельзя. Шоу как бы развязывал руки для Италии в отношении Абиссинии. Вся эта компания очень интересовалась, как смотрит на итало-абиссинский конфликт СССР. Я отвечал, что непосредственно нас это не затрагивает, но что конфликт не останется локальным, это показывает, насколько империалистичен итальянский фашизм. Шоу спросил: «Это Ваша точка зрения, личная, или и Литвинов тоже так думает?»

Я ответил, что наша, коммунистов, точка зрения.

Всех близко затрагивали высылки наших ученых из Ленинграда. Цитировались ужасные случаи. Про Сталина Бернард Шоу сказал: «Это, пожалуй, у вас единственный человек со здравым смыслом».

Наблюдений было много, впечатление от этих людей глубокое. Они простые и не простые. Они делают политику без крупинки идеи, как повар варит суп и соображает, какие лучше специи положить.

Все и в поведении, и в рассуждениях поражают исключительной непринужденностью. Кажется, расстегни кто-нибудь штаны и начни тут же на коврах мочиться, никто не придаст значения, а лакеи без указания сами догадаются, что нужно побыстрее убрать опрыснутый ковер.

У лорда Астор по небрежности спустились чулки, и он блистал волосатой босотою ноги, выше подъема. Упитанный лорд беззастенчиво поправлял прореху. Бернард Шоу свободнее, чем нужно, двигал тарелками по столу. Всех свободнее, впрочем, была очаровательная леди Астор. Она одновременно слушала всех и по выбору отвечала или замечала то одному, то другому. Всегда громко, но приятно и даже очаровательно. Эта маленькая, очень статная женщина, чуть-чуть седеющая, очень недурная, проворная, подвижная, с удивительно приятными серыми с поволокой глазами кажется наивно-дерзкой, и, по-видимому, многие ее боятся. Рядом со мной сидела ее сестра. Очень приятная женщина, умеющая мило и мягко улыбаться. Она смотрела на меня, говорила со мной, переполненная любопытством ко мне. У нее, как и у сестры, очаровательные глаза и шарм женщины чуть-чуть тронутой временем, но еще сохраняющей девичью порывистость в движениях.

После беседы с Бернардом Шоу, который, как мудрец, должен был отвечать на самые разнообразные вопросы, мужчины пошли в комнату к женщинам, а многие, не прощаясь, просто стали уходить.

Проф(ессор) физиологии начал спрашивать Бернарда Шоу о Павлове, увидится ли с ним Шоу, когда Павлов будет в Лондоне. Шоу досадливо махнул рукой: «Почему-то все имеют привычку спрашивать меня о

Павлове. Я не хочу больше о нем слышать, мне надоел этот Павлов...»

И с этими словами Шоу, ни с кем не прощаясь, как и другие, стал сходить с лестницы.

Неожиданно выбежала из комнаты леди Астор, уже одетая и с корзиной в руках.

– Вы можете здесь сидеть, – сказала она гостям, – а я ухожу. Я ведь не большевичка, я должна помогать бедным. Эту корзину наполню фруктами и побегу раздавать их в детской больнице, тут недалеко. Вот у нас как, – говорила она, обращаясь ко мне. – А я слышала, будто у вас во всех больницах, если входит медицинское начальство, больные, как бы немощны ни были, должны встать с постелей на колени и приветствовать начальство.

– Уважаемая леди, – ответил я, – сказки подобного рода настолько грубо сделаны, что Вы, вероятно, и сами, и Ваши гости, не верите им, а повторяете для забавы.

– Значит, это неправда? Ну, я рада.

Она легкомысленной пташкой с изящной корзинкой в руке, скользнула к выходу. За ней мы – гости. На улице у входа все, не прощаясь, размещались в машинах. Леди села в свою изящную черную, лорд Астор, мило кланяясь, остался дома.

Сам дом, помещающийся в центре Лондона – дом старинный, родовой, – по внутреннему убранству оставил впечатление чего-то мягкого, серебристого. Мягкие голубоватые серые ковры, такого же тона гобелены, серебряные или каменные, но посеревшие вазы в прихожей и в комнате. Серебристая мебель. Такого же тона посуда. Головы хозяина и хозяйки тоже чуть-чуть серебристые. Серые, немного металлические глаза хозяйки. Такой дом леди Астор.

Шеф отдела печати Министерства иностранных дел. Книги, журналы, пыль и никому не нужные размышления молодого индивидуалиста, знающего почти все европейские языки. Разговор был скучный. О системе и о других базисах (фр., русского, нем. языков). Липпарт сам пишет учебники этих базисов.

---

[1] См. Приложение 2.

[2] В.В. Адоратский – советский историк. В 1931–1939 гг. – директор Института марксизма-ленинизма.

[3] Брат В. Тихомирнова.

[4] А. Лозовский (наст. фамилия Дридзо) – доктор исторических наук.

[5] Нэнси Астор – виконтесса, первая женщина, избранная в английский парламент.

21 июля

Вечер. Все одно и то же. Сегодня днем международные танцоры танцевали во дворе епископа Кентерберийского. Он сам не показывался.

К нашим танцорам подошла русская женщина, по-видимому, эмигрантка – красоты исключительной. Небольшого роста, черные волосы, длинные, в прическу, и большие серые глаза. В походке и покорность, и змеиная хитрость, что-то совершенно поразительное, потрясающее. Она пыталась заговорить с нашими танцовщиками. Так как на нее посмотрели строго, она отошла в сторону и оставалась там все время.

22 июля

Миллионерша[1] – на мансарде. Это эстетка и образованная еврейка-англичанка, получившая большое наследство, продолжает свою мансардную жизнь и мансардные связи. Лицом она красива. Глазами приветлива и даже соблазнительна. Ноги слишком тонки. Тело полное. Живот. Талии нет. Небольшого роста. Сутулая, черная. Очень гостеприимна. На ее простом чердаке, где везде неудобно сидеть, сервирован был чай: тартинки и печенье. Пальто и шляпы складывали на лестнице, на подоконнике.

Но общество у нее было отменное. Театралы, писатели, веселые, нам сочувствующие. Однако и унаследованные миллионы дают свой привкус. Среди приглашенных были две дамы. Одна из них прекрасно говорит по-русски, нечто вроде эмигрантки. Она капиталистка. Говорит, что хотела бы постоянно жить в Америке, а СССР только посмотреть, потому что о нем чудно говорят.

---

[1] Лицо неустановленное.

23 июля

Приглашен на завтрак к ***********.

Новый дом. Большой, современного стиля. Клуб какого-то очень богатого общества не то инженеров, не то артистов. Все чопорные мужчины в черном, дамы с оголенными плечами и с широко открытыми холодными глазами.

Я долго искал ****** потому что не знал, в каком отделении она. Англичане тихо и услужливо помогали мне ее найти. Войдя в большой зал, я заметил среди важных персон лицо простой женщины с толстым носом, серыми глазами – очень симпатичными, в сандалиях на босую и довольно толстую ногу. С ней молодой англичанин – белокурый, косой ряд и неопределенного возраста и положения, черноволосая англичанка. В сандалиях, босиком и была ********. Познакомились. Начался неопределенный разговор. Но он таковым оставался недолго. ******** свернула быстро и просто на интересные темы о нашей литературе и о постепенном увядании буржуазного искусства. Молодой человек, лейборист и тоже писатель, проявлял большой интерес к нашей стране и желал там побывать. ******** уже была в СССР и даже путешествовала по Кавказу и Крыму.

Как бы стесняясь за блеск, мрамор, благоустройство и аристократичность клуба, она объяснила мне, что ее муж и она автоматически записаны в члены этого клуба, так сказать, по своей должности, и что она, раз уж стала членом аристократического клуба, думает, почему же его не использовать.

Голос у нее громкий, вид откровенный. На лице видны все ее настроения. Она рассказывала мне, что была участницей восстания рабочих в Австрии, но от всех это скрывает. При этом скрывала так громко, что только глухие, сидящие вокруг этого стола, могли ее не слышать. А потом, спускаясь по лестнице и проходя читальным залом и еще какими-то комнатами, пожаловалась на то, что вот мы, русские революционеры, выучились конспирации и теперь наша обязанность выучить этому и европейских революционеров. На нее некоторые англичане с опаской оглядывались.

— Вероятно, – добавила она, – мы уже кое-что переняли у вас, и я, например, выучилась скрываться среди чуждых нам. В Англии знают, конечно, что я левая, но что я активная революционерка и связана с коммунистами – никто не знает.

Она произносила эти слова в то время, когда молодой и вылощенный лакей в золотых галунах на штанах и рукавах корректно облекал ее плечи в манто. Совершенно в такой же конспирации признавалась и ее подруга. Обе они, покидая шикарный дом, порицали его. А когда я отъехал от них на автомобиле, они долго и усердно махали мне и слали приветствия нашему социалистическому строительству.

25 июля

На завтраке у кинорежиссера **********.

Это ловкий, простой, сытый и довольный молодой человек. С ним было еще четверо таких же, как он. Живое ощущение жизни этого англизированного еврея родило в его душе большие симпатии к нашей жизни. Это же здоровое ощущение заставило его отнестись к нам критически. В частности, в его области. Он считает, что наши кинокартины не только отсталые в отношении техническом, но и в художественном. Имея наш материал, нашу жизнь с ее колоссальным техническим прогрессом, с ее пространствами, на которых просыпаются новые народы к новой жизни, можно было бы дать картины большего художественного размаха и ценности. Он путешествовал по нашей стране и знает ее. Несмотря на короткий срок пребывания, успел глазом здорового наблюдателя подметить у нас многое. Впрочем, его никак нельзя считать преданным искусству больше, чем коммерции. Он, признаваясь, что всяческое искусство в Англии скучно, бульварно, подвержено только дешевым вкусам – тем не менее он сам продолжает создавать такие бульварные фильмы.

ТЕТРАДЬ № 4

*Дневник почти не пишу, не оттого, что жизнь перепол-
нена встречами, разговорами, новизной и разнообразием. Не знаешь, на чем пристальнее остановить свой
взгляд, и жаден ко всему. И осмыслить хочется, и своя
собственная жизнь стала до невыносимости скучной.
Жизнь, к тому же, так коротка. Надо работать.*

17 сентября

Прага, отель «Штейнер», комната № 55.

Немецкие с-д (социал-демократы) решили не всту-
пать с нами в переговоры об уступке архива Маркса
«ввиду политических отношений, какие сложились между Коминтерном и Вторым Интернационалом». Николаевский[1] говорит, что цитировал последнее постановление Коминтерна, где с-д названы социал-фашистами.
Нудный разговор. Такой же нудный с Александровским.

Голова вчера была, как чужая, почувствовал себя человеком, когда жена потушила последнюю лампу и я по-
грузился в тьму. Спал как-то неслышно.

Утром – у Германа Тихомирнова Он и его жена, все
ждут денег. Николаевский финтит. Тянет.

ный обед. А до этого в комнате Тихомирнов и Нико-
о чем-то совещались. Меня даже не впустили!
предстоял был у Александровского, согласовывали
видание с Негасом (министр с-д). Вече-

188

ром у Германа составляли проект писем, которыми Герман должен обменяться с Николаевским. Герман нетактично не согласился со мной в присутствии Николаевского.

Пошел на квартиру родителей жены. Сын уже спал. Теща не пригласила пройти. Гера позвала в комнату. Я сказал, что не она должна это делать. Тогда она попросила меня уйти. Ушел. Ждал ее на улице. Она об этом не знала. Вышла в сопровождении двух товарищей своего брата. Они ее проводили до остановки. Тогда я подошел к ней. Она поехала на трамвае со мной. Пошли в кино.

Потом – домой. Как убедить жену, чтобы ехала со мной??

---

[1] Б.И. Николаевский – представитель Русского заграничного исторического архива (Прага) в Берлине.

18 сентября

Письма от детей. Тоска – скорее увидеть их. Глупое и как всегда претенциозное письмо Ольги Вячеславовны.

Тяжелый разговор с Николаевским. Герман чрезвычайно недружелюбен ко мне. Самомнителен – стихийно-сильно. Думает (или ощущает себя) нераскрытым гением. Скрытен. Этим нервирует окружающих и себя.

Видел сына.

Страшно устал.

Вечером ждали ответа от Николаевского, но он явился сам.

События войны и борьбы с нами надвигаются, как гигантское колесо. Может быть, поэтому Москва ничего на наши запросы не отвечает.

Видел в театре «Бравого солдата Швейка». По-моему, его играть нельзя, получаются только картины и монологи. Лучше фильм. (Вчера видел фильм «Ты единственная»). Играет Елизавета Бергер. Играет искуственно. Умная и немного нахальная женщина. Какая-то она неясная и слепая. Будто вся состоит из жестов, а мысли нет!

Дети, дети! Когда же к вам!

1 октября

Швейцария. Цюрих. У Гуревича[1]. Открытое окно. Дождь. Тишина. Полночь. Приехал сюда вчера и провел ночь. Спал хорошо. Утром был у немецкого эмигранта, левого с-д Дитмана[2], друга Гаазе[3], Карла Либкнехта и Розы Люксембург. Скромный энергичный старик. Полный силы и горячей привязанности к революционному делу. С ним у меня разговор по поручению Сталина о продаже нам документов – его архива (письма Меринга[4]), Либкнехта, Вертинского... речи членов с-д фракции рейхстага. Много материалов, рисующих с-д во время войны и революции. Исключительно интересные материалы). Еще интереснее его рассказы. Он охотно говорит. Глаза у него чуточку поднятые с внешних сторон, азиатские. Эспаньолка, усы. Весь естествен. И внешне и внутренне. Добродушное создание – его жена, в очках, у кухонного очага. Живут бедно. Она предлагала тарелку супа.

Дитман хочет продолжать работу Меринга «История германской социал-демократии». Меринг свой труд довел до 1900 года. Кроме того, Дитман пишет о положении с-д и фракции рейхстага во время мировой войны, революции – до прихода Гитлера к власти.

Но Дитман не только историк. Жадно следует за действительностью. У него все комплекты «Rundschau», в частности, последние, с речами товарищей на последнем конгрессе Коминтерна. Он, однако, не просто собирает эти номера «Rundschau», но внимательно читает речи.

Острый старик. Рабочее движение ему свое, интимное дело.

Я спросил его, на каких условиях он хотел бы продать нам архивы. «Мне ничего не надо, – ответил он. – Только дать возможность работать над историей с-д (социал-демократии) Германии в течение 5 лет. Считая, что в месяц моя жизнь стоит 500 (800) тысяч франков».

Вечером я пил у него чай и ел бутерброды. Оба, и он, и жена, завидовали, что я еду в Берлин. Дитман хочет приехать на некоторое время в Москву.

---

¹ Лицо неустановленное.

² Вильгельм Дитман – один из лидеров немецкой социал-демократии, публицист.

³ Гуго Гаазе – немецкий социал-демократ.

⁴ Франц Меринг – немецкий деятель рабочего движения. Историк, философ.

2 октября

Спал плохо. Сердце. Непонятно почему так всю ночь тревожно билось сердце. Может потому, что перед самым сном писал дневник. И думал: я вне кадров нашей советской жизни. Есть кадры военные, есть кадры НКИД (недавно Рубакин назначен посланником в Бельгию. У него, кажется, отец – часовщик в Варшаве. Сам Рубакин неизвестно что и каким аппаратом думает. Впрочем, таких, как он, много). Итак, есть кадры. Каждая ветвь нашей жизни и строительства имеет свои кадры. Можно составить длинный список кадров. Я буду вне этого списка. Я буду состоять в группе «разное». Это разное помещается всегда в конце разных списков, как в порядке дня «текущие дела». Значит, все мои сверхчеловеческие усилия в революционной борьбе привели к тому, что я попал в компании с другими неудачниками и карасями-идеалистами в группу «разные». Я с этим не согласен. Мои дети с этим не будут согласны. Я должен повернуть руль своей жизни. Как бы это ни было трудно – поворотить в сторону каких-нибудь кадров. Каких же? По приезде в Москву обращусь к Сталину с большим искренним и исчерпывающим письмом. Если ЦК не сможет меня включить в кадры большой работы – как бы мне ни было неловко – отдамся учению в университете, чтоб добиться профессора.

Сегодня утром принимал лекарство и с трудом вышел из дома (сердце давало перебои).

Был у Дитмана. Условились окончательно. Беру с собой в Берлин Багоцкого[1] под предлогом дитмановских дел. На самом деле боюсь в поезде ехать один. Глупо, но это так. Меня мучительно стесняет одиночество. Жена этого не понимает и не хочет понять. Как умолить ее понять?

Вечером ужинал с Гуревичем в новом итальянском ресторане. После дома слушали по радио Москву и говорили о женском вопросе. Он удивлялся, как я почти его словами излагал многие пункты запутанного дела. Гуревич сам разведен. Я собрался читать «Van den Velde. Die Vollkommene Ehe»[2]. Мне рекомендовала жена. А кто ей? Хороший Vollkommene Ehe! Он невозможен. Это я утверждал Гуревичу, а он с печалью в глазах смотрел на меня.

---

[1] С.Ю. Багоцкий – представитель русского Красного Креста в Швейцарии.

[2] Книга известного голландского врача-сексолога Ван де Вельде «Идеальный брак».

4 октября

Берлин. Пробило $12^1/_2$ ночи. Значит, уже утро 5.X. Сегодня утром приехал. Усталый. Плохо спал.

Получил письмо от детей. Вот и не совсем один. Но про Лену воспитательница пишет, что она упряма, характерец. И все же они милые, мои родные дочери!

Впереди передо мной снова целой вереницей встают трудности и проблемы. Словно продираюсь в темном лесу один и кругом ни души. Отчего же кругом ни души?

Дед —
Яков Михайлович Аросев

Бабушка — Мария Августовна
Аросева (Голдшмидт)

Авив, Сергей, Вячеслав, Александр

Отец — учащийся реального училища. Казань. 1905 г.

Мама — выпускница Института благородных девиц

Активные организаторы октябрьских событий в Москве. Штаб МВО. 1917 г.

Полный состав шведского посольства. 1925—1926 гг.

Мне 9 месяцев. Стокгольм. 1926 г.

С отцом и сестрой Леной

Мы любили играть в саду

Мамино стихотворение

Саше.

Трижды мою косу
Ножницы срезали;
Первый раз в болезни,
В бредовой печали.
Жаром потускневший
Потом напоенный
Тяжко падал волос
С головы склоненной.
Мать с отцом, рыдая,
Волосы ласкали.
Знали: этой гранью
Детство отмечали.

* *
*

Юных, золотистых
Кос волна струилась,
В год войны под нею
Дума зародилась:
Там где море крови
Красота мешает

Коса - шелк но шелк той
Рану растравляет.
И на пол земляки,
В грязь они упали,
Руки их срезая
Даже не дрожали.

          x   x

Третью грань недавно
В жизни я узнала,
Косу в цвет каштана.
Ножницам отдала.
Но теперь не брошу, -
Подарю тому,
(Кто склонялся веснами)
К моему лицу.
В них дыханье первое
Наших дочерей —
Это коса матери.
(Ты их потрогай.)
~~будет~~ ~~~~ ~~~~

                    22 дек. 1927. Моск

Отец с братьями
Авивом и Вячеславом.
Вивея. 1927 г.

В Праге. 1930 г.

Вилла «Тереза»

Я и Лена

Прием в советском посольстве в честь Р.Л. Самойловича. В центре — Р.Л. Самойлович, за ним слева — мои родители. Прага, 1930 г.

Отец на выставке советской графики в Брно. 1932 г.

16. Были ли в ссылке, где, с какого по какое время _____

17. Каким еще подвергались репрессиям, где, когда _____

18. Были ли в эмиграции, п _____
 цией были связаны за _____

19. Не состояли ли членом _____
боту

20. Отношение к имперски _____

21. Не привлекались ли _____

22. Были ли партзаскь _____

23. Семейное положе _____

24. Основной источ _____

25. Место работы _____
должность или _____

26. Домашний а _____

Время заполнен _____

Упол., Главлит _____

ВСЕСОЮЗНОЕ ОБЩЕСТВО СТАРЫХ БОЛЬШЕВИКОВ

АНКЕТА
для вступления в члены общества

Фамилия _Аросев_

Имя и отчество _Александр Яковлевич_

1. Год рождения _1890_ 2. Национальность _русский_

3. Социальное положение до революции (рабочий, крестьянин, служащий) _____

4. Основная профессия и специальность до революции _студент_

5. Образование (какую школу окончил): общее _реальное училище_

специальное (технич. и др.) _____

политическое _____

6. Родной язык. Какие языки еще знаете (читаете, пишите, говорите) _русский_

7. Когда, в какой организации начали революционную работу _____

8. Партстаж (по партбилету) _1907_ 9. № партбилета _____

10. Какое участие принимали в февральской и октябрьской революции _____

11. Был ли на фронте во время гражданской войны. Какую выполняли там работу _____

12. Какую партийную работу выполняете в настоящее время _____

13. Были ли перерывы в партработе, по какой причине, с какого по какое время (указать подробно причины перерыва) _____

14. Привлекались ли к суду за революционную работу, какому, где, когда, какой приговор _____

15. Были ли в тюрьме, где, с какого по какое время _____

Анкета отца для вступления в члены Всесоюзного общества
старых большевиков

Лена в классе реального училища. 1932 г.

Австрийские Альпы, курорт Фельден. Я слева. 1932 г.

Идем в школу. Я в первый класс, Лена — в третий.

Приемы в ВОКСе. Москва, тридцатые годы

Отец на прогулке с Митей

Со второй женой Гертрудой. 1934 г.

В немецкой школе им. К. Либкнехта. 1935 г.

С Леной в пионерском лагере «Артек»

Три сестры. 1935 г.

С Леной и отцом у Юсуповского дворца

День авиации на Тушинском аэродроме. 12 июля 1935 г.

12 ИЮЛЯ НА ТУШИНСКОМ АЭРОДРОМЕ

фото И. ШАГИНА.

Товарищ СТАЛИН беседует на аэродроме с Олей (впереди) и Леной Аросевыми.

Снимок в газете «Комсомольская правда»

Слева направо: М. П. РОЛЛАН, РОМЭН РОЛЛАН, И. В. СТАЛИН и А. Я. АРОСЕВ.

Беседа И.В. Сталина с Р. Ролланом.

Отец читает рассказы Чехова

В гостях у Р. Роллана. Вильнев, 1936 г.

Вильнёв 17 окт. 1936.

Дорогой Александр Яковлевич, спасибо за В. письмо Роллана, и простите ему его долгое неответ: он обязательно должен закончить к весне боевую книгу (продолжение «Предвестия Джона Брауна»), и всё время работа прерывается текущими делами. Но главное что берёт все мысли и силы — Испания. Во время нашего пребывания во Франции (мы 3 недели были там — 3 дня в Париже, а остальное время в Кламси, Невере и прекрасном Дижоне) казалось, что война в самой Франции, так сильно она переживает своё братство с Испанией. Здесь меньше люди ощущают эту связь, но всё же есть. — Да, если эта борьба кончится поражением правительства, — она принесёт плоды огромной важности; мы так горячо надеемся ...

... Испания ?. — Завидуем ... ездили по СССР ... поездить и Ром... ... послушать ... но не мо... все время ... слушаем Таню ... Бреславу. Я ... Роллану. ... переводу. ... Таня ... прекр... ... знал и меня ... сотрудникам. Продолжаете ли работ... Где Лингер?

Крепко целую В. руку. Роллан сердечно кланяется и просит не забывать его. — Ваша М.Р.

Письмо М.П. Кудашевой

С сестрами накануне войны

Наташа на фронте...

...допрашивает пленных немцев

Митя с детьми

Сводная сестра Галя, Наташа, Лена и я. 60-е годы

Вилла «Тереза» через 35 лет

С племянницей
по маминой линии
Еленой Игнатовой

Самый младший
Аросев — Данила

Внучатая племянница Лиза Игнатова

Наталья — литературовед, переводчик, член Союза писателей

Елена — заслуженная артистка России, ведущая актриса Омского областного драматического театра

Я — народная артистка России,
лауреат Государственной премии,
актриса Московского театра Сатиры

Могила бабушки. Казань, Арское кладбище

Я всю свою жизнь собирала по крупицам все,
что касалось жизни моего отца ➤

А. АРОСЕВ

ОКТЯБРЬСКИЕ РАССКАЗЫ

ПРАВИТЕЛЬСТВО МОСКВЫ
Управление городского заказа
Государственное Унитарное предприятие
по эксплуатации высотных,
административных и жилых домов

УПРАВЛЕНИЕ № 1
109012, г. Москва, ул. Серафимовича,
тел. 959-02-54, факс 959-04-29

05.11.97 № 461
За г. Ха

СОЮЗА ССР
РАТУРА

ОБ-33314-55

830-И

СПРАВКА

Выдана в том, что

действительно зарегистрирован

по тов. Аросева А. Я. и его детей.

Для предоставления по требованию

Начальник Управления № 1

Паспортист

1955 г., адресованная

АНКЕТА-РЕКОМЕНДАЦИЯ

При заполнении поручителями, подтверждающими участие рекомендуемого товарища в дружинах
и отрядах Красной гвардии или Красных партизан

Вопросы:	Ответы:
1. Фамилия, имя и отч. поручителя	Аросев Александр Яковлевич
2. Год и место рождения	1890
3. № Красного партизанского билета, какой организацией, когда выдан, кто давал рекомендацию-подтверждение, где состоит на учете и прошел ли проверку	
4. Социал. полож. (рабочий, служащ., крестьян., кустарь)	
5. Место работы, должность	
6. Место жительства (город, улица, № дома, № квартиры)	
7. Партпринадлеж., стаж, № парт. билета, состоял ли в других партиях, в каких	
8. Кем, когда и где был в дружине, в Красн. гвард. или партизан. отрядах до создания Красной армии	
9. Принимал ли участие в боях, где, когда, и против кого	
10. Оставался ли у белых после отступления красн. частей, где, когда, по своему усмотрению или по заданию	

ПРОКУРАТУРА СОЮЗА С
ГЛАВНАЯ ВОЕННАЯ ПРОКУР

Москва, центр, ул. Кирова, 41.

25. июля 1956 г.

Гр. Аросевой О. А.
Адрес: Москва 2-ая Твер
Ямская дом 57/3 к

Сообщаю, что поступившая от Вас жалоба Главной военной про
рена и дело направлено для рассмотрения в Верхо

суд СССР

откуда Вам и будет сообщено о результатах.

Военный Прокурор Отдела Главной Военной Прокуратуры
гв. полковник

ЧН-12616/56 I зона.

Вероятно, оттого, что я робко самостоятелен. А надо если уж быть самостоятельным, то и смелым. Ум у меня самостоятельный, а действия – нет.

Приеду в Москву, буду на совершенном распутье – что делать дальше. Пойти в университет и стать профессором? Удариться в политику и пожертвовать вторую половину жизни революционной борьбе? Только писать, благо материала много. Или уйти в актеры и наслаждаться формой того, что буду давать на сцене. Это, да и писательство – самое большое наслаждение. Политика будет часто вызывать сердечные перебои и потребует непреклонности до смерти.

13 октября

Вчера ночью был у Молотова до 2 часов. Рассказывал о загранице.

Опять день забит мелочами, некогда писать. Но я понемногу буду продолжать свои намеченные литературные работы. О нашей современности в реалистических красках трудно писать, потому что у меня в мозгу образовался, так сказать, обычай критически воспринимать мир. Кроме того, есть мозговые пространства, которые не удовлетворяются современщиной, а долбят в какие-то вечные вопросы. Прежде всего в вопрос, можно или нельзя побороть смерть. Я не задаюсь вопросом, что такое жизнь, что такое смерть. Я это знаю, но вот как побороть смерть и сделать ее приход наиболее поздним – эта задача маячит все время перед моим духовным взором.

16 октября

Плохо спал. Мой сын меня все больше и больше восхищает и притягивает к себе. Я замечаю, что мои дочери, несмотря на то что мы теперь живем почти вместе, продолжают быть грустными. Они отчасти даже завидуют брату по отцу: он имеет все, что нужно в нормальной жизни, и мать, и отца, имеет их тут, у себя, вместе. А они хотя и с отцом, но он рассекается на две половинки любви – к жене и к ним. Они имеют и мать, но и мать рассекается на две части – любовь к мужу и к ним. Ближе всего в ежедневной жизни они живут с воспитательницей, очень плохой, сплетницей, лентяйкой и неискренним человеком. Другой под рукою нет, нужно искать. До сих пор был занят только квартирой, теперь она есть.

Был на собрании Пленума правления Союза писателей... Почти все увлекаются писанием романов из жизни Пушкина. Много произведений о Пугачеве. Все подпираются чужой славой. А Достоевский брал какого-нибудь Раскольникова – и выходила художественная жуть. Пушкин – какого-то станционного смотрителя так описал, что волнует. Л. Толстой тот и вовсе, лошадью производит больше впечатления («Холстомер»), чем все современные исторические романы.

30 октября

Тепло. Дождит. Довольно оскорбительно. На два моих телеграфных запроса получил ответ – ждите проезда Германа. Значит, без него никак нельзя решить дело. А мог бы я решить и без него. По-видимому, через В.М. он затормозил решение, иначе не было бы raison d'être[1] его поездки, да и лавры бы не ему достались.

Этим подчеркнута его роль комиссара при мне, а я фактически дезавуирован в глазах тех, с кем говорил. И стало быть, мне нечего было спешить приезжать первому, раз все равно без Германа ничего решить нельзя.

Тут рука Молотова, который мне не доверяет. Плакать не будем.

---

[1] Основание (фр.).

12 ноября

«Сосны». Вечер. Тишина. Просматривал Федина «Похищение Европы». О боги: чистое описание. Даже Афиногенов в «Правде» вопит против них. Вопит, конечно, вхолостую, чтоб выхода не указать и чтоб завтра же забыть, что вопил об этом и начать вопить по другому социальному заказу, данному из канцелярии. Просматривал Ольгу Форш – «Казанская помещица». Пишет с глубочайшей любовью к литературе. Хорошо пишет. Талантлива. Читал статью об историческом романе. Будто бы Ал. Толстой заходил в тыл современности. Зачем же ее рассматривать с тыла, с ж... Смотрел бы он ей лучше в лицо. И уж лучше бы через ее фронт смотрел бы на историю, а не с тылу... Это не уменьшает величайшей талантливости романа «Петр I». Величайшее произведение. Ну и оставьте его в покое. Зачем нужно его еще объяснять как-то, кроме того что оно талантливо?

Смотрел на портрет Ленина и думаю, жизнь человеческая – это по преимуществу психология. Человек – психология. Психология – это наша жизнь. Но до сих пор психология еще не твердо стоит на научных ногах, т.е. наше знание о сути жизни еще очень слабенькое. А следовательно, слабо знание и о смерти.

19 ноября

Поезд. Москва–Столбцы. На пути в Париж. Дочка Олечка особенно тяжело плакала. Ленушка тоже глубоко переживает разлуку. Трогательнее всех был Бумсо (Митя, мой милый сын). Он перед сном в своей пижамке тихо прижался ко мне и оставался у меня на руках некоторое время неподвижным, приложив свою щеку к моей.

20 ноября

Заметки о некоторых наших чертах, по дороге. Когда в поезде поднимают верхнюю полку, никогда не закладывают верхний крючок, полосу, которая предназначена задержать, если б кто-либо падал сверху. Небрежность. В купе входят без стука. Лица у проводников небритые, одеты неряшливо и грязно. Смотрят как-то неопределенно, словно не уверены и в своей жизни, и в работе.

Какое-то у меня неожиданно бодрое настроение. Все думы о том, что больное сердце, прошли. Будто все поры организма смазали каким-то благодатным маслом. А может быть, это сознание того, что что бы я ни делал, как бы и чего бы ни добивался, все равно пришло, и на сей раз окончательно, время быть одному. Сын Дмитрий – вот разве он еще дольше других, думаю, будет оставаться со мной и, может быть, лучше других поймет меня. Но он мал, и в самом главном понять ему меня еще рано.

Что касается усталости моего сердца, то в случае перебоев или болезненного состояния кто может мне помочь? Никто. До сих пор доктора еще не показали чудес исцеления, а лишь регистрируют болезнь или в лучшем случае дают капли, смягчающие болезненность. Следовательно, в случае моральных, материальных, физических и прочих трудностей я должен надеяться только на себя, только на свои силы.

Гера, дети, домработница, воспитательница в течение дня, каждого дня и по всякой мелочи и малости, обращаются ко мне. Когда это прибавляется еще к той духовной энергии и ко вниманию, какие я должен затратить по работе, то в сердце скапливается много яда усталости, переутомления. Такая жизнь, как у меня, – это невидимое сверх-стахановство! И может быть, сознание того, что меня некоторое время не будут спрашивать, куда положить штаны, как заставить домработницу вымыть пол, куда в данный выходной отвезти детей, преодолев их всегдашнее сопротивление быть на природе, какую машину и в какие часы послать за пайком, сказать шоферу, чтобы там-то ждал жену и пр. – это сознание предстоящего отвлечения внимания от мелочей жизни создает подъем и бодрость, вызывает желание писать и творить, творить и писать.

В Варшаве меня никто не встретил. Еду дальше.

21 ноября

Берлин. Глухо. Тихо.

Пошел в магазин, выбрал шляпу для жены – послал.

Венцов, военный атташе в Париже, карьерист. Не очень умный. И невоспитанный, хотя и добрый. Неплохой товарищ. Едем с ним и с его семейством вместе. В одном купе его жена с дочкой, в другом – он и я. Венцов поревновал, что мне, между прочим, поручено дело, которое по природе – его (карьера-то, карьера-то что делает, стремятся все за синей птицей!). Сидел на моей постели и без зазрения так ковырял в носу, что меня охватывали ужас и омерзение. А он хоть бы что. Генерал, как он себя называет, и уже лысый. Жена у него покультурнее.

Утром перед Парижем радостный, как Пан, ввалился в мое купе Краевский[1]. Тоже в Париж и дальше в Америку.

Наш вагон был полон русскими, богатыми и важными белогвардейцами. Даже проводник и тот был русский.

---

[1] Б.И. Краевский – председатель «Экспортлеса» Наркомвнешторга.

22 ноября

Париж. Консул встретил на вокзале. Чванный и с высохшим умом. Потемкин не пускает в посольство.

Написал письмо Гере, дочерям.

Немедленно связался с Рубакиным и приступил к работе.

Никуда не тянет, хотя Париж кипит.

Был в кино, видел цветные картины Микки-Маус. Очень хорошо. Также была представлена выставка итальянских картин. Будучи там, можно было в натуральную величину и в натуральных красках видеть всю галерею картин. Кино, право, поглотит все виды искусства!

23 ноября

Утром пешком отправился на квартиру Леона Блюма. Это не квартира, а библиотека. Вышел сам хозяин, приветливый, сметливый, тонкий и очень умный. Чем-то он напоминал мне все время Троцкого.

Едва он успел задать мне несколько вопросов вежливости, как пришли Адлер[1] и Николаевский. Адлер не сел, а сразу врос в кресло, раздвинул коленки, выпятил неопрятный черный жилет и стал говорить со мной на языке, который он считал французским. Леон Блюм слушал внимательно, не выдавая своего внимания, а Николаевский, как и всегда, смотрел на всех с видом охотника, изрядно потерпевшего неудач, но теперь намеревающегося настрелять много дичи (получить большие деньги).

Адлер заговорил, как честный австриец. Довольно наивно рассказал, что он и его друзья решили организовать специальную комиссию для учреждения центра теоретической работы для изучения Маркса и Энгельса. Комиссия эта не только для продажи нам архива, продажа лишь попутное дело. (Неужели? Как наивно!) Члены комиссии: Блюм, Лонге[2], Бракэ[3], Адлер, Модильяни[4], Дан (Федор, меньшевик)[5]. Словно несмазанное колесо, вращался непослушный немецкий язык Адлера по ухабам французской речи. Долго исторгая слова, казалось, даже из глубины самого кресла, на котором он сидел, Адлер высказал все условия, какие они нам ставят. Кроме одного – денег. Я поставил этот вопрос. Леон Блюм немедленно отскочил к окну и встал к нам задом. Адлер назвал цифру. Я сказал, что запрошу Москву.

Николаевский робко замолвил слово о меньшевистских архивах, прося, чтоб мы дали им фотографии их. Я отклонил. Адлер отклонил. Блюм отклонил (в это время он опять вернулся к нам и встал за моим креслом). Николаевский стал мотивировать тем, что архив неактуальный, старый, имеет чисто научную ценность...

Адлер махнул рукой: «Это только все осложнит».

Николаевский ушел в себя, оставив наружу только барабанящие по столу пальцы.

Я выдвинул предложение платить в рассрочку. Л. Блюм – опять к окну.

Адлер ужасно заскрипел: кресло под ним заскрипело. Николаевский заохал. А Блюм их выручил. Поправляя бодрым жестом концы жилетки на тощем животе, сказал: «Конечно, желательно деньги получить как можно скорее».

Последовал мой ответ, что буду ждать указаний из Москвы.

Адлер стал спрашивать, в какой валюте мы будем платить. Блюм при этих «финансовых» словах опять показал нам прямую спину свою. Затем Адлера охватило беспокойство, как быть с налогами, где найти хорошего юриста. Впрочем, он тут же поправился, ведь юрист-то вот он – Л. Блюм.

Юрист действительно оказался на славу, опуская глаза и направляя зрачки на носок своего сапога, а заодно вынимая из кармана и распространяя по своему узкому лицу чистый белый носовой платок, он сказал:

– Налог платится тогда, когда договор регистрируется.

Адлер:

– Значит, можно его не регистрировать?

Блюм:

– Совершенно ясно.

Адлер (ко мне):

– А Вам все равно, как платить?

– Все равно.

– Самое лучшее – просто из кармана в карман, – заметил юрист, опахивая лицо душистым платком и элегантно сминая его – опять в карман.

Тут начались предположения о тексте договора. Мы назначили ближайшее свидание на 27.XI.35 г.

Блюм галантно проводил меня до выхода, подал пальто. Мы еще "пополоскались" с ним во взаимных комплиментах и расстались.

Завтракали с Рубакиным. Его жена изрядной помехой была и стесняла его.

Отдохнув, пошел гулять. Встретил Эльзу Триоле (жена Арагона).

Эта маленькая рыжая веснущатая женщина с глазами, как топаз, говорила, что Арагон в трагическом положении: он, организатор и руководитель ассоциации революционных писателей[6], оказался без денег и только с долгами. Ему никто не помогает. Деньги для Междунар(одного) объединения писателей зажал André Malraux[7]. «Humanité»[8] не печатает даже объявлений. А Vaillant-Couturier[9] – очень культурен сам, но он хотя и редактор, но без всякого влияния в «Humanité». Его никто там не слушает. Если к январю не будет денег, AEAR придется ликвидировать.

«Humanité» раньше не отводила вовсе места культуре. Теперь газета улучшилась и имеет специальную страницу для культурных вопросов.

Пишу эти строки, а под окном во дворе опять бедный шарманщик играет!

Вечером был у меня Рубакин. Он произвел на меня немного странное впечатление. Даже к себе не приглашал на этот раз. Что с ним?

Гуляли с ним на Монмартре, встретили т. Штейнберга[10]. Он только что из Америки, куда ездил через Японию, Маньчжурию и Южный Китай. Был на Гавайских островах. Интересно! Изумительно! Везде был один. Временами, говорит, ему было жутко. Верю: мне одному в Париже и то жутко.

Лег и долго не мог заснуть.

---

[1] Фридрих Адлер – один из лидеров австрийской социал-демократии.

[2] Жан Лонге – деятель французского и международного рабочего движения, внук К. Маркса.

[3] Французский политик-социалист.

[4] Джузеппе Эмануэле Модильяни – итальянский социал-демократ, брат Амедео Модильяни.

[5] Ф.И. Дан (наст. фамилия Гурвич) – один из лидеров и теоретиков меньшевизма. В 1922 г. был выслан за границу как враг советской власти.

[6] AEAR (Association des écrivains et artistes révolutionnaires).

[7] Андре Мальро – французский писатель, культуролог, член AEAR.

[8] «Юманите» – ежедневная коммунистическая газета во Франции.

[9] Поль Вайян-Кутюрье – французский писатель, главный редактор «Юманите», член AEAR.

[10] Е.Л. Штейнберг – советский историк-востоковед.

24 ноября

Страшный туман. Позвонил Шнитману[1], сказал, что зайду к нему в 3 часа пополудни. Зачем? Я его без мала два раза бегло видел. Что же с ним связывает? Какие могут быть разговоры? Зачем пообещал прийти к нему? Самому не понятно, кто-то сидит во мне и имеет общение с внешним миром, ищет возможность разрубить молчание. Может быть, здесь мое молчание и в нормальной степени, но если сравнить с тем, как у меня в Москве было, то разница большая: там я варюсь в людском котле и язык мой только тогда отдыхает, когда усталые глаза сомкнет неспокойный сон. Может быть, мой крест и есть мой язык или моя артистическая натура, требующая хоть минимальной аудитории, хоть бы в размерах одного человека.

Утром в тумане гулял. Писал дневник, нагоняя то, что не успел записать в ушедшие в безвозвратную вечность дни.

Обедал в «Лютеции».

Потом у Шнитмана в три часа.

Пошли в кафе – не понравилось, слишком тесно. Отправились на Монмартр. Искали то кабаре, где я был с Мазерелем летом. Оказалось, что мой спутник проголодался. Он толст, свеж и обладает хорошим пищеварением. Пришлось зайти в обычное кафе. Я пил липовый цвет – тем более что был простужен, он – кофе, ел сандвичи.

Разговорились о революции, о прошлых днях, и я рассказал много интересных фактов об октябрьском перевороте. Ему, да и мне самому, показалось все страшно интересным, и я в сотый раз решил начать писать об этом, однако впервые заметил, что меня самого глубоко волнуют и потрясают рассказы.

Мой спутник ехал из Америки в СССР, и вот теперь он очень беспокоился, как будет с отменой карточек, с магазинами ГОРТа и с Торгсином.

Потом он мне рассказал жуткую историю. Я спросил, почему он едет не через Германию.

– Нельзя: меня арестуют и могут предать казни, я там работал, и один из моих агентов, полковник генерального штаба германского, провалился. На допросе выдал меня, думая этим спасти свою жизнь. Но сделал глупо – предал меня, а ему все равно топором голову сняли.

– Расстреляли? – спросил я.

– Нет, они топором рубят, с размаха. Между прочим, полковник был хороший парень. А вот ведь струсил, выдал меня...

Вечером опять видались. Ужинали в «Триумфе». Он триумфально кушал. Даже сам удивлялся.

---

[1] Л.А. Шнитман – военный атташе.

25 ноября

Утром работал. Завтракал в «Триумфе». Вегетарианское. Такой же вегетарианский разговор был. Оба они – он и она – страшно нервные люди. У них самый страшный вид нервности – от одиночества.

В три был у Гиршфельда[1]. Говорили о делах. Он спрашивал совета, как устроить прием. Просил посетить посла. Я отказался, потому что он хам.

От Гиршфельда – домой. Потом пошел как-то без охоты к людям, которых мало знаю, к Арагону и его жене Эльзе Триоле. Зачем я иду к ним? Трачу дорогие капельки времени, их уже немного осталось. Но обещался... Иду...

Арагон был усталый и разбитый. Эти европейские энтузиасты, видя, как в нашей стране все приведено в движение, полагают и у себя также сдвинуть с места все устои. Но наталкиваются на камни подводные и неподводные, на слабую помощь с нашей стороны. Эти энтузиасты какие-то непоследовательные. Впрочем, последовательных людей очень мало, так как, чтобы быть ими, требуется ужасное напряжение воли. Он, Арагон, смеялся над тем, что на конгресс писателей прислали каких-то мало известных или совсем неизвестных лиц, что Киршон вел себя неумно и безобразно. (Этот типик действительно из социальной помойки вытащен!) А главное, потом наши писали такую ложь и глупости, что французы краснели. «Вывозила» наша страна сама по себе: можно в качестве делегации послать не 12 писателей, а 12 стульев, лишь бы они были из СССР, – эффект был бы такой же. А осел Кольцов и атаман от литературы Щербаков думают, что они произвели впечатление. Ал. Толстой своими статьями «угробил» Андре Жида и его поездку к нам. Он, Толстой, возьми да напиши, что книги Андре Жида теперь на рынке не идут, их никто не читает. Андре Жид обиделся: не поеду в СССР, а то скажут, что я поехал туда искать район сбыта для своих книг. И уехал на юг.

Граф, примитивно мыслящий в области социальной, способен больше напортить, чем безграмотный мужик, а сам граф к тому же еще «взирает» на сильных нашего мира и хочет им служить – он способен усугубить всякий абсурд.

Расстались дружески. Арагон – молодой, седой и усталый. Да, он на прощанье мне говорил, как страдает Ромэн Роллан и оттого, что не публикуется его знаменитый «разговор», и еще больше оттого, что ему на его вопрос никто не отвечает. Он писал Горькому и Бухарину. Эти смелые фельетонисты против «извергов» буржуазии, обливающие ее ругательствами (за надежной охраной наших границ), не смеют выговорить ни «папа», ни «мама» по поводу прямого вопроса действительно смелого мыслителя.

Вечером – на приеме ученых. Как и всегда, гложет сердце тоска, что без жены, и, как всегда, вдруг, без всякой видимой ассоциации встает милый-размилый образ моего нежного рыжего сына, моего комика, трогательного медвежонка.

Главные персонажи – математики, физики, химики... Наши Осинский, Надсон, Фрумкина, Сперанский, Бурденко (конечно, с мадам, она хорошо разговаривает по-французски, кричит прямо). Посол Потемкин – носом и животом вперед, а глаза, как у разведчика, однако не без улыбки, с напускной ученостью и снисхождением к «малым сим». За столом я рядом с добрягой Полем Безайе. Ему больше 80 лет. Пьет вино, ухаживает, работает. Франция!

Перпендикулярной спиной ко мне сидел свинообразная морда и поросенкообразный корпус – советник С.[2] Он еще будет поверенным в делах, а может быть, и послом.

Теперь удивительные невежды и идиоты представляют наш Союз. Что может чувствовать и понимать такая тупица, как С. Я думаю, что у него слипнутся глаза от первой строки любого чтения. А впрочем, зачем я в своем дневнике, который люблю нежно и который есть моя надежда и опора, отдаю столько места мерзавцам.

Компания ученых – это огромное поле наблюдений. Это список богатейших характеристик человеческих типов. Некоторых мне жалко. Нет, не жалко, а задевает и волнует меня трогательность отношений к нам. Вот, например, Rego[3]. Он с доброй улыбкой первый идет ко мне, жмет руку и открыто смотрит в глаза. Он был страшно правый, теперь видит в нас силу, сдвигающую науку с мертвой точки. Он один из немногих, который искренне поражен всем тем, чего мы достигли. Молчалив, сдержан, интимен, и это еще более отчетливо и красиво выдает его симпатию к нам.

Интереснее всех, конечно, живой, со здоровым сердцем Ланжевен[4]. Он – председатель обеда, он произносит речь. Полон юмора, веселья, глаза его горят смелостью и любовью к стране, где осуществляется социализм. Он враг бессодержательных речей. Он говорит на свою любимую тему: нет и не может быть таких абстрактных наук, какие в конечном счете не служили бы полезной практике человека.

Ланжевейну отвечал Осинский[5]. Плохой французский язык. Не стыдится однако, ибо уверен, что говорит хорошо. Говорил банальности о том, что наука интернациональна, а бокал поднял за гения французской мысли. Вот так так! А они все знают, что гений-то и у нас не плохой. О нас Осинский – ни слова, может быть, это от недостатка запаса французских слов.

---

[1] Е.В. Гиршфельд – советник полпредства СССР во Франции.

[2] Лицо неустановленное.

[3] Клод Рего – видный французский ученый.

[4] Поль Ланжевен – французский физик и общественный деятель.

[5] В.В. Осинский (наст. фамилия Оболенский) – советский экономист, публицист.

1 декабря

Много и бестолковости было в сегодняшнем дне. Приезд Германа как-то толкнул меня даже на то, чтобы «высунуть голову» в прежний образ жизни, и я действительно высунул, но тут же затормозил и на этот раз вылазка в старое была последней.

Если отдаться искусству, то только через самопожертвование. Искусство требует человека всего. Другого способа нет. Лучше поздно, чем никогда. Но мне никогда не удастся перестать мыслить. Мозги мои всегда останутся беспокойными.

Сегодня за столом (обед с учеными и полпредом) все время с математиками Адамаром и Перроном (молодым) беседовали об условных рефлексах Павлова и о том, каким образом может кончиться, а каким продолжиться существование людей, приняв во внимание неизбежную гибель Земли. Адамар думает о возможности переселения на другие планеты. Он, между прочим, говорил, что в основе японского империализма лежит глубокое сознание, что весь остров Японской империи неизбежно и верно поглощается морем, как Атлантида, – поэтому спасение на материке.

Смотрел я на ученых, наших и французов, слушал Чайковского и думал: социализм – это мышление и радость прошлого. На сегодняшний день новым является фашизм. Он ломится во все поры. Поэтому социализм, старея, становится консерватизмом (социалисты тянут к старому парламенту и старой демократии). Мы, коммунисты, к сожалению, блокируемся с социалистами, т.е. с консерватизмом. Не потому ли ученые так покладисты и в чиновниках – дуро-трусы. Много кричат о «народном» и о «демократии».

3 декабря

Страшный насморк. В Национальной библиотеке условился о приготовлении для меня книги по истории фр(анцузского) театра.

Завтрак около Halle, rue de la Reale, 6. Ресторан, открывающийся в 3 утра и закрывающийся в 15 часов. Интимно тесно. Запах рыбы, мяса и красного вина. Лица все те же. Весь прием проходит в жевании одной и той же пищи в одной и той же компании. Французы налегали на преподавание у нас фр. языка. Проф. Мазон открыл свою теорию о том, что «Слово о полку Игореве» написано в 18 в. автором, который подделывался под язык 12-го. Осинский оспаривал сильно.

Отдых. Роллан. Страдает о деле.

Москва тянет, Герман боится и поэтому тоже тянет. Я сам дал телеграмму с решительным запросом.

Певица Мария Освальд хотела бы ехать к нам. История обычная: в посольстве обещают, не исполняют обещаний и советуют поговорить со мной.

Обедал дома. Сперанский. Чем больше его вижу, тем он приятнее. У него удивительно серьезное отношение к жизни. Он ученый и артист.

Ввалился нахал Безыменский[1]. Этот лопоухий и коротконосый «гений» прямо принялся за пиво (Сперанского), за масло, за хлеб. Он из Праги. Там их принимали «как богов». Александровский – чудная умница. Поселил их в полпредстве. Как он удивительно тонко знает страну. Безыменский читал доклад перед 5000 аудиторией. При каждом упоминании имени Сталина – аплодисменты. А Красной Армии аплодировали 2 секунды. Вообще он, Безыменский, все культурные дела сделал, -во- на ять! Он будет писать про Париж, про весь прием. Вот как хорошо!

Мы со Сперанским слушали холодно. Сперанский уходя сказал: «Я этих болванов встречал у Горького. Это так – шапками закидаем. Вот такие долго проживут, они счастливы. У него никогда склероза не будет...»

Уж и верно. Сожрав и выпив все, молодец ушел. Вернулся за папиросами. Дубина!

Потом пришел Герман. Втроем хорошо беседовали, смеялись.

---

[1] А.И. Безыменский – русский советский поэт.

4 декабря
Хочу начать, пока я здесь нахожусь, посещать лекции по истории фр. литературы. Или по французскому языку.

Вместо этого, или вернее наряду с этим, я начал ходить в Нац. библиотеку для чтения по истории французского театра.

Утром пил чай и морковный сок. Чувствовал до обеда голод.

Совещался в полпредстве с дамами из Russie neuve[1]. Был с ними и один мужчина, но и он, скорее, дама.

С лицами, скованными важностью, пришли в посольство четыре наших поэта. Это прежде всего все тот же Безыменский, маленький Кирсанов, средний, в очках, Сельвинский и с лицом, похожим на символ, – Луговской. Конечно, это им не провинция Прага. Такого, как там, приема не будет.

Вечером был концерт в посольстве. Играли Чайковского. Я сидел в пустой гостиной рядом с концертным залом и смотрел через кисею занавеси на большом окне в сад. Над ним был серп луны. И это гармонировало с музыкой, сентиментальной и бледной, полной исканий синей птицы.

Кроме того, рассматривал boiserie[2] на потолке и стенах. Потолок и стены – белые, boiserie – золотые. И это очень прекрасно. Чем красивее внутреннее убранство дома, тем в нем легче жить одному, потому что в этом случае ты не один, а окружен руками, глазами, трудами, талантами и мыслью тех художников, которые украшали дом. Ведь вот передо мной эти boiserie, они выражение, слова, запечатленные на стенах и полотне великолепного художника. Раньше чем сделать малейший узор, художник усиленно думал. Примерял, прикидывал. Если внутреннее убранство особенно сильно действует, то является потребность быть наедине с таким убранством, ибо всякий другой будет отвлекать от него, и убранство требует общения и внутренней беседы с ним, потому что именно о впечатлении на вас, на меня и думал художник, украшавший дом. Нужно, следовательно, внутренне поговорить, пообщаться с ним.

Концерт был слишком длинен.

Эррио – кусок французского ума и таланта остроумно рассказывал о том, что завтра в парламенте он должен будет поддерживать то правительство, которое ненавидит, потому что всякое другое, пришедшее ему на смену, будет хуже. Недавно какая-то дама, выходя из автомобили и увидев на тротуаре Эррио, приняв его, видимо, за своего знакомого или мужа, покрыла тысячью ругательств.

– Я подумал, – говорил Эррио, – должен ли я вести себя как джентльмен, или как апаш. Решил действовать, как апаш, и сказал ей то, что она знает, а она мне ответила то, что я теперь знаю.

Мы смеялись.

Потемкин усиленно гонял нашу публику из кулуаров в концертный зал. Но, не желая поздно ложиться, я ушел по-английски.

---

[1] «Кружок новой России» – общественная организация в Париже.

[2] Лепнина (фр.).

5 декабря

Председатель Air France, говоря о нашем строе, определял его: «Это ведь еще не коммунизм. Это социализм. И при этом государственный социализм. Так как есть разница хотя бы в области потребительской, она, несомненно, создает аристократический слой. Будучи лучше обеспечен и следовательно более культурен, этот слой будет стараться закрепить за собой положение, будет давать своим детям более рафинированное воспитание, чем все другие слои».

Многие недоумевали, как может быть прямое, равное и тайное избирательное право без свободы слова и без права быть в оппозиции правительству.

– Будем ждать, как это у вас выйдет, – говорили французы.

Все жаловались на плохую организацию «Интуриста» и очень интересовались школами и положением женщины.

Вечером приготовлял вещи к отправке домой. Сперанский напился пьян. Со всеми прощался за руку, раздавал пятифранковые монеты.

По дороге на вокзал, в автомобиле, я стал было говорить об одной пьесе (с нами была дама). «Вот, – говорю, – в пивной сидит рабочий...» Сперанский добавляет: «И ссыт...» Потом извинялся. На вокзале нес несусветную ахинею и все искал женщин.

В последнюю минуту глядел из окна вагона, дал проф. Ланжевену коробку папирос. Профессору и нам было неловко. Проф. недоумевал и отказывался. Величественным жестом Сперанский заставил его взять.

Леночка Москвина (Бокий)[1] в толпе простонала: «Боже мой, главное, дарит ту пачку папирос, которую я специально ему подарила...»

Наговорив французам кучу неделикатностей (Александров[2] Ланжевену: «Я предпочел бы вас видеть в

210

Москве», Сперанский Мазону[3]: «Я счастлив, что наконец уезжаю») – наши два профессора отъехали восвояси.

Прямо Русь Иоанна Грозного.

---

[1] Служащая посольства.

[2] Лицо неустановленное.

[3] Андре Мазон – французский филолог-славист.

6 декабря

Большие наряды полиции на улицах Парижа. Ждут столкновения с фашистами, а фашисты протянули руку примирения. Сделано это было ловко. На их удочку попали социалисты, а за ними и коммунисты.

Полицейских было так много, что мне пришел в голову сюжет рассказа: мало-помалу все население превратилось в полицейских. А чтобы было кого наблюдать, остались только двое: портной Шарашкин и немец, иностранец.

В Западной Европе жизнь более сложная, чем у нас. Она там переплетена: последнее слово цивилизации в разных областях спорит с традициями. Отношения классов не так примитивны, поэтому и концепция социализма и коммунизма у здешних революционеров иная. Чтобы быть истинным революционером в европейских условиях, нужно иметь больше внутренней смелости и принципиальной непримиримости, чем у нас, так как враг, противостоящий европейским революционерам, более сильный и умный, чем был у нас. Сначала я принимал это за талмудизм. Но нет, это внутренние и глубоко ассимилированные коммунистические принципы, откуда вытекает неприязнь ко всякому виду мещанства, ханжества, некрасивости (тому, что противоречит выработанному идеалу красоты).

И если уж европейского типа революционер отваживался на борьбу, то он ставил великую задачу. Начинал фактически двойную борьбу (внешнюю – против врагов и внутреннюю – против остатков старых навыков внутри себя).

7 декабря

Утром писал письма и дневник.

Звонил художник Мюрей. Приглашают. От приглашений отделался. Думаю, через некоторое время люди выработают символические завтраки и обеды. Я начинаю терять вкус сидеть за столом по приглашению. Это хорошо только очень редко и у очень редких.

Оказывается, здесь, в Париже, Серафимович. Симпатичнейший человек. Он недалеко от меня в отеле. Условились с ним встретиться.

Едва отдохнул, отправился кататься на коньках. Довольно странное чувство ощущать соль под ногами.

Дворец льда – закрытое помещение, как кафе. В середине круг и по краям его за барьером столики. Каждый час в течение 10 минут на катке танцуют вальс. Танцуют исключительно прекрасно. В особенности одна девушка в голубом, с красивыми ногами.

Каток меня хорошо встряхнул. Дороговато только.

Получил в посольстве почту и пошел в театр. Театр был полон до отказа.

Кроме этой пьесы играли вначале одноактную шутку. Это еще ничего, но много рассуждений. Дикие полуголые с острова Таити жестикулируют, как люди с франц(узского) бульвара.

Вдруг меня от этого оврата, от этого отсутствия искусства охватил такой тяжелый тупой сон, что еле выволок ноги из ложи и ушел домой.

8 декабря

Утро, дождь. Один поехал в Версаль. Обедал в Hotel de France около замка. Хотел идти в парк. Почувствовал себя плохо. Пошел по улицам Версаля, там такси и автобусы всегда могу взять, если что случится.

9 декабря

Завтракал у худ. Мюрея. Его жена русская. Сын хороший. В ателье много работы. Мюрей горит жаждой открывать наше новое все с новых и новых сторон... Жена его прекрасный скульптор. Наметили художников для выставки у нас.

Хорошо беседовали. Он метко характеризовал своих коллег-художников.

В шесть был у меня Вормс[1]. Этот нам сочувствует, тоже хочет помочь. Но горизонт у него не размашистый, и в понимании нас он бежит по проторенным дорожкам.

В 8 вечера был на даче у Стенбергов[2], был Потемкин, тоже с женой. Еще три француза. Потемкин говорит так же, как скрипят сапоги при ходьбе.

Ехал с ним обратно. Он расспрашивал, кто Стенберг и каков его вес.

---

[1] Лицо неустановленное.
[2] Лицо неустановленное.

10 декабря

Был в Bibliothèque Nationale. Неудачно. Не было директора.

Был на фильме «Чапаев». Сначала парад, потом «Гармоники» (наивно, но хорошо). Правда, все-таки бедная обстановка. Просто в нашей жизни в сравнении с иностранной странно мало вещей. Это и есть материальное выражение бедности культуры.

С Германом на «Чапаеве» был меньшевик Николаевский. Он прослезился. В особенности в сцене прощания Чапаева с Фурмановым. Цензура много хороших мест вырезала.

Жду писем из дома.

11 декабря

Много сидел в полпредстве. Готовил почту на завтра. Пришел бестолковый ответ из Москвы: мы, дескать, не знаем, из чего состоит архив, и не можем заглазно, и т.д. А зачем же нас посылали? Из чего он состоит, известно из наших докладов. Кроме того, есть снимок и фото.

Странный метод работы. Потом нас же, как куриц, обвинят. И не возражай. Я – возразил.

Была Billard (жена француза – польского еврея, говорящего по-русски). Она инженер и работает по рационализации (научной организации) труда. Хочет быть у нас. Жаждет ближе знать стахановское движение. Симпатична. Близка нам, понимающая и умная. Презирает обществ. строй Франции, не дающий развернуться научно-технической мысли.

Был у зубного врача Примак. Она все такая же. Знает дело. Работу Гавронского назвала шарлатанством, но просила ему не говорить. Значит, для приведения в порядок моего рта потребуется еще около 8600 франков. Заплатит ли Москва? Иначе весь организм интоксицируется. Ну и болезнь же у меня. Придется по уговору Примак дать ей выдернуть мне зуб. Скоро совсем останусь без зубов.

Вечером Rollon[1]. Он напуган. Догадывается, что мы хотим прекратить переговоры. «Это, – говорит он, – русская манера. Русские хотят обо всем хорошо быть информированы. Это, а не что-либо другое важно для них. Теперь они знают, где архив. Хотят знать, из чего он состоит, и как узнают, так удовлетворятся. Больше ничего им не нужно. Так вот, – рассказывал Rollon, – я недавно провел ваших людей на завод Шнейдера в Крезо. Говорили, что хотят купить пушки. Все военное министерство было приведено в движение. Оказалось же, что им нужны были по одной пушке каждого сорта, как образцы. Вот и все. И я оказался ненужным».

Мы утешили его, пообещали уплатить за потраченное на нас время даже в том случае, если сделка не состоится. На радостях он разговорился и рассказал, как министр внутренних дел в 1925 г. организовал группу провокаторов-коммунистов, которые должны были кричать при открытии Красиным советского павильона на Международной выставке: «Да здравствуют Советы повсюду!»

За это и удалили Красина. Разыграно было специально, чтобы его скомпрометировать.

---

[1] Лицо неустановленное.

12 декабря

Завтракал с А. Жидом. Он пришел ко мне в то время, когда у меня сидел Карахан. По-французски К. говорит плоховато, все больше по-английски. Карахан ушел. Мы остались с Жидом. Он подарил мне книгу, сказал, что написал ее для будущих поколений. Подтвердил, что поездка в СССР была отсрочена только из-за статьи А. Толстого.

За завтраком рассказал мне, как в Испании один швейцар узнал его и попросил устроить присылку в Мадрид нелегально Journal de Moscou[1] (через какой-либо парижский адрес). Жид это сделал. На обратном пути (из Африки) встретился с тем же швейцаром. В качестве «на чай» предложил ему папирос. Швейцар ответил, что теперь не курит, не пьет, ложится в 10 ч. спать, потому что жизнь становится такой интересной, хочется как можно дольше жить, чтоб видеть, что будет. Швейцар представил Жиду 3–4 своих товарищей, тоже швейцаров, которые верят в то, что в Испании разгорится настоящая коммунистическая революция. Что сначала компартию плохо поняли и что теперь только она может иметь огромное влияние. Реакция, наступившая в Испании, заставляет пролетариев именно так думать.

Жид очень тонко и мягко посмеялся над Горьким, выступающим с политическими статьями по всякому поводу.

Жид написал пьесу.

_____

¹ Пропагандистский журнал, выходивший в Москве.

13 декабря

Дочка моя, Леночка, по-видимому, больна нервно. Я написал откровенно Гере, чтобы она поухаживала за ней и была бы к ней снисходительна.

На мосту вечером – холод. Далеко за Сеной падало солнце, растекаясь багрянцем по небу, на мосту большой полный человек, горбоносый с багровым лицом, седыми бакенбардами, в старинном пальто с пелериной, под брюками сапоги. Старинная черная шляпа. Он кутал лицо в воротник своей старинной шинели, точь-в-точь, как Акакий Акакиевич. Вероятно, это какой-нибудь бывший знаменитый актер. Он и сейчас прекрасен на фоне заката над Парижем. И Париж, и он, артист, закатно-багровые.

Жду швейцарскую визу. Задерживают вот уже две недели.

У зубной врачихи скандал: требует выдернуть зуб. Я не решаюсь. Примак пришла в раж. Наконец решили отложить на завтра.

Был у Шнитмана. Работал, писал дневник.

Начал статью об ученых (в записной книжке).

14 декабря

Говорил с Москвой. Подозрительно кратко: Москву вдруг оборвали и сказали – довольно, больше нельзя.

В полпредстве Безыменский нахально просил у меня 200 фр(анков), чтобы Арагон мог устроить прием поэтам (в том числе и Безыменокому). При этом меня, у которого просят денег, даже не приглашали. Разумеется, я отказал. Тогда нахал Безыменский, обезьяно-безобразный, обиделся: «Это помощь ВОКСа. Я не мальчик. Я понимаю» и т.д. Дурак круглый и в нахальстве хочет уподобиться Маяковскому. Но у последнего нахальство было приятно, потому что всегда в нем присутствовал бдительный и опасный ум. А здесь – полено, пастух.

Примак выдернула зуб. Без анестезии. Сделала легко.

Жену не видел со Стокгольма, с 1926 г. Милая, добрая женщина взяла посылку для жены и детей.

15 декабря

Восстанавливаю в памяти, что было сегодня. Долго не писал дневник.

Позвонила Ас.[1] Довольно скучно. Боясь сердечного припадка и, желая походить, поехал с ней в Сен-Клу. Шпики. В поезде веселая молодежь. Думал, это фашисты, но у каждого в петлице пятиперстая звезда – коммунисты. Рабочие. Показывали друг другу свои картины, сделанные на обыкновенной рисовальной бумаге красками и карандашом. Они критиковали свое творчество. Картины были сделаны наивно, но со вкусом: лица рабочих, станки, сады, виды природы. Потом они пели свои веселые песни.

В Сен-Клу было скучно. Завтракали в уютном ресторане. Интересная хозяйка, ее неинтересный муж, маленький двухгодовалый сын, бледный и худой, с очень толстой бабушкой, смотрящей приветливо и на нас, и вообще на все предметы, куда ни упал бы ее взор.

Конечно, моя спутница Ас. едва сделала несколько шагов по мокрому снегу, зазябла и запросилась домой. Поехали на трамвае. У порта я оставил ее и пошел в больницу к поэту Луговскому. У него застал Сельвинского, Кирсанова, Безыменского, Фрадкина и какого-то неизвестного, польского происхождения говорящего по-русски, имеющего свой автомобиль. На этом-то автомобиле и потерпел аварию Луговской. Уходя от него, мы все, в особенности я и Фрадкин, интересовались тем, как этот неизвестный приехал и присоединился к Луговскому. Поэты толком не знали, но говорили, что это друг Луговского. Странно, откуда взялся друг польского происхождения. Всегда в Париже найдется какой-нибудь такой друг. А Луговской, говорящий только высоким стилем, например, к поэтам: «Друзья – свет очей моих» и т.д. в том же духе, должно быть, мыслит тоже высоким стилем. Слова поэта обязывают больше чем кого-либо другого. Мысля выспренне, Луговской, естественно, мало заботился о том, кто этот «друг». Такая беззаботность не мешает ему произносить левые речи, «ультра-православные». «Мы работаем для создания социализмом условий укрепления мира», – говорил он в Праге. Не знаю, как этот его польский друг помогал ему созидать социализм и бороться за мир. Слова – одно, дело – другое. У нас теперь заботятся только об одном – погромче бы были слышны слова...

Вечером с Жаном-Ришаром Блоком я был на спектакле «Elisabette» (famme sans homme).[2]

Врач-психиатр Josset написал единственную вещь на сюжет царствования королевы английской Елизаветы. В ней боролись два элемента – госуд(арственный) человек и женщина. При этом она не была, как Екатерина, нуждавшаяся в беспрестанной и пылкой звериной страсти. Она любила графа d'Essex. Мучилась этой любовью, потому что в ранней молодости была изнасилована другим графом и получила отвращение к технике полового акта. Поэтому отталкивала графа каждый раз, как только он приближался к ней. Однако, как государственный человек и как женщина, она использовала свое чувство к нему. Так, пообещала выйти за него замуж, если он усмирит Ирландию. Вместо усмирения граф, возглавив армию против Ирландии, направил ее против Елизаветы. Это ему не удалось. Его арестовывают и казнят. Терзая себя, Елизавета заставляет свою придворную молодую леди Howard (ее играет русская артистка), рассказать во всех подробностях, как граф d'Essex брал эту леди. Для леди это тоже мучительно. Пьеса кончается бредом Елизаветы, будто она – как было обычно – играет в карты с графом. Жуткая вещь. Елизавету играет гениальная артистка (забыл имя!). Она уже старая, имеет пятерых детей. После спектакля Блок и артист, который играл Бэкона, друг Блока, пошли ужинать. Мило и интересно беседовали о театрах и искусстве. Дом, где этот театр, был обитаем раньше – Boileau[3], в нем Мольер давал прежние свои представления и обсуждал с Буало и его друзьями проекты своих постановок.

---

[1] Лицо неустановленное.

[2] «Элизабет» (женщина без мужчины) (фр.).

[3] Николя Буало – французский поэт, критик, теоретик классицизма.

16 декабря
Урок французского языка.

Меня посетила молодая художница. Очень увлечена СССР. Хотела бы там показать свои работы. Видел ее фотографии – ничего особенного, футуризм-символизм. Много работает над собой.

Пианистка добивалась возможности показать в СССР свой новый метод обучения музыке посредством фильмов. Прекрасно говорит по-русски. Путается в объяснениях, когда уехала из России. Много реклам представила о самой себе. Нехорошо.

17 декабря

Думал, что приглашен на завтрак, спешил. Оказывается, приглашен на обед. Вспомнил, что Рубакин рассказывал мне, с Фридманом[1] – на днях произошла такая же история. Он всех позвал к себе якобы на встречу с нашими поэтами, а прием был у Арагона. Пришедшие «поцеловали замок» у Фридмана и ушли к Арагону.

---

[1] Лицо неустановленное.

18 декабря

Был в ателье у художницы. Неприветливая крупная женщина. Неприветливое большое холодное ателье. Страшные, хотя и интересные по композиции неприветливые рисунки. Большинство на тему одиночества и ограниченности сил отдельного человека. А раньше она давала реалистические изображения рыжей женщины. Было солнечно.

26 декабря

Вечер. Опять я в самом гостеприимном доме, какие когда-либо знавал, у Ромэна Роллана. Ложусь спать на кровати, где умер отец Роллана. Весь вечер прошел в интенсивной беседе. Тонкий, наблюдательный, одновременно жизнерадостный и страдающий мыслями мучим теми же самыми вопросами, о которых говорил мне вчера тоже интеллигент и тоже наш друг, швейцарец Гуревич. Это: почему С.[1] не отвечает на 2 письма, Горький отвечает, но не на вопросы, какие ему ставят, Бухарин вовсе не отвечает, Крючков, который славится точностью и исполнительностью, на четыре письма не шлет никакого ответа.

– Я думал, – говорил Роллан, – после моего пребывания в СССР связь с тамошними людьми усилится, а вышло наоборот – никто не отвечает. Будто все рассердились на меня. Между тем пишут мне много, но все только просьбы высказаться по поводу разных празднований. Иногда на одну и ту же тему требуют поздравления для разных печатных органов одновременно. Но если я даже пишу, то печатают не все. Так, например, по поводу комбайнеров я написал, что приветствую повышение производительности труда, но если оно, и вообще стахановское движение совершается только потому, что лучше оплачивают его, то это не так утешительно, ибо это может как раз затормозить настоящий энтузиазм.

Роллан решил написать Сталину, чтоб отправить письмо со мной.

Вообще, как я и предвидел: внутренний мир Роллана точного и очень чистого сложения политику принял за этическую деятельность и не вынес московского ловкачества. Он слишком нетерпеливый человек, чтоб равнодушно проходить мимо явления, которое еще не слишком ясно освещено. Роллан слишком глубоко впитал и нашего Льва Толстого, и Ганди, и слишком он француз – потомок благородных римлян, тех, кто без страха перед казнью переходили к христианству.

Спать в доме Роллана было так тепло и душевно, как можно только в мечтах. Удивительно, как глубоко духовный облик человека чувствуется в каждой шторе, в каждой книжной полке и гравюре на стене его дома. Даже воздух дома действует как-то на мысли. Хочется писать и писать.

---

[1] И.В. Сталин.

27 декабря

Встал разбуженный Марией Павловной. Тотчас же открыл окна. Прямо мне в глаза глянули горы, как други в блестящих белизной шапках. Они были такие близкие, такие добрые, одновременно близкие и восходящему солнцу, и мне.

Выпил чай с Марией Павловной. Наверху работал Ромэн Роллан. Я поднялся, чтобы проститься. Лицо Роллана утомленное, осунувшееся. Лежит в постели, пишет.

Уговорились о некоторых технических вещах – куда писать и прочее. Очень тепло простились. Мария Павловна проводила меня до вокзала Montreux. Стоят такси, в них нет шоферов. Зашли в вокзал, нашли одного. Сторговались. Он повез меня в Лозанну, Мария Павловна пошла обратно, помахав мне на прощанье рукой.

Едем. Слева Женевские озера. Справа горы, как други – близкие и мне и солнцу.

Лозанна. Вокзал. Меня встречает Рубакин[1] – старик с колючими седыми волосами. Толстый, низкий. Машина. Около нее секретарь Рубакина Бетман, сын – молодой Рубакин. Сразу заметно разительное и грустное сходство с другим молодым Рубакиным, что в Париже – тоже сын его, но только от другой матери. Оба сына почему-то страшные – в отца.

Так как я нелегален в этом кантоне Швейцарии (мне разрешили в Цюрих и Берн, но не в Лозанну и Женеву), то старался конспирироваться с шофером, говорил с ним по-французски. Рубакин-отец, знающий мою нелегальность, подошел и, не успел я еще расплатиться с моим шофером, добродушно заговорил со мной по-русски. «Ну, здравствуй, рады Вас видеть! Как доехали?» – и пр.

Я отвечаю ему по-французски – никакого эффекта.

Молодой Рубакин предложил мне на машине ехать до Женевы.

– Охотно, но это неожиданно для меня. Идет дождь и мокрый снег. Скользко.

– Ничего, доедем.

Поехали. Дорога была ассигнована для разговора с Рубакиным. Он жаловался на отношение к нему. Я говорил, что это потому, что он не едет в СССР. Он хочет поехать, но с Бетман. А как же паспорт? Ведь у него нансеновский. Удивлен, что на этот эмигрантский паспорт он не получит визы СССР – нужно советское гражданство. Тогда опасается, что швейцарцы запретят ему быть во главе основанного им библиопсихологического института. Я ему – выбирайте. Трагический финал всей беседы. От времени до времени он говорит Бетман: «Машенька, запишите это» или «Машенька, заметьте и это».

Машенька только кивает головой и что-то делает руками. Она сидела рядом с молодым Рубакиным, который вел машину.

В Женеве меня ждет машина из парижского полпредства, чтобы вывезти все чемоданы с архивом. Следовательно, Рубакин и его окружение мне помеха. В Женеве корреспондент ТАСС Гельфанд и шофер будут ждать у поезда. Молодой Рубакин ведет машину преотлично, и мы, несомненно, будем в Женеве раньше поезда. Насколько возможно деликатно, поясняю ситуацию Рубакину. Он не смущен, наоборот. Говорит, что все мы большие конспираторы, что он сам даже безбоязненный человек, потому что с 1918 года «с Советами».

Прошу остановить за несколько шагов от вокзала. Подъезжаем к самому главному подъезду. Прошу прощание сделать кратким, чтоб не привлекать внимания вокзальных шпиков. Прощаемся долго, по-русски, с повторениями, просьбами, выражениями надежд, рукопожатиями. Наконец иду в ресторан вокзала. Оглядываюсь – все трое «конспираторов» за мной. Я – от них. Они знаки вежливости подают. Я – на перрон. Подошел поезд. Я смешался с приехавшими, встретил Гельфанда и шофера. Все в порядке. Великое сомнение: чемоданов восемь, они велики, поместятся ли в машину. Однако поместились. Машина готова треснуть. Теперь самое главное – провезти через границу. Обедаем у Гельфанда. Связываюсь с Москвой, моей квартирой, по телефону. Прямо попадаю на дочку Олечку: «Папа, это ты, папа?»

А мне неудобно перед другими ответить «папа», вызов был деловой, говорю: «Аросев».

Оля догадалась, позвала Геру, она обрадовала меня тем, что есть разрешение ехать в Москву и с детьми будто бы стало лучше.

Выехал на границу. Шофер опытный, ездил много раз и знает, на каких пунктах какие постовые. Где сердитые, где формалисты, где ребята «ничего себе». Мы поехали к пунктам, где ребята «ничего себе». Шофер же надоумил меня: «Скажите "делегасьон совьетик", и все поймут, что, дескать, делегация наша из Женевы, ей и принадлежит багаж. Все пройдет прекрасно».

Подъезжаем к пункту. Стоит швейцарец. Действительно, парень «ничего себе». Он остановил нас. Я сказал, что «делегасьон совьетик». Швейцарец воздел руку к козырьку – мы поехали дальше к французскому посту. Там то же самое. Нам предстояло подъехать ко второму французскому посту. Про него шофер сказал: «Там две смены. Иногда хорошие, иногда – херовские. В прошлый раз, когда ехали с Потемкиным (полпред в Париже), – стояли херовские. Потребовали у Потемкина объяснения, что за багаж. А Потемкин шоферу: "Alle!" – и никаких. Машина проехала, херовские пограничники разинули рот и смотрели во след».

Когда мы подъехали к пункту, шофер успел мне шепнуть – сегодня ничего ребята. Я произнес «делегасьон совьетик», нам козырнули, и все было в порядке. Архив вывезен.

На французской территории меня ждал Герман.

Провинциальный отель. Все дешево, все добрые и ничего не знают. Груз отправили с шофером поездом в Париж. Усталость. Ночью в полпредстве. Груда писем. Нужно ответить.

---

[1] Н.А. Рубакин – русский книговед и библиограф.

28 декабря

Утром работал. Обедал в случайном ресторане. Звонок телефона. Зубной врач. Голлан. Ничего особенного. Укладка вещей.

29 декабря

Покупки. Укладка вещей. Телеграммы через полпредство. Визы. Прощание с Парижем. В II ч. утра был у Леона Блюма. Он в пижаме. Расстроен, но тепло встретил. Я к нему о нашем деле покупки и текста договора – существо изложено в отдельном докладе. Нет, он никакого отношения к назначенной цене не имеет. Недаром же он, когда на заседании Адлер назначал цену или говорил о ней, всегда отходил к окну, становился к нам задом и вообще изображал нейтралитет.

Когда я кончил о своем деле, Блюм сказал:

– Теперь я имею со своей стороны кое-что Вам сказать... О совершенно постороннем и касающемся скорее только меня лично. Вы увидите в Москве Ваших руководителей. Скажите им, а если бы Вам удалось, то передайте лучше всего Сталину, что я, Леон Блюм, глубоко переживаю идею единого фронта рабочего класса. Мне 64 года, я скоро отойду в небытие. Приглашение из Москвы создать единый фронт сразу подняло и воодушевило меня. Оно воскресило мою старую идею, мечту всей моей юности – создать единый фронт рабочего класса. И если бы теперь эта идея удалась, осуществилась, я бы считал, что цель моего пребывания на земле исчерпалась до конца и я могу спокойно отойти в вечность. Единый фронт пролетариата – это самая великая радость для меня. С воодушевлением и с силой, которым я сам удивлялся, я начал работать для создания единого фронта. Я старался смягчать наши отношения с Москвой, решил быть деликатным во всем, что касается вашего и нашего социалистического государства. И все сначала шло хорошо. Но вот с недавнего времени наши французские коммунисты начали кампанию, направленную на раскол нашей социалистической партии. Коммунисты сейчас открыто ставят это своей целью и во имя ее стремятся использовать единый фронт. Возьмите и прочтите в «Юманите» хотя бы сегодняшний манифест коммунистической партии. Вы увидите, что тактика французских коммунистов заключается в том, чтобы только использовать единый фронт в целях еще более глубокого расщепления рабочего класса. Я поэтому ставлю перед собой и перед вами, перед вашими руководителями вопрос: действительно ли они хотят создать единый фронт рабочего движения или же они этот лозунг используют только как тактический прием? Я прошу вас этот вопрос поставить в откровенной товарищеской форме перед вашими руководителями и прежде всего перед Сталиным. Передайте им, что Леон Блюм очень эластичен, что я пойду на большие жертвы лишь бы утвердить во Франции и распространить на другие страны тактику единого фронта. Я бы желал, чтобы Москва говорила со мной просто, по-товарищески. Если Москва замечает какие-либо недостатки единого фронта, пусть лучше прямо и конфиденциально скажет мне, чем начинать с полемики французских коммунистов против нас.

Я заявил, что я прислан в Париж не для того, чтобы принимать или передавать какие-либо политические декларации, на что Блюм ответил, что он ведет со мной не политическую, а интимную беседу, слова, произносимые им, вырываются из самого сердца, он, Блюм, уверен, что если здесь, во Франции, пошатнется единый фронт, то наступление самой черной реакции обеспечено. Блюм так встревожен этим, что, говоря со иной, даже всплакнул. Я поблагодарил его за доверие, оказанное мне, и сказал, что если будет случай, его слова передам руководящим товарищам. Однако заметил, что прочности единого фронта угрожают также и сами социалисты. Так, совсем на днях Адлер предпринял, пока, впрочем, в узких своих кругах, кампанию за организацию массовых и коллективных протестов против арестов меньшевиков и интеллигенции в СССР. (Об этом я узнал от Мюнценберга[1], который говорил, что под руководством Адлера выработан текст протеста, сведения эти Мюнценберг сообщил Димитрову.) Такие действия Адлера и других социалистов не могут способствовать упрочению сотрудничества компартий с социалистическими. Леон Блюм выразил совершенное удивление. Он об этом ничего не знает. На днях Адлер, действительно, был в Париже, у Леона Блюма было совещание с Адлером и Торесом (коммунист) по вопросу об избрании Бенеша президентом Чехословацкой республики и об использовании этого обстоятельства, принимая во внимание, что Бенеш – социалист. Но ни о каких протестах против правительства СССР речи не было. «А если бы и зашла речь, то я, – говорил Блюм, – первый был бы против и употребил бы все свое влияние, чтобы протесты не имели места».

Во всяком случае Блюм обещал немедленно узнать, в чем дело и «одернуть», если надо, своих коллег.

Вдруг, опять как-то задумавшись, Л. Блюм лирически спросил меня, знал ли я лично Ленина. Я ответил, что знал и что получал от Ленина иногда личные распоряжения. Принимал участие в совещаниях у него.

– А не приходилось ли Вам слышать суждения Ленина о созданном им III Интернационале?

– Нет, не приходилось.

– Может быть, из уст других товарищей Вы слышали высказывания Ленина по этому поводу?

– Вероятно, слышал. Но какие в точности, сейчас сразу вспомнить не могу.

– Видите ли, мне кажется, что Ленин до создания III Интернационала испытывал большие колебания, и, создав его, он моментами как будто переживал разочарование по этому поводу.

– Я, по правде сказать, поражен Вашим предположением. Интимных мыслей Ленина о созданном им III Интернационале я, конечно, не знал и знать не мог, но вся его деятельность, все написанное и сказанное им до создания III Интернационала и после свидетельствует о его непоколебимой и горячей вере в правильность и значимость созданного им. Ни у меня, ни у любого другого коммуниста нет никаких оснований думать, что было расхождение между написанным Лениным и III Интернационалом, мыслями, какие он высказывал и деятельностью, какую он осуществлял.

– Я лично думаю, – высказался Леон Блюм, – что если бы не был создан III Интернационал, то 10 лет тому назад во Франции была бы уже советская власть. Была бы она и в Германии. Расщепление движения рабочего класса помешало этому.

Я ответил Блюму, что едва ли марксисты могут предаваться мечтам, что было бы, если бы и т.д. Эти мечты выявлял Лев Толстой в своем послесловии к роману «Война и мир», когда писал: «Бессмысленно рассуждать о том, что было бы, если бы вместо весны была осень, а вместо осени весна». Ленин создал третий Интернационал потому, что партии второго голосовали за войну, предали рабочий класс – все это прекрасно изложено в речах Ленина и Сталина и в статьях наших журналов, газет, в книгах и пр.

– Конечно, – грустно добавил Блюм, – Ленин еще не ясно себе представлял тогда, что строительство социализма в одной стране возможно. Ваша партия это доказала. Сталин проявил себя как исключительный гений строительства и тактики современного коммунизма. Спорить не о чем. Социализм фактически в вашей стране строится. Это существенно изменило всю международную ситуацию и меняет ее каждый день. Это, именно это обеспечивает возможность согласия и сотрудничества между II и III Интернационалами. Я только еще раз хочу обратиться к Москве с простым товарищеским вопросом – нужен вам единый фронт для дальнейшего раскола рабочего движения или для действительного и длительного сотрудничества. Мне важен не официальный, а именно товарищеский ответ.

Весьма расстроенный, но с подчеркнутым теплом, Леон Блюм проводил меня до выхода.

От Блюма пошел без всякой цели. Магазины открыты. Покупал, зашел в залитый солнцем ресторан средней руки. Дешево. Аппетитно.

Дома, т.е. в отеле, укладывался.

---

[1] Вильгельм Мюнценберг – немецкий коммунист, видный деятель Коминтерна.

30 декабря

Хлопоты последнего дня. Заботы о паспорте и билете. Пластинки. Выбрал, купил.

Опоздал к поезду, ушедшему в 17.40, ехал на другом, в 18.20.

В Страсбурге ночью нагнал тот поезд, что ушел в 17.40. Пересел в спальный вагон, в купе с очень разговорчивым, гостеприимным и комичным дипломатическим французским курьером.

31 декабря

Пришел к II ч. вечера в клуб Торгпредства встречать Новый год. Александровский – слишком гостеприимно меня встретил. Подозрительно. Или его тянут по делу Калымова[1], или что-нибудь мне уже напакостил. Между прочим, он (даже он!) говорит мне:

– Прямо не понимаю, как это вышло, что мы стали вдруг прославлять елку и, главное, в статье секретаря ЦК!

Потом, за столом его просили произнести речь. Он опять ко мне:

– Зачем речи, да еще полпреда: не люблю коммунистические обедни.

Откуда у него такой смелый тон? Он и речь говорил в таком «вольном» духе, возражая секретарю ячейки, который начал и кончил об энтузиазме строительства. Александровский говорил:

– Теперь нужно веселье, а не учитывание того, что мы делали и как мы сделали... Да здравствует елка... Впрочем, мы ее ненавидели раньше, а теперь она... веселье и да здравствует и все в таком духе...

Под конец вечера меня упросили декламировать. Я прочитал Зощенко «Искусство Мельпомены», «Кинодрама». И Чехова «В бане», «Хамелеон» и «Мыслители». Понравился больше Зощенко. Еще бы!

---

[1] Лицо неустановленное.

ТЕТРАДЬ № 5

Нет, положительно каждый штрих нашей жизни достоин записи и описания. По этим записям молодое поколение будет изучать, как самовольно обходится с людьми безжалостная история.

1936 год

27 апреля

Вчера приехал в Москву. На вокзале сын, жена, сотрудники. Дома разборка вещей и раздача подарков. Сын мой – превосходный мальчик. Пленяющий и чарующий. Боюсь, что его нежной и впечатлительной душе будет трудно в жизни. Я все больше и больше боюсь за него. У меня одно стремление – как можно старательнее сделать все, чтоб дотянуть, когда он будет большой. Весь день провел в семье, вечером было семейство Бык (она весьма подозрительна и неприятна. Кажется, ничего не делает без выгоды для себя). Пришел неожиданно и Чернышев. Он, кажется, сдался и советски омещанился вполне. Слушали новые французские пластинки.

8 мая

«Как гибнет любовь». На эту тему есть у Льва Толстого. Будет и у меня.

После обеда был у зампредсовнаркома Антипова по вопросу о зарплате. Хорошо, без малейшего ожидания принял. Товарищески беседовал. Пошел мне навстречу без всякого бюрократического ломания и не корча из себя «L'état c'est moi»[1] как делает это почти каждый бюрократ в той или иной степени. На мой вопрос: «Как живешь?» – показал на стол, заваленный папками и бумагами, и сказал: «Утопаем в бумагах».

– Да, действительно. Но важно, что ты, не в пример другим, сохраняешь боевой дух. Главное – боевой дух, – сказал я ему.

– Дух – это есть, дух сохраняем, – ответил Антипов.

Он принимал меня в помещении комиссии Советского Контроля, занимающей несколько комнат 8-го этажа прекрасного нового дома СНК СССР в Охотном Ряду.

Оттуда – в ВОКС. Написал письма.

Дома старшая дочь Наташа, что-то очень нежна была. Или перелом у нее ко мне, или чего-то хочет. Говорили с ней о русской истории и об истории фр(анцузской) революции. Из рук вон слабо знает и то, и другое. Очень слабо преподают. Мучают детей общими «измами» – капитализм, феодализм, ослабление, усиление. А где же конкретные, полнокровные формы жизни?

Часов около семи пришел ко мне сын. Мы с ним поиграли, я его понес на половину жены. Ее не было. Где она – неизвестно. Впрочем, скоро вернулась. Я предложил ей пойти в театр Мейерхольда на «Ревизора». Согласилась. Смотрели «Ревизора» – не Гоголя, а Мейерхольда, и даже не «Ревизора», а скорее «Хлестакова». Ибо у Гоголя центр в том, что ждут ревизора и ревизора обрабатывают, а у Мейерхольда Хлестаков обрадовался, что он стал ревизором и сам «обрабатывает» чиновников и их жен. Может быть, поэтому Мейерхольд ничем не мотивирует отъезд Хлестакова и даже выпустил всю сцену, где Хлестаков пишет письмо. Тем, кто не читал «Ревизора» Гоголя, непонятно, почему письмо оказалось у почтмейстера и даже непонятно, кто, собственно, его автор. Непонятно, почему почтмейстер распечатывает письма, ибо нет сцены, где об этом просит его Городничий (по Гоголю). Да вообще, и звания Гоголя не осталось.

После спектакля поехали домой, сидели в машине, как две холодные вчерашние котлеты. Так как квартира Геры (ее половина) была уже заперта, то она осталась ночевать в моей комнате, а я, как всегда, в столовой на двух диванах, составленных вместе, и опять без одеяла. Покрылся своим пальто и халатом. Начало дневника, помеченного 8.05, я делал, лежа в этой «постели». После часу ночи с маленькими сердечными экстрасистолами заснул. Проснулся в 6.30. Вообще последние дни, если только сплю не в Соснах, просыпаюсь ужасно рано, в 6 часов.

Утро. 9.05. Никуда не поехал. Работал дома. Приводил в порядок бумаги и писал.

---

[1] Государство – это я (фр.).

16 мая
Вызвали в ЦК к Андрееву. Вопрос от него ко мне.

– Как живешь?

– Плохо. Ты мое письмо читал?

– Насчет жинки?

– Да.

– Читал. Разве так в ЦК пишут? ЦК имеет право кого угодно пустить, кому угодно отказать.

– Совершенно справедливо. Но поскольку всем другим товарищам, посланным по одному делу со мной, было разрешено вывезти жен, а мне после трехкратного ходатайства отказано, значит, для меня создан специальный режим. Я имею право интересоваться – почему, тем более что подобное происходит впервые со мной.

– Да чего ты. Вовсе никакого специального режима тебе не создавали. Мы тебя ни в чем не подозреваем, ни в каких грехах антисоветских...

– Ну еще бы.

– ...ни в каких-либо других. Поэтому нет причин для тебя создавать специальный режим. Если бы ты в Париже был в отпуску, ну тогда другое дело.

– Я просил жене отпуск, потому что она больна – это одно, и потом, там, за границей, у нее родители и возможность лечения. Следовательно, вы не дали ни возможности лечения, ни повидаться с родителями. Я думаю, это никак нельзя назвать заботой о человеке...

Андреев очевидно смущен. Он не смотрит на меня, но понимает, внутренне согласен со мной и поступал бы так же, как я.

– Вы меня, товарищ Андреев, поставили в очень, очень тяжелое положение.

– Очень тяжелое?

– Да.

– Очень?

– Да.

Андреев внимательно, очень понимающе и опять очень сочувственно посмотрел на меня.

Я сказал ему, что в последнее время мне все отказы да отказы. Вот, например, отпуск дали на 1 месяц, а у меня одно лечение займет 1,5 месяца. Три года я вообще не был в отпуске.

– Прошлое не считается. Мы, политбюро, тоже берем по месяцу. И тоже за прошлое не считаем.

Разумеется, Андреев говорил это, чтобы хоть что-нибудь сказать, ибо члены Политбюро берут отпуск на сколько хотят, и, во всяком случае, не меньше 1,5 месяцев. Я молчал устами и отвечал ему глазами.

– Ну полтора месяца еще можно. Напиши.

– У меня написано, вот.

Андреев взял от меня бумагу и тут же подписал разрешение на 1,5 месяца.

– Ты вообще, – говорил он, – сначала сговаривайся, созванивайся, а потом пиши заявления. А то раз напорешься на отказ, два – и составится о тебе представление как о нескромном человеке.

– Хорошо, я буду созваниваться.

Разговор опять перескочил на дело о моей жене. Вышло это так. Я сказал:

– Что ж, если ты считаешь, что я не такое заявление написал в ЦК, давай я его возьму назад.

– Нет, не бери, пусть останется. Но ЦК никак на него реагировать не будет.

– Значит, для меня остается тяжелое положение.

– Да ничего это не значит. К Бухарину мы жену пустили, потому что она беременна. К Адоратскому – дочку, потому что он поехал больной. Вот и все.

– А к Тихомирнову?

– Это вот мы зря сделали. Хотя он прожил там 8 месяцев.

– Нет, не восемь, а всего шесть, т.е. почти столько же, сколько и я. Только у меня был перерыв в один месяц, когда я приезжал в Москву.

– Тихомирнову можно было не давать, мы это напрасно сделали.

– От этого мне не легче.

– Правда? – Андреев опять на меня остро посмотрел.

– Да, мне очень тяжело. Я этого не хочу скрывать и смазывать перед ЦК, и думаю, что ЦК облегчило бы меня, если бы сообщило, какая причина. Впрочем, мне даже не важно, какая причина, а лишь довольно сказать, что причина есть.

– Зачем ей ездить к родителям. Пусть они сюда едут.

– Пожалуйста. Я вчера подал заявление и просил, чтобы дали разрешение на въезд отцу жены. В таком случае поддержи.

Андреев опять смутился и ответил неопределенно:

– Что ж, это можно.

Дальше мы говорили о делах ВОКСа.

Мое впечатление: Андрееву искренне меня жалко. Но он сам в клетке постановлений и дисциплины и не то что сделать, а объяснить ничего не смеет.

В его приемной увидал Цыпина. Этот типик – он редактор издательства «Детгиз». Предложил мне писать «Рассказ о Молотове» – т.е. книгу в 10 листов – популярное для детей изложение о Молотове. Я согласился. Завтра придет заключить договор. ЦК – отдел печати – постановил эту работу поручить именно мне – по словам Цыпина. Он, как приказчик Нехлюдова у Толстого в «Воскресении», все время улыбается. Это у него удачная и очень современная маска.

17 мая

Цыпин пришел в ВОКС заключить договор.

Написал письмо Бухарину. Главная цель – передать ему суть моего разговора с Андреевым. Бухарин в Париже понимал меня и сочувствовал. Но Бухарин политически трусоват и, главное, растерян, оттого что современность меряет старыми масштабами. У него старая «современность». Вот оно, это письмо:

«Дорогой Николай Иванович, прежде всего привет тебе и твоей жене. С сегодняшнего дня я нахожусь в отпуску. Однако, если бы вызывали по Парижскому делу в ЦК, то прошу тебя вызвать и меня, так как я живу под Москвой, в "Соснах". По целому ряду самых разнообразных, по преимуществу печальных, обстоятельств, ты знаешь, я хотел бы бросить ту работу, какую сейчас выполняю, и уйти в театр. Но нужна помощь и, конечно, твоя как товарища, в этом деле понимающего. Ты знаешь, кому и что сказать. Хорошо, если поговоришь и с Климом.

Недавно говорил с официальным и официально с высокостоящим лицом по поводу того специального режима, какой был ко мне применен, когда я находился в Париже, – ты знаешь, о чем идет речь. Лицо это не склонно было называть специальным режимом то положение, в каком я был, а поэтому считало, что и не существует явления, которое следовало бы мотивировать (я просил сообщить мне мотивы).

Беседа закончилась тем, что я сказал – отсутствие объяснения ещо больше отягощает мое положение (внутренне, субъективно). На это лицо обратило большое внимание, но выразило это внимание не словами, а глазами, т.е. он внутренне как бы согласился с тем, что действительно подобное положение может создавать моральную тяжесть.

Это один из мотивов, почему я хотел бы скорее уйти туда, где стал бы в ряд со всеми плотниками искусства.

Если будет у тебя досуг, охота и прилежность к тому, чтобы пояснить все это ТАМ, пожалуйста, поясни и не оставь меня, если можешь, без вестей.

Крепкое рукопожатие, твой».

18 мая

В «Соснах». Почти весь день, за исключением часов отдыха и обеда, провел с сыном.

26 мая

Отпуск портится: приходится искать дачу для детей, потому что та, на которую рассчитывал, сдана другим.

Вчера секретарь А.П. (Антонина Павловна Чертополохова) помогла искать. Нашла. Но сегодня оказалось, что дача тоже сдана другому (это в Усове). Сегодня утром просил съездить еще раз на поиски. Нашли – сняли за 750 рублей за лето, а мне надо только до 16.07. – потом дети едут в Крым, в Артек. Нечего делать, придется платить. А до этого нужно еще получить разрешение, потому что зона запрещенная. Говорил с Паукером. Отвечает – все зависит от Филатова. Звонил Филатову. Отвечает, что все зависит от Паукера. Я говорю, что Паукер ссылается на Филатова. Тогда Филатов обещает переговорить с кем следует и устроить.

Неожиданно узнал, что в моей квартире была О.В.[1] Зачем она пришла? Проверить, как живут дети, или заглянуть в наши шкафы и в особенности в мой письменный стол? Такое нахальство, грязь, неделикатность меня поразили. Как она могла это сделать без моего разрешения. Ведь дети к ней ходят часто и когда хотят. Несомненно, обозленная О.В. преследовала особые цели. Да и детей косвенно вовлекла в заговор против меня. С ними я говорил сегодня по телефону пять раз, и они ни словом не обмолвились о том, что у них мать. Какое-то укрывательство.

Случайно вечером узнал, что подписан декрет о платности всех домов отдыха. Этот декрет проводится в секретном порядке. Тов. Д.[2] говорит – потому что это не об абортах: как раз сегодня опубликован в газетах проект постановления об абортах и предложен на всенародное обсуждение.

В проекте сказано, что пособие матери повышают с 30 р. в месяц до 45, на питание детей с 5 руб. в месяц до 10. А бутылка молока стоит 1р.20 к. в лучшем случае.

Обсуждение декрета об абортах прошло сегодня же среди служащих нашего дома отдыха. Оно состояло в том, что один в полувоенной форме прочитал по записке уже известный проект декрета. Председательница спросила, не хочет ли кто высказаться. Кто-то спросил, как при разводе будут делить детей. Докладчик ответил –

так, как укажет суд. Но главные тяготы – «организатору развода».

После этого вопросов не было. Докладчик вынул записку из кармана и прочитал проект резолюции. В нем приносилась благодарность мудрости вождей, утверждалось, что декрет является величайшим достижением социалистического строительства, «совершающегося под...» и т.д.

Декрет же о взимании платы за отдых проводится тем временем в секретном порядке.

---

¹ Ольга Вячеславовна, первая жена.
² Лицо неустановленное.

31 мая

Утром в своем любимом месте у берега на противоположной стороне под кустами тальника. Напротив лодочник чинит лодку. Где-то отдаленные голоса. Гера ушла с сыном в лес. Я в лодке один. Пишу. День прекрасный. Ночь была холодная. Вода в реке прозрачная.

1 июня

Литературной работы много: кончить переделку романа «Корни» – пойдет под названием «Весна». Закончить отделку романа «Правда», писать брошюру о Молотове и ряд статей. Еще переделывать пьесу да читать.

Язык и мысль. Хочу выразить кому-либо свои помыслы, литературная работа рождает много вопросов. Говорить не с кем.

Гера стоит на прежнем: разделиться. Спрашиваю – причина? Смущенно говорит, что я за обедом проявляю много капризов, что балую детей и т.п. Если набираются такие причины, значит, есть одна, основная – любовь пропала. Мне снова предстоит быть одиноким.

В 16 часов за мной приехал Сливкин[1]. Едем с ним в Барвиху, на дачу детей. Час ждем моих дочерей из города.

Устройство, расстановка мебели, хлопоты о молоке, воде, электричестве.

В 9.30 прощаюсь с детьми, сажусь в машину рядом с шофером. Сердечный припадок, внезапно и страшно сильный. Сначала сердце подпрыгнуло под давлением снизу, со стороны пустого, голодного желудка и потом начало биться до 120–180, а может быть, и 200 ударов. Мордочки Лены и Оли вытянулись. Они стали мне помогать. Советовали выйти из машины. Может быть, и впрямь мне не следовало сидеть. Наконец я вышел. Около машины поставили кровать, складную, Олину, и я лег. Много рыгал – выходил газ. Холодные компрессы на сердце и голове (вероятно, нужно было теплые, ибо я чувствовал себя хорошо, когда Леночка, ставя компрессы, дотрагивалась до сердца теплой рукой). Послали (шофера) за доктором в санаторий.

Взошла луна и смотрела мне прямо в лицо. У меня началась дрожь (с ног) и то ухудшалось, то немного улучшалось дело. У хозяйки, которая тоже страдает сердцем, мне достали валерианки. Выпил 20 капель. У диафрагмы ощущал все время странное давление. В кишках тяжесть, в желудке голод. Съел бутерброд с маслом. Потом маленький кусок куриной котлеты. (Профессор рекомендовал во время припадка жевать.) Но мне ничто не помогало. Выпил еще 15 капель валерианки. Попросил вызвать по телефону Геру и врача из «Сосен».

Пока моя машина ездила за врачом в санаторий Барвиха, пока Лена и воспитательница Зинаида Яковлевна дозвонились до «Сосен», припадок все время продолжался. Я лежал и смотрел в небо, а рядом со мной была Олечка, которая беспрестанно спрашивала: «Ну что, тебе лучше, папа?»

Наконец пришла Лена и З.Я. Ленушка тоже все время спрашивала: «Тебе лучше, папик?»

Она сказала, что Геру и врача из «Сосен» вызвали. А моя машина, посланная за врачом в здешнем же селе, все еще не возвращалась. Наконец вернулась и она, без врача. В санатории врача нет, живущий в селе уехал в Москву. Дежурный врач, женщина, отказалась – дескать, у нее нет препаратов.

И только к 11.30, т.е. через два часа после начала припадка, приехала жена с врачом. Я уже чувствовал себя хорошо. Припадок продолжался до 10.40, т.е. 1ч. 10 минут. Потом сразу с 200 пульс упал до 75. Доктор велел еще немного положать. В полночь двинулись в «Сосны». Дети мои не знаю как легли. В общем, я с ними распрощался сердечно. Жалко, что малышки так долго не спали.

12 июня я должен был выехать за границу. Все было готово. Поезд отходил в 22.45. Вечером все родные и некоторые знакомые собрались у меня в квартире. В тот момент, когда мы все поднялись, чтобы ехать на вокзал, снова сильный припадок. Я лег. Пришедший дежурный врач констатировал пульс 160, потом 120 и таким оставался долго, потом 105 и по прошествии еще некоторого времени – 75. Это я считаю концом припадка, продолжавшегося 40 минут. Пришла слабость. Спал плохо. На другой день слабость, остался в кровати. Во время припадка принимал бромюраль и стрихнин.

Только 14 июня стало несколько лучше. Все еще оставалась слабость, но я выехал. В дороге хорошо. Надо сказать, что 8.06, т.е. за четыре дня по припадка, внезапно умер мой брат, он младше меня на 3 года (ему 42). На заседании ему стало плохо с сердцем, он тяжело дышал. Отвезли в больницу, через 40 минут он скончался. У него не было припадка, он чувствовал боли. Кажется, вскрытие обнаружило атеросклероз.

Я жил и активно работал за границей, Париж – Лондон – Прага – Париж, – без малейших перебоев. Был у профессора, он нашел сердце в порядке.

В 1936 году 22 апреля в 18 часов на улице Парижа сел на тротуар, потом переместился на скамейку. Припадок длился 20 минут. Я ничего не принимал. Была забастовка такси, и я не мог даже уехать домой. Полицейские, видя мою беспомощность, увезли меня в посольство.

---

[1] Лицо неустановленное.

8 июня

Поехали с женой в город. Можно было бы заехать за детьми в Барвиху (дети все равно должны быть в городе). У Геры лицо стало полно ненависти. Опять видеть моих детей ей противно.

Они поехали поездом, мы с Герой – автомобилем.

У меня много дел: принесли офиц(альные) бумаги, нужно отыскать рукописи, дать подробные распоряжения дочерям: об обеде, что из платья брать, что оставить и т.п.

Приехал на прием к Кончаловскому[1]. У него должен был быть и Васильев[2]. Но он русский человек, опоздал. Впрочем, и без того Кончаловский не мог долго со мной оставаться: ему позвонил Ходоровский (нач. Совупра Кремля), чтобы Кончаловский скорее ехал к Горькому.

Кончаловский вчера был у Горького.

– Как здоровье его? – спросил я.

– Видите ли, если разложить на плоскости легкие нормального человека, то они займут всю мою квартиру: 54 кв. метра. Легкие у Горького – одна десятая этой площади. Да и на этой-то десятой все сосуды склерозистые и сердце склерозистое. Люди непонимающие кричат: «Сердце, сердце» – а что сердце, когда у человека не хватает легких. Он вообще жил чудом и пред-

242

ставляет собою противоречие между анатомическим анализом и тем, что есть. По анатомическому анализу Горький должен был бы умереть 10 лет назад, но он живет. Возможно, и теперь спасется. Потому что он бывший босяк, это может его выручить. А пока лежит синий – кровь слабо подается на периферию, дышит с трудом и какое-то безразличие ко всему окружающему. Левин же только заботится о том, чтобы утешительный бюллетень для начальства составить. Так пишет бюллетени, словно над ним прокурор стоит. Вообще он только и делает, что углы сглаживает. Ходит и закругляет углы. В этом и есть его занятие. Но вообще, что делается у Горького, Вам как писателю было бы любопытно посмотреть. Там стоит огромный стол с яствами. Люди приходят – а посещает его теперь много народа – и закусывают, закусывают непрерывно. И пьют, и едят. Даже шоферов откармливают, как на убой. Все жуют. А Крючков ходит из комнаты в комнату и дует беспрерывно коньяк. К умирающему полное безразличие. Он уходит из жизни совершенно одиноким. Ужасно неприятная обстановка».

---

[1] М.Н. Кончаловский – профессор, основатель школы клиники внутренних болезней.

[2] Врач, помощник Кончаловского.

9 июня

День рождения дочери Лены.

Встал я утром какой-то очень новый и бодрый. Было 7 часов. И вдруг – как не раз бывало со мной такое преображение – мне стало ясно, что я теперь один, без жены, и что от того и мне, и ей будет лучше, и что этим какая-то особенно крупная проблема моей и ее жизни будет решена. Ни тени трагизма. Какая-то давно неиспытанная мною определенность. Кажется, и впрямь погибла любовь окончательно. Но как ей это сказать?

Я ушел из комнаты. Дочитал еще до завтрака чудесную работу «Язык и мысль». Отчетливо понимал изложение и мыслил в это утро очень активно и ясно.

Жена встала в 10.30. Хмуро смотрит. Предложила мне идти к сыну, так как она решила, что теперь мы должны у него быть не вместе, а по очереди. Сыну уже начали наносить вред раздельные свидания, поэтому я против этого и прошу хоть для сына сохранять декорацию семейства. Не согласна. Пожалуйста, как угодно.

Гулял с сыном. После прогулки тотчас же попросил у директора дома дать нам с «женой» две отдельные комнаты. Их немедленно предоставили, и мы весь остаток дня до обеда занимались переселением. Я был весел и хорошо настроен к Гере. Она – нахмурена, злобна, каменна.

Обедали как чужие.

После обеда она пошла к сыну, мне тоже хотелось увидеть его хоть ненадолго, не позволила. Мне ясно – это крайность, но чтобы не спорить, уступил.

Поехал в Барвиху к дочерям. Воспитательница стала жаловаться: плохо ведут себя, в особенности Оля. Стало быть, и в этом моем гнезде нет мне отрады. Поздравил Лену, дал ей подарок. Передал и подарок от Геры, потом и уехал обратно в дом отдыха.

Гера темнее тучи. Не потому ли, что видит мое равнодушие и сердится на себя за то, что ступила на непоправимый путь?

10 июня

Много работал над романом. После обеда Гера уехала в город. Я хотел дойти лесом до того места, где играет мой сын Митя, но все боялся сердечного припадка. Шел вперед, но потом возвращался. В лесу увидел белочку. Она бегала очень быстро и не боялась меня, не пыталась упрыгнуть на дерево, хотя несколько раз нежно обнимала стволы передними лапками.

11 июня

Сегодня на дачу переезжает старшая дочь Наташа.

Она должна была заехать за обедом и пайком в мою квартиру. Как-то в разговоре я об этом сказал Гере. Она тотчас же изменилась в лице, сказала – не допущу, чтобы здесь была Наташа.

– Но, Гера, квартира № 104 – моя. Твоя № 103.

– Да, но в кв(артире) 104 еще есть мои вещи.

(Как-то давно, без всякого стеснения Гера мне сказала, что считает Наташу нечестной, и вызвала с моей стороны горячий отпор.)

– Это все равно, – ответил я. – Наташа может приходить в квартиру 104.

– Я скажу вахтерам, чтобы ее не пускали.

– Нет, ты этого не скажешь, потому что о моей квартире только я могу давать распоряжения...

Конечно, она не звонила вахтеру. Но все равно тяжко и страшно жить в такой атмосфере, поэтому я твердо решил ориентироваться на детей и даже думаю поехать с ними в Казань или Ленинград.

Кстати, прочитал «Пугачева» Ольги Форш. Моя казанская земля-мятежная. История ее интересна. Потянуло к синеволной Волге.

21 июня

Просто удивительно. Прошло уже десять дней, а я ничего не писал. Произошло это как раз потому, что было слишком много переживаний. Они так калейдоскопичны, что их нужно записывать на бумагу непосредственно когда они случились. Но в такие моменты не побежишь же к письменному столу или к тетрадке. Со мной не было даже записной книжечки.

12 июня[1]

Был день рождения сына и была новая ссора с Герой из-за того, что я подарил ему картонную лошадь. Так как он несколько дней тому назад получил подарки от моих дочерей и от самой Геры, она боялась избаловать его частыми дарениями, значения которых он еще не понимает. Это довольно правильно, но реагировать так, как сделала она, не следовало бы.

Впечатление от Конституции отодвинуло все другие впечатления на задний план. Обязательно напишу о тех пунктах Конституции, которые меня особенно волнуют: 1 – равноправие народов, 2 – о суде. Суды вовсе не должны быть как постоянная институция, а лишь как комиссии, собираемые по мере надобности. Судить человека человек не имеет права, ибо ни у кого нет абсолютной мерки человеческих поступков. Поэтому задача комиссий должна состоять только в том, как выработать в человеке, совершившем вредное для общества дело, такие черты характера, чтобы он больше этого не повторил. Значит, речь должна идти только о перевоспитании, а не о наказании. Наказание относится к орудиям пытки и должно быть отброшено.

Пошел дождь, закрываю тетрадь, ухожу из леса домой. Продолжаю:

С этой точки зрения само собой отпадает и смертная казнь, ибо она никого не перевоспитывает, трусливых делает еще трусливее, а смелых – отчаянными. Поэтому и смертная казнь, не будучи инструментом воспитания, сама собой отпадает.

Но как писать об этих пунктах? Закон о Конституции принят ЦК, следовательно, несмотря на всенародное обсуждение, превратившееся во всенародное славословие и пустословие, я, как дисциплинированный член партии, не могу выступить с предложением, выходящим за пределы ее решения.

Кажется, мои мысли о «преступлении и наказании» придется оставить до поры до времени на этих страницах.

Что же было потом, 13, 14 и т.д.? Все то же самое.

Утром от 10.30 до 11.30 мы с женой и сыном переезжали на лодке на другую сторону, на песок в тень прибрежного тальника и там купались.

Потом небольшой отдых. Потом работа. Пишу биографию Молотова и исправляю роман «Весна». Начал и о Конституции.

---

[1] Эта и следующие записи сделаны по воспоминаниям прошлых дней.

14 июня

Я был в городе на приеме в ВОКСе.

Говорили о разных вопросах. Между прочим и о тех, что занимают целые страницы наших газет, а именно, об абортах и Конституции.

Все собеседники согласились с тем, что люди нашей страны весьма не сексуальны в сравнении с европейцами.

После приема в ВОКСе я отправился на прием к проф. М.Н. Кончаловскому. Его диагноз, как обычно: «Сердце работает превосходно, но приступы тахикардии участились и сделались более продолжительными. Сердце лежачее и немного, на 1 мм расширено». Написал свидетельство о необходимости ехать лечиться в Мариенбад.

15 июня

Этот же диагноз подтвердил и доктор Васильев. Я послал все это с письмом в ЦК т. Андрееву. Буду ждать ответа.

Жизнь пошла по-прежнему, разделенная между купаньями, работой и небольшими прогулками.

18 июня

Аралов[1] сказал мне, что умер Горький (мы сидели в кино «Сосен» и смотрели «Последний миллиардер». Со мной были все три дочери, которых я привез сегодня из Барвихи). Они играли с братом, Гера их хорошо встретила и даже угостила чаем (это было до печального известия).

---

[1] С.И. Аралов – советский военный и государственный деятель, член коллегии Наркомфина.

19 июня

В газетах – траур. Глянул я на портрет Горького в гробу, и мне его стало безумно жаль. Он трогателен. Он был одинок. Я при жизни встречался с ним много раз. Мне казалось, что я мог бы его понять. Да, я с чистой совестью могу на это претендовать. Со мной он переписывался, но в общем-то держался холодно. Пишу о нем статью для «Советского искусства» и нашел старые воспоминания о встрече на о.Капри. Даю это тоже отдать в печать, Бухарину. Наверное, не поместит.

20 июня

Звонил Ан(дре) Жиду. Подошел его секретарь и сказал, что Жид занят и просит позвонить после. Я ответил, что прошу позвонить мне в 9 вечера. Никакого звонка, конечно, не было.

Жид, как я узнал, ведет себя в Москве нервно и неровно, а главное, не хочет иметь никакой программы пребывания. Ну и черт с ним, растут новые. А. Жид подтверждает тезис: «И среди всех ничтожеств мира быть может всех ничтожней он».

Сегодня, 21.06, были у меня дети. Принесли неприятные новости. Лена ударила воспитательницу и назвала ее идиоткой.

Когда же конец этому.

29 июня

Всего больше у меня мыслей и они всего интимнее и разнообразнее именно, когда я отхожу ко сну. Но именно в это время мне и не с кем поделиться. Так называемая жена спит в другой комнате.

8 июля

Казань. Отель «Казанское подворье». Раньше это был для Казани большой и фешенебельный отель. Теперь – мрачная казарма без воды для умывания и с ватерклозетами, где нужно сидеть на корточках («орлом»). Кое-какие улицы асфальтированы, другие в ямах. Церкви со старыми куполами. Мечети тоже до половины развалены (хотя далеко не все, и на многих еще смотрит лунный серп). На сегодняшнее утро назначен наш отлет.

К 8-ми часам были на аэродроме. Аэроплана еще нет. Тучи. Левая сторона горизонта совсем темная. Справа просветы. Появился аэроплан. Мягко приземлился. За ним – второй. Они оба из Свердловска, и оба полетят в Москву.

Зашли в маленький буфет, туда же и пассажиры с аэропланов. Стоянка их всего 20 минут. У меня все еще колебание – лететь или – поездом. Лететь – с женой и Наташей. Остаться – значит один. Если сердечный припадок застанет меня в поезде, будет трудно перенести. Мне всегда тяжело одиночество (из-за сердца). Вероятно, я на мир и людей смотрю испуганными глазами и кажусь несчастненьким. От этого сознания я становлюсь еще несчастнее. Одним словом, один – не могу, придется, кажется, лететь. Выпил молока, съел чего-то. Летчики разговаривают о перегрузках и недогрузках. Оба молодые. Один рыжий низенький, смотрит больше вниз, другой черный, грязноватый, с голубыми глазами, высокий, смотрит вверх.

Если хлопнемся, мои дети окажутся без отца, а сын мой без отца и матери.

Принесли билеты. Места резервированы. Все побежали к аппаратам. Один уже поднялся (с рыжим летчиком), другой приготовился. Все сели, кроме меня. Я колебался.

Летчик кричит из своей кабины: «Долго ли вы будете возиться, отправляем!»

Я вошел в аппарат. Дверь захлопнулась. Устроился в самом хвосте. Птица побежала. Рядом со мной Наташа. Через несколько скамеек, vis-a-vis, Гера. Внизу уже Волга, леса и поля...

Я очень волновался до Арзамаса. Тут остановились на 10 минут. Волнение мое не прошло. Телеграфировал на вокзал, нельзя ли поспеть к поезду. Но это больше для самоутешения.

Полетели. Навстречу нам кучевые облака. И, конечно, нас стало бросать – вправо, влево и вниз, что особенно неприятно.

Я – в кабине летчика. Спрашиваю – если так сильно будет качать, не опасно ли это. И нельзя ли где-нибудь приземлиться.

Отвечает: «Ничего не могу поделать – кучевые облака и солнце, тогда качка неминуема. Ничего, долетим».

Опять стало сильно качать. Наташа спит, Гера смотрит в окно. Гуревич бледнеет и сдерживается. Около меня все время возятся двое маленьких мальчиков – трех и полутора лет, дети пассажирки, что напротив меня. Пассажирка сзади нее хладнокровно читает. Рядом с ней молодой человек дремлет. Крылья, то одно, то другое, то вздымаются, то ниспадают. Временами кажется, что аппарат ударяется в стенку, временами – на подводный камень.

Я опять к пилоту. Он рассматривал какой-то спортивный журнал, пересмеивался с бортмехаником. Временами брался и за руль. «Хорошо, – сказал он, – заберусь повыше, качать не будет».

Мотор энергично застучал. Казалось, мы продираемся через какую-то гущу. 1,5 тысячи метров. Снизу тянутся к нам леса своими верхушками. Необычно видеть, как все зеленое тянется вверх. Мы привыкли видеть, как с земли они тянутся вверх, а тут они ниже нас.

Продержавшись на высоте 1500–2000, мы опять спустились и летели на 600 метрах. Я спросил, почему это. Бортмеханик ответил: «Мы идем по инструкции: выше 600 метров нельзя, ибо не будет видно знаков с земли».

Нас стало бросать из стороны в сторону.

Кашира. На земле вижу тень нашего аппарата, видно, как он качается.

Москва. Качка усилилась. Идем на снижение. Бросает ужасно. Наташа бледная, Гуревич – тоже. Я переношу, но не без труда. Когда мы были еще высоко, я начал читать «Пиквикский клуб» по-английски. И все время читал, до Москвы.

Снизились. Аппарат ударился колесами.

Все пассажиры были рады.

9 июля

Много дел. Работаю бодро, но непрерывно и все больше и больше чувствую трудности выполнять нелюбимую и никому не нужную работу.

Был у скульптора Меркурова. Он показал мне модель памятника Вяче. Мне захотелось сговориться с Меркуровым уже теперь о памятнике самому себе. Кто мне поставит, если я выполняю ненужную работу по принуждению и даже жена смотрит как бы отделиться. Дети – перестают слушаться и тоже эгоисты большие. Кажется, только потому со мной, что я источник силы материальной.

У Меркурова прекрасные маски Л.Толстого и Маяковского. Последняя сделана 2 часа спустя после смерти. Поза поэта – я его лично хорошо знал – особенно мне говорила: он не встретил ни в ком и нигде нежности на земле. Глубоко в душе поэт был нежен и интимен. И вот он положил голову свою в прохладные объятия смерти – положил уютно и беспомощно, как ребенок.

Сам Меркуров бледен. Недавно у него произошла закупорка кровеносных сосудов. Он думал, что паралич и что умирает, но нет, все обошлось.

10 июля

У Керженцева[1]. Созвонились, но он заставил ждать. Типично растрепанное бюрократическое учреждение. Конечно, внизу комендатура с унизительно высокими окошками, маленькими и глубокими, проситель должен подниматься на носки и неудобно то направо, то налево, загибать голову, чтоб видеть пропускающего в синей фуражке с красным околышем. Артисты, музыканты и певцы стоят хвостом в ожидании пропуска. У стены два звонка, по которым нужно предварительно дозвониться до того, кого хочешь видеть, и просить его опять позвонить в соответствующее окошечко. Вот за какими «пропусками» сидят такие драгоценности нашего времени, как Керженцев и Боярский[2].

У меня было совещание заведующих отделами.

Отдал письмо для Ромэна Роллана (письмо о теории наказания – наказания или перевоспитания).

Вечером едва застал Митюшку еще неспавшим. Заезжал также к дочерям. Поздно вечером – опять в Москве.

---

[1] П.М. Керженцев – председатель Комитета по делам искусств при Совнаркоме СССР.

[2] Я.О. Боярский – зам. Керженцева.

11 июля

Разговор с Герой, не очень приятный. Она все отмежевывает свою жизнь от моей. Хочет, чтоб мы жили не вместе, а рядом.

Не поехал к Кончаловскому в Бугры по его приглашению. Много работы и хочется больше видеть детей.

12 июля

В «Соснах». Днем пригласил к себе Молотов. У него были Чубарь, Николай Мальцев и Герман Тихомирнов. Я был с Леной и Олей. Все другие – с женами, кроме Германа.

Полина не разговаривает. У детей старается выведать о нашей жизни. Пусть, пусть. Вяча, как всегда, разгулен и весел. Пошли купаться. Хотел меня бросать в воду в одежде. Я один сопротивлялся купанию, но пришлось. Хорошо еще, что дал раздеться.

Вяча спросил, почему я так откровенно писал М.Ж.[1] А я ему вообще ничего не писал. Вяча говорит, что сам читал это письмо. А я утверждал, что оно или очень давнишнее, когда М.Ж. был с нами, или сделано. И у меня есть основания предполагать большую и мстительно задуманную провокацию против меня, используя мою искренность и доброту к товарищам.

Смотрели кино. Говорили о литературе. О Горьком и Достоевском. Вячеслав любит и разбирается в вопросах литературы. Бранил Чуковского. Хорошо и правильно цитировал Ленина, что социализм как идеология приходит рабочему классу извне и может быть отравлена буржуазным влиянием.

На прощание я еще раз повторил, что письмо сделано.

---

[1] Лицо неустановленное.

13 июля

Приехал отец жены. Обедали в «Национале». Работа – как обычно. Ночевал у детей.

14 июля

У зубного врача. Работа. Был Авив (брат). Говорили о жизненных вопросах: жены, бюрократизм и пр.

15 июля

Был в Моссовете, просил помощи, хотя бы советом, в постройке дачи. Провожал на вокзал дочерей: Лена и Оля – в Крым.

16 июля

Работа, думы. Дневник вести некогда. Телеграммы от детей.

17 июля

То же самое. Телеграммы от детей. Они на месте и довольны. Живите, мои родные.

18 июля

«Сосны». Вчера ночью был у Молотова. Там только Николай, Тихомирнов и брат Вячи – Ник. Мих. Полинка несколько смягченнее, но пренебрежительна. А я – тоже на расстоянии: ты умна, но и я не дурак, помолчим пока.

После ужина, гуляя на балконе, Вяча говорил со мной. Он действительно исключительно благородный человек.

Опять под меня – через жену – ведут подкоп. Я знаю, кто ведет и откуда, но пока Вяче этого не говорю. Огорошу, если надо будет, потом. Но о том, что есть кто-то, кто заинтересован в порядке мести дискредитировать меня, – я Молотову сказал.

Мне очень жаль Геру, что о ней распространяют небылицы и даже намерены создать дело.

Опять-таки ее и моя открытость и откровенность дают обильную пищу интриганам. С этой точки зрения ее отец приехал в неподходящее время (прости Гера), и швейцарку, неизвестную нам, мы выписали не по сезону. Поэтому не надо удерживать ее отца, если он соберется скоро уезжать, а швейцарку как можно скорее отправить восвояси.

254

На эти темы говорил с Герой. Она опять обозвала меня парикмахером и слышать не хочет об опасности, какая угрожает мне, ей и особенно сыну, если он останется без нее или меня или если придется ехать всем в места не столь отдаленные. После моих очень осторожных, но настойчивых подчеркиваний, она, кажется, поняла опасность. Но далеко не реально, не вполне.

Поехали с сыном и ее отцом осматривать Звенигород. Старинный монастырь, гнездо зарождавшегося, но недозревшего русского феодализма.

Разговор с Вячей стоит перед глазами темной тучей. Писать? Кому? Сталину? На что ссылаться, на что опираться? Пойти к «Малинке»[1], но я у него был, черт возьми, совершенно зря по поводу швейцарки. Только подлил масла в огонь, теперь надо дело исправлять. Позвоню и отдельно напишу Сталину.

_____
[1] Г.Г. Ягода.

19 июля
Работа. Беспокойство. Звонил Ежову. Обещал принять 20.07.

20 июля
Звонил секретарям Ежова. Обещал принять.

21 июля
Беседа с Ангаровым[1]. На заседании Президиума Союза сов. писателей. Выступали со стихами он и она – оба поэты из концлагеря «Москва – Волга». Он – уголовник, она – контрреволюционерка. Оба молодые (27, 25 лет). В особенности много следов пережитого

255

на ее лице и в ее голосе, негромком и похожем на стук внутри сгнившего дерева. Их приняли в Союз. Отчетливо говорил Ставский[2]. Он вождь, у него пузо и старание не говорить банально. Всеволод Иванов говорил о работе с молодыми. Он переполнен страстью к литературе. Пильняк – настоящий писатель, с озорством, всегда.

---

[1] А.И. Ангаров-Зыков – зам. зав. отделом культурно-просветительской работы ЦК ВКП(б).

[2] В.П. Ставский – генеральный секретарь Союза писателей СССР.

21 июля (продолжение)
Письмо т. Сталину (черновик)
«Дорогой Иосиф Виссарио́нович,
позвольте искренне и горячо Вас приветствовать и обратиться к Вам – может быть, в последний раз – со всей откровенностью, к какой меня обязывает, с одной стороны, исключительное уважение к Вам как к учителю и вдохновителю, а с другой – то душевное состояние, которое меня страшно угнетает как старого и никогда не колебавшегося большевика, при этом когда в жизни пройдено больше, чем осталось пройти.

Я хочу работать более напряженно и более ответственно для строящегося под Вашей рукой социализма.

ВОКС я выбирал сам, но как пересадочную станцию, чтоб возвратиться в ту область, где работал раньше.

С большой бы охотой и воодушевлением я взял бы и другую ответственную работу – Наркомпроса, например.

Работа, порученная мне, Бухарину и Адоратскому в Париже, насколько могу судить по последним сведениям, увенчивается успехом, если не при нас, но вследствие наших усилий и тех связей, какими я располагал. (Пользуясь ими, я же и установил, у кого именно архив Маркса–Энгельса.)

Душевное состояние мое тяжелое вследствие холодности и даже недоверия, какие дают себя чувствовать.

Если я что-нибудь сделал не так, то есть два способа поступить со мной: или научить, поднять, нагрузить ответственностью и воодушевлением широкой работы, или отбросить и предоставить самому искать путей жизни среди мира дальнего.

Я прожил почти полсотни лет. Все отдал революции. Даже свою мать, которую в Казани расстреляли белые, и теперь, естественно, хочу работать и могу плодотворно. Если Вы... позволите мне стать в тесный ряд с теми, кто близко, вместе с Вами, к древку красного знамени – то буду делать то, что поручите. Если считаете, что лучше предоставить меня самому себе, то тогда прошу освободить меня от всех моих дел. Я с головой уйду в писательство и театральное искусство. Сейчас у меня написано два романа: первый «Весна», где рисуется то, как наше поколение пришло к революционной работе и образовало мост между поколением 1905 года и поколением Октября. Это период жизни и работы партии с 1905 по 1913 годы. Второй роман, «Лето», – это период питерской «Правды», провокатор Малиновский, баррикады в Питере и война. Сейчас пишу третий – «Осень». Это Октябрьская революция – до смерти Ленина.

В перспективе у меня и четвертый – «Зима» – это работа нашей партии над экономическим строительством социализма под Вашим руководством, отпадение элементов, фактически чуждых нам, интересующихся больше процессом революции, чем ее результатами. Троцкисты, зиновьевцы и пр.

Романы историко-психологические.

Передо мной серьезное распутье. Не распутье карьеры, а распутье деятельности».

31 июля

Письмо т. Ворошилову.

«Дорогой Климент Ефремович,

в этом письме нет ни тени прикрас или неискренности. Думаю, у каждого человека наступает когда-нибудь потребность высказаться о своем наболевшем в работе и жизни очень правдиво кому-нибудь, кого особенно человек уважает.

С твоей стороны, и только с твоей, я встречал всегда глубокое понимание и, что главное, разумную человеческую доброту. Это не только мое личное впечатление, а всех тех, кто прямо, да даже и тех, кто косвенно соприкасался с тобой. Поэтому привязанность к тебе народа и моя проникнута особой глубокой личной симпатией.

Вследствие этого мне и легко, и одновременно нелегко обращаться к тебе. Легко потому, что знаю – каждое мое слово упадет на добрую почву, встретит добрую волю с твоей стороны, а нелегко потому, что такие обращения к такому человеку делаются лишь раз в жизни.

Существо моего дела в том, что я хочу много и хорошо работать для торжества наших идей».

ТЕТРАДЬ № 6

Вследствие сложных исторических обстоятельств жизнь в нашей стране стала такой, что 90% душевных движений и переживаний люди загоняют внутрь и не решаются в полной мере откровенно беседовать даже сами с собой (между прочим, этим объясняется мой дневник, как и дневники многих). Только очень маленький участочек души каждого доступен всеобщему обозрению и проверке. Огромные души загнаны внутрь, посажены или на цепь, или во внутреннюю тюрьму, и только очень немногие осмеливаются в тиши вечеров и ночей скапливаться чернильными капельками на концах перьев и вырисовываться в слова на страницах дневников. Поэтому только такие дневники, а не внешнее бряцание могут рассказать о настоящих переживаниях человека.

3 августа

Вечер, 20.30. Из города после страшной спешки на работе выехал в 17.15. Со мной Лацис[1]. Он в Барвихе, я за Барвихой, поэтому по пути. Довез его до самой дачи. Полюбовался его цветником и фруктовым садом. И только было сел в автомобиль, чтоб ехать дальше, покрышка дала трещину. Шофер снял старое и надел новое колесо. Однако мы едва проехали деревню Барвиху, как и эта новая покрышка с шипением «спустила». Одиноко остановились на дороге. Спросили у прохожих, где ближе телефон. Шофер побежал туда, я остался. Одна машина проехала, другая. Вдруг какой-то фордик сдерживает ход. Шофер узнает меня и предлагает довезти до «Сосен». Рядом с ним дама. Она тоже разрешила. Я перенес вещи. Оставил записку шоферу – и в путь на добром фордике.

Чтобы увидеть Митю, попросил шофера перебраться паромом в Уборы. Только съехали с парома, застряли в зыбучем песке. Начали разгребать колеса и подстилать доски. Минут через сорок выбрались из песка. Я доехал до нашего домика, но ни Мити, ни няни не застал. Оставил им продукты и поехал дальше, в «Сосны». В липовом парке увидел Митю. Он, такой милый, такой прелестный, направился ко мне. Немного смутился, что машина чужая. Я его взял к себе на руки, но долго задерживаться не мог. Когда спустил с рук, он заплакал, очень трогательно. Так с плачущим лицом он и запечатлелся в моей памяти. Эти строки, все, что я записал о моей поездке, навеяно грустью, трогательной грустью моего единственного и милого сына.

---

[1] М.И. Лацис – советский государственный и партийный деятель, работал в органах ВЧК.

7 августа
Сегодня заново переписал свое послание т. Сталину и отправил. Вот оно:

«Дорогой Иосиф Виссарионович,
я недавно вернулся из-за границы и считаю своей обязанностью сообщить Вам некоторые наблюдения относительно нашей культурной связи с заграницей.

Кого наша культурная связь обслуживает? И как обслуживает? Первое впечатление от Европы (я не беру Германии, где не был) – это все растущая растерянность, необеспеченность, неустойчивость мнений и симпатий и страх перед грядущей войной.

Пропаганда мира (как было на Брюссельском конгрессе) получает широкий и глубокий резонанс. В массах народного фронта отношение к нам двойственное – с одной стороны, верят, что от нас идет защита мира, с другой – нас боятся и НЕ ЗНАЮТ. Нас не знают часто до смешного, до анекдота.

Что делает наша культурная связь, чтобы охватить широкие массы мелких буржуа, мелкого чиновничества, беспартийных рабочих и служащих?

У нашей культурной связи нет прямого, точно намеченного объекта обслуживания. Чтобы его иметь, надо его изучать и знать. У нашей культурной связи для этого нет еще настоящего аппарата. У нее есть некоторые связи с писателями, журналами, газетами, но вся огромная масса, боящаяся фашизма и войны, остается, в общем, без обслуживания.

Этого нельзя сказать про фашизм. Фашисты ведут в Европе широкую и умелую пропаганду – через газеты, кино, кинохронику, путем ложных слухов, подкупа, устрашения и пр. Например: испанские события демонстрируются во всех кино Европы немецкой кинохроникой, разумеется, со стороны Франко, республиканцы в надписях именуются "коммунистическими бандами" и т.д.

В Париже "Международная книга" ведет вот уже четыре месяца переговоры с самым крупным издательством и контрагентством "Ашетт" о публикации и распространении наших книг на французском языке. Но переговоры до сих пор упираются в торговлю вокруг суммы в двадцать пять тысяч франков и в результате этой волокиты помещение, присмотренное в центре Парижа для книжной лавки и художественных выставок, ушло от нас, и перед парижской выставкой вряд ли мы найдем теперь импозантное помещение для книжных и художественных выставок, К тому же волокита с издательством "Ашетт" кончится, очевидно, тем, что мы потеряем крупного издателя и контрагента. В Париже плохо знают нашу советскую литературу. Вам покажут список книг, переведенных советских авторов, но все это было уже давно и, кроме того, книги издавались маленькими издательствами и с ничтожными тиражами. В Париже знают, пожалуй, "Голый год" Пильняка, немного Шолохова, Ильина.

В Лондоне немного лучше с изданием нашей художественной литературы, т.к. там есть "левый" довольно крупный издатель (кстати, он сейчас под ударом правой печати), да и вообще в Англии больше читают художественную литературу.

В Чехословакии переводят и печатают, что попадется, о чем узнают в нашем полпредстве, но все это – неорганизованный самотек.

А между тем в Европе непочатый край работы на культурном фронте. Интерес к СССР чрезвычайный. И главным образом – интерес и любопытство к нашей повседневной жизни. Мне часто приходилось слышать: "Мы знаем и верим, что у вас мощная промышленность и мощное сельское хозяйство. Но нас интересует сейчас, как вы живете, кто вы такие, каков облик советского человека, моральный и бытовой. Мы не хотим верить фашистским россказням о вас, но вы сами ничего не делаете, чтобы удовлетворить наш интерес, чтобы узнать вас поближе".

Иосиф Виссарионович, я позволяю себе внести некоторые предложения:

1. Собрать вокруг ВОКСа ученых, художников, музыкантов, писателей (может быть, это – коллегия).

2. Связать тесным контактом с ВОКСом "Международную книгу", чтобы работа ее стала непосредственно близка всем работающим в области культуры и искусства.

3. Создать в Париже, Лондоне, Чехословакии представительства из людей, не объединенных, хотя бы тер-

риториально, с полпредством и торгпредством, чтобы лишить их характера официальности.

4. Организовать в Париже художественный литературный журнал на французском языке, доступный по цене широким массам. "СССР на стройке" стоит в Париже четырнадцать франков, тогда как самый дорогой роскошный буржуазный журнал стоит пять франков. Кроме того, размер его так велик, что рабочие стесняются его проносить на заводы. То же относится и к непомерно дорогим ценам на наши русские книги и издания. Калькуляция "Международной книги" – недальновидная калькуляция.

5. Создать в Париже, Лондоне, Праге постоянные центры художественной пропаганды (лекции, доклады). Может быть, эти центры должны быть институтами по изучению культуры и языка СССР, по примеру французского института в Праге.

6. Обратить особенное внимание на нашу кинохронику и на ее широкие возможности показа нашей страны.

7. Обратить ОСОБЕННОЕ ВНИМАНИЕ на наше культурно-художественное представительство на Парижской выставке.

Для Парижской выставки я вношу предложения:

А/ Немедленно приступить к подбору художественных антологий и романов советской литературы для перевода на французский язык и изданию. Если мы опубликуем к парижской выставке хотя бы десяток хороших книг на французском языке, это будет уже большое дело.

Б/ Подготовить для выставки салон советской графики (которая у нас несравненно выше, чем за границей), плакатов, живописи и скульптуры.

В/ Показать кроме великорусской украинскую, грузинскую оперы и еврейский театр.

Г/ Показать народное творчество СССР – песни, пляски, народных поэтов.

Д/ С особенным вниманием и размахом подобрать отдел о воспитании ребенка. Не засушить диаграммами. Дать макеты детских яслей, детских домов, пионерских лагерей. Собрать со всей страны выставку детского творчества: рисунков, игрушек, техники, детских журналов и прочего.

Простите, дорогой Иосиф Виссарионович, что я затрудняю Ваше внимание письмом, но я не мог не сообщить Вам то, что думаю обо всем этом.

С глубоким уважением

Москва».

Видел сегодня Бык. Осунулась. В ее семье двое арестованы. Она смотрит на мир уже непонимающими глазами. У нее выражение другой женщины.

Телефонировал Ежову. Не принимает.

Телефонировал Ив.Ив. Мирошникову[1] о разрешении жене быть еще несколько дней в доме отдыха – отказал. Говорит, что ему запретил Чубарь. Секретарь же Чубаря говорил мне, что тот отдал на решение Ив.Ив-чу. Кто врет?

Ширвиндт[2] болтал, что аресты теперь с разрешения прокурора и что в тюрьмах сидят только под следствием, а потом – на принудительные работы. Предположение – большое строительство.

За всей этой ежедневной сутолокой, однообразной и неинтересной, меня донимает мысль, что такое смерть и что такое сознание людей. Как-то жутко, что Горький уже не живет. Буду заниматься этой проблемой, мыслить ведь можно везде и при всех обстоятельствах. Мысль – самый интимный друг.

---

[1] И.И. Мирошников – третий управделами Совнаркома.
[2] С.Л. Ширвиндт – инспектор погранвойск НКВД СССР.

10 августа

Вечер. Только что вернулись с прогулки. Смотрели, как падают звезды и горит чья-то изба в соседней деревне большим пламенем.

Получил от дочерей, Лены и Оли, письмо из Крыма. Много любви и ко мне, и к их собственной пробуждающейся жизни, и к их брату Мите.

В городе видел, как летел над Москвой аппарат Чкалова АНТ-2, сопровождаемый небольшими эскадрильями.

Неприятный разговор со швейцаркой (няней Мити). Пришлось ей отказать и отправить ее домой.

Долго говорили с архитектором о плане постройки дачи, торговались. Архитектор и инженер – маклачат.

В ЦК, когда был у Анчарова[1], встретил драматурга Афиногенова. Он пишет пьесу об окт(ябрьском) перевороте. Радек говорил ему, что я до жути точно копирую голос Ленина, Афиногенов просит, чтоб я инструктировал Художественный театр (артистов). Хорошо. А не начать ли играть самому?

По должности – неприятности с перемещениями людей.

Вчера был вечерний прием у меня: негр, депутат-англичанин, его друг художник.

---

[1] Зам. зав. отделом ЦК.

13 августа

Вечер. Гера возмущается, что я пишу. Не переставая, укоряет меня, а мне нужно, необходимо писать. Строки эти – моя лаборатория мысли.

Мысль всех моих мыслей – это мысль о смерти. Она диктует мне мои дневниковые записи. Она творит рассказы, романы. Она – госпожа моих дум. Мне хочется проникнуть в тайну небытия. Сознание мое долговечнее тела. Оно борется за то, чтоб тело возвысить до себя. А вместо большой мыслительной работы – у меня какая-то «вермишель» мелких и ненужных дел. Как жаль мне мою собственную жизнь!

Не знаю, много ли осталось мне, но со всей энергией я решил порвать с такой жизнью. Теперь жду, что ответит мне Сталин и как поможет Клим. Письмо к Сталину я отправил, в адрес Вячи тоже. Боюсь, что это его рассердит. А что мне было делать?

Время, в которое мы живем, исключительно жуткое. Никто никому не верит и даже самый принцип необходимости доверия пошатнулся. Доверие пытаются заменить деляческой ловкостью. Все друг друга боятся, все смотрят исподлобья. О главном не говорят.

Английский юрист Притт написал мне письмо – просится осмотреть тюрьмы. Он знает, что за последнее время произошло много арестов.

16 августа

Дорогой с дачи до Москвы думал, как излить, написать, изобразить все те сложные думы и переживания, которые по павловскому закону условных рефлексов возникают и живут в моем внутреннем мире.

Правда, что расстояние от мысли до слова велико, но слова бывают двух родов: писаные и высказанные. У некоторых людей расстояние между мыслью и высказываемым словом больше, чем между мыслью и написанным. У других – наоборот, у третьих – одинаково далеко или одинаково близко (но никогда не равно нулю, следовательно, никогда слово не совпадает с мыслью, а тем более с переживанием). Однако мы стремимся выразить мысль словом.

У меня, кажется, расстояние между мыслью и высказанным словом меньше, чем между мыслью и писаным словом, поэтому я устно точнее передаю свои думы, чем письменно. Часто ощущаю и даже вроде бы слышу, как слагается во мне какой-либо образ, но воспроизвести его страшно трудно.

На моих глазах история сделала большие зигзаги. Революционеры стали реакционерами. Меня иногда бросает в жар от желания дать картину такого падения. И в мыслях получается захватывающая картина, как у Достоевского, но на бумаге трудно изложить.

22 августа

19, 20, 21 и сегодня все время под впечатлением дела Каменева, Зиновьева и других. В русском революционном движении наряду с чистейшими идеалистами были всегда бесы. Дегаев[1] – бес, Нечаев[2] – бес, Малиновский[3] – бес, Богров[4] – бес. Каменев, Зиновьев, Троцкий – бесы. У них больная мораль. У них дыра как раз в том месте, где должен быть моральный стержень.

Политика не есть этика. Но каждый политик имеет и должен иметь моральные принципы. У «бесов» их нет, у них одни лишь политические.

Третьего дня отправил письмо Кагановичу – о доверии, о помощи выехать за границу. Вот оно:

«Наркому путей сообщения СССР товарищу Кагановичу Л.М.

Дорогой Лазарь Моисеевич,

прими благосклонно мой скромный дар, мою брошюру об Октябре. Большой книги для представления тебе пока не имею. Как буду иметь издание большого недавно написанного мной романа – от всей души презентую. А сейчас и в малой брошюре заключено большое к тебе уважение.

Дорогой Лазарь Моисеевич, если бы ты мог уделить малую толику времени для меня. Жизнь и работа моя сейчас проходит очень узким местом.

Позволю тебе сказать в двух словах, в чем дело. За последний год здоровье моей жены до такой степени ухудшилось, что если бы ты теперь ее увидал, не узнал бы. Главный ее недуг – сердце. В свои 26 лет она не может много ходить, не может подняться по лестнице и т.д. Каждый день сердечные перебои.

Еще зимой проф. Кончаловский предписал ей лечение в Мариенбаде. Тогда я ехал в Париж и обратился с просьбой в ЦК разрешить ей БЕЗВАЛЮТНЫЙ выезд. Ответ мне передали уже в Париже, ответ – ОТРИЦАТЕЛЬНЫЙ. Между тем моим коллегам по Парижской работе Бухарину, Адоратскому и Тихомирнову РАЗРЕШИЛИ выписать своих жен. Я трижды повторял ходатайство и трижды отказали. Нужны ли какие-либо аргументы и слова тебе, чтобы обрисовать моральное состояние мое как старого большевика.

По возвращении в Москву я запросил ЦК, в чем дело, может быть, я или жена сделали ошибку, прошу разъяснить, я исправлю. Мне ответили, что моя просьба останется без ответа.

Легко представить себе после этого мое и моей жены моральное состояние, а вслед за тем и состояние в семье вообще, особенно приняв во внимание, что у меня взрослые дочери. Если я сделал ошибку (или жена), скажите, объясните, но нельзя оставлять дело в каком-то тумане.

Обо всем этом вот так же, как тебе, я недавно написал Иосифу Виссарионовичу.

Положение жены стало настолько тревожным, что ей требуется немедленная помощь. Недавно в Доме отдыха "Сосны" с ней случился большой обморок и она сильно разбилась.

У меня участились и удлинились сердечные припадки. Если этак пойдет, я скоро стану инвалидом и принужден буду прекратить всякую работу. Доктора, присутствовавшие при моих припадках, дали категорическое заключение о необходимости и мне выехать для лечения.

Заключение их я тоже отправил в ЦК. Ответа не имею.

У тебя вполне законно может шевельнуться мысль, что вот, дескать, как "организованно" оба враз захворали. Это выглядит, действительно, "организованно", но это, к сожалению, так. И понятно почему: недоверие нас обоих ранило. Но жене во сто крат больнее, потому что ее лишили возможности видеть отца и мать.

Дорогой и чуткий Лазарь Моисеевич, я буду ставить вопрос о разрешении мне и ей (с двухлетним сыном) выехать на полтора месяца за границу. При этом мне необходимо выехать не только для лечения, но и потому, что я не могу отпустить жену одну с ребенком в таком беспомощном состоянии. Валюту буду просить только на себя.

Все это я написал тебе с максимальной откровенностью и предаю на твое суждение. Если найдешь возможным и целесообразным, помоги.

Искренне уважающий тебя и преданный».

Дети пишут часто.

Сегодня удивительно тянет к литературной работе. Хочу сделать страшную пьесу из страшного процесса. Боюсь, что сам окажусь жертвой клеветников. Я очень был доверчив, но без доверия нельзя, тогда не будешь верить и самому себе. Отойду в искусство. В этом вся моя мечта.

---

[1] С.П. Дегаев – народоволец, стал провокатором. Эмигрировал в США.

[2] С.Г. Нечаев – провокатор, приговорен к двадцати годам каторги, умер в заключении.

[3] Р.В. Малиновский – член ЦК РСДРП, стал провокатором. Расстрелян.

[4] Д.Г. Богров – анархист, убийца П.А. Столыпина. Приговорен к смертной казни.

24 августа

«Сосны». Гера читала мне отрывки из Отвальта[1] о допросе Шельбаха в гестапо. Измучив и избив отца, который не хотел назвать два-три имени, они начинают в подвале на его глазах избивать его семилетнюю девочку, держа ее в голом виде за голову. Били толстой резиной. Девочка в крови и все время кричала: «Отец, пожалуйста, пожалуйста...» (т.е., пожалуйста, сделай то, что требует комиссар гестапо).

Отец не выдал. Комиссар, избивавший девочку, ударил его толстой резиной по голове. Он – умер.

Сегодня в газетах приговор Каменеву, Зиновьеву, Панаеву, Мрачковскому, Евдокимову, Тер-Ваганяну, И.Н.Смирнову, Рейнгольду, Гольцману, М.Лурье, Н.Лурье, Дрейцеру, Ольбергу, Перману-Юргину[2] – всех расстрелять.

Третьего дня застрелился Томский М.П.

Сегодня Аралов мне сказал, что отравился товарищ Пятаков[3], но будто бы неудачно, его свезли в больницу.

Никто ничего не говорит. Спокойно разговаривают:

– Вы сегодня купались?

– Нет, я принимал душ.

На другом конце стола:

– Вы играете в теннис?

– О, да.

Еще кто-то:

– Вот малосольные огурчики, замечательные.

Аралов рассказывал, что на собрании у них выступил один беспартийный. Он говорил, что Каменева, Зиновьева и т.д. расстреливать не надо, потому что, если мы их здесь расстреляем, Гитлер расстреляет Тельмана, и вообще, убьет больше коммунистов.

– Разумеется, этот одиночка, выступил сам по себе, – сказал он, а потом рассказал интересный анекдот: «После декрета, запрещающего аборты, женщина говорит: "Жить стало легче, жить стало веселее, но жить стало не с кем"».

---

[1] Книга Э. Отвальта «Путь Гитлера к власти».

[2] Проходящие по т.н. делу «антисоветского объединенного троцкистско-зиновьевского центра».

[3] Г.А. Пятаков – первый зам. наркома тяжелой промышленности СССР.

25 августа

Жизнь – сплошное жестокое чудо, иногда оно подавляет. А главное, старается все покрыть туманом и делает контуры людей, вещей и явлений до поры до времени смутно очерченными. На момент вдруг из тумана показывается ясно очерченный каркас явления, но потом он опять скрывается в общем мутном течении жизни. Я хочу распознать суть сегодняшнего дня, хотя это почти невозможно. Это под силу только гению.

Однако жить слепо, в атмосфере со знаком плюс или со знаком минус (сплошная ругань) – невозможно. Нужно понять жизнь, разобрать внутри себя ее элементы.

Был на собрании писателей-коммунистов. Ставский, председательствующий в полном беспорядке, чем придавал собранию какую-то семейственность, излагал кучу различных фактов «о зашоренности» союза писателей. «Зашоренность» выражалась в том, что 1) Вера Инбер, двоюродная племянница Троцкого, взяв слово (в связи с процессом), начала его с заявления, что ее заставили выступить. 2) Б. Пастернак отказался подписать резолюцию, в которой требовался расстрел. 3) ... помещал статью Пикеля[1] в то время, когда Пикель был уже арестован. 4) Афиногенов дал статью Зыкина (троцкиста). 5) Беспалов, живя в одном доме с Пастернаком и Инбер, не внушил им политическую важность собрания и вообще не работал над ними. 6) Иван Катаев в 1927 году вместе с другими членами группы «Перевал» (сочувствующими Троцкому) ездил в ссылку к Воровскому. 7) ... и Беспалов допустили, что политредактор Гейне (из ГИХЛа) в сборнике стихов Лахути[2] выбросил его поэму «Садовник», одобренную Сталиным и им самим разосланную по редакциям. Политредактор выбросил эту поэму с мотивом: «В связи с процессом, что надо рассматривать, как прямую попытку замарать имя Лахути».

Киршон все время шептался со Ставским. Последний, тряся преждевременным брюхом, то выходил к себе в комнату с собрания, то снова возвращался. Производил впечатление человека перегруженного, но такого, какого усталость не берет. В упоении делами он не понимает, как они высасывают его здоровые клеточки, не возмещая их ничем. Он с сожалением, но гордостью говорит, что не может ничего писать, потому что «такая масса дел». Он-то мнит себя приятным руководителем, а хитрые Пильняки и шустрые Шкловские рассматривают его (внутренне, конечно), как трудолюбивую лошадку. Все жаловались на недостаток бдительности и сводили личные счеты. В широком собрании иногда занимались такими вопросами, какими впору заниматься только ГПУ. Эта ненужная искренность – лучшее прикрытие для врагов. Они прикидывались искренними, а вместе с тем и Ставский и они все были немного актерами.

Афиногенов – один он – говорил искренне. Беспомощно вращал головой, как бы искал такой же искренности в глазах других. Он, между прочим, сказал: «Эти люди (троцкисты) не только хотели убить людей, но они убили веру в человека, черт возьми. – И в этом месте Афиногенов заплакал слезами, Вишневский принес ему стакан воды. – Пикель писал обо мне, – говорил дальше Афиногенов и опять плакал, – может быть, он, Пикель, нашел в моем произведении что-нибудь подходящее для себя, для них... – И закончил Афиногенов: – Простите за сумбурность...»

Искренний, молодой. Такие редки. А мне жаль, что свои высокие слова он вливал в недостойные уши.

Когда я говорил и приводил исторические примеры двурушничества, Киршон подал реплику: «Нас не интересует, что было в 1918 году».

Я был в среде, где бываю редко, поэтому не отрепал этого свистуна за ослиные уши. А следовало бы сказать: «Не отмахивайтесь от 1918 года, он вас многому научит».

Собрание не закончилось – перенесено на завтра.

------

[1] Р.В. Пиколь – зам. директора театра Таирова, участник травли М.А. Булгакова.

[2] А.А. Лахути – таджикский советский поэт, секретарь Союза писателей СССР.

31 августа

Ни одного дня нет, чтобы я, ложась спать, сказал себе удовлетворенно: вот как хорошо и интересно поработал. Скорее бы выгнали меня из ВОКСа и отдался бы я писанию и сцене. Вероятно, еще хватило бы паров играть, а если нет, готов хоть занавес открывать, хоть рабочим быть за кулисами, лишь бы право иметь сказать: «Я сегодня что-то сделал для искусства». А так как сейчас – не жизнь, а сутолока. Хорошо еще успеваю заносить все, что остается в голове к вечеру, в свой дневник. Вот, например, сегодняшний день.

Вчера приехали дети. Поезд вместо 19.22 пришел в 21.30. Я два раза ездил на вокзал. Волновался. Все приготовлял в квартире. Помощников не было. Гера на даче с сыном. Там при ней няня и домработница. Упросил завхоза вызвать какую-нибудь уборщицу, чтоб помочь приготовить еду для детей. Кровати я им приготовил сам.

Приехали. Обе дочери бледные, похудевшие. Старшая, Наташа, приехала третьего дня (29.08.), но совершенно неожиданно, не дав телеграммы ни из Фороса, ни из Севастополя. Я предложил ей поехать вечером к нам на дачу, она стала отнекиваться. Наконец нехотя согласилась прийти в «Националь». Ночевать пришла в 12 ночи. Встав утром, заняла у завхоза ВОКСа 5 рублей и ушла. Я думал, что придет к 6 вечера, чтобы что-то приготовить, помочь мне встретить детей – не тут-то было. Итак, старшая дочь гуляет.

Лена и Оля еще на вокзале показались мне изнуренными. Я накормил их, уложил спать.

Утром сегодня, 31.08, у Лены оказался страшный понос. Оля слаба после дороги. Пришла уборщица из ВОКСа, сделала завтрак.

Наташа спала неизвестно где.

Устроив детей, т.е. выдав им их платья, белье и пр. (с трудом отыскал в чемоданах), отправился на работу.

Совещание в ЦК у Ангарова в ВОКСе. Сей сибирский философ, вместе с толстым, негритянского вида Городинским[1] и долговязым, но старательным малым Юковым[2], выработал «план реорганизации» ВОКСа. Он заключался в том, что ВОКС коррегирует и контролирует сношения с зарубежом всех учреждений. При ВОКСе должно быть иностранное бюро для перевода литературы. Я высказался против такого плана и предложил свой старый: слить ВОКС с «Интуристом» и создать единую организацию культурной пропаганды. Рыжий сибирский философ со мной стал спорить (ему не хочется из своего ведения выпускать ВОКС, а мне очень хочется из-под его ведения уйти в ведение Совнаркома). Я спорил недолго: надо было ехать к бельгийцу (послу) на завтрак.

Сготовил ужин детям (на газовом заводе авария, газу почти нет), у Лены сильный понос. Съездил к Е.М.Филиппович, Оле и Лене заказал платья.

Потом – дома. Дети легли спать.

Я – в ВОКС. Взял домой материалы. Много работы.

Пишу. В полночь вернулась неизвестно откуда Наташа. Взяла у вахтера ключ и сама открыла дверь. Шуршит. Шарила в кухне. И это старшая дочь. Зачем приходит она, если живет у матери, ведь сама ушла от меня. Неужели только потому, что я – ближайшая станция к месту ее свидания с «ребятами»? Да, кажется так.

Вот и кончился день.

А где же моя драма (или комедия?)? Где роман? Где чтение? Нет, я начну другую жизнь. Это бесповоротно, как смерть.

---

¹ В.М. Городинский – советский музыковед, критик; зав. сектором искусств Культпросветотдела ЦК ВКП(б).

² К.Ю. Юков – работник Отдела Культпроп ЦК ВКП(б).

5 сентября

Начиная с 1 сентября, приемы, встречи, торжественные речи – ложь и лесть рекой. Царство и господство посредственностей и в области мысли, и в области искусства. Кое-где маячат отдельные личности.

Каждый раз, когда ложусь спать, чувствую свое сердце.

Вчера наркомздрав Каминский и его полная супруга принимали министра здравоохранения Франции Селье. Невысокого роста, черный, обросший бородой. Гостей около 150 человек, все улыбающиеся. Долго ждали обеда, как на провинциальном вокзале отхода поезда, с 21 до 24 часов.

Каминский в речи за шампанским делал рекламу своей деятельности и нашим достижениям. Селье отвечал немного волнуясь и благодарил за уроки довольно покорно (еще бы – уже в тылу Франции, в Италии германские истребители), признавался в сердечности. После него – бельгийский сенатор (социалист). Маленький, энергичный, как все бельгийцы, с невоспитанными жестами, с маленькой бороденкой – как плевок у подбородка. Говорил очень искренне о той радости, какую он видел в глазах народов СССР, когда ехал от Баку до Москвы.

И тот, и другой говорили, что они за 30-40 лет их деятельности не могли достичь того, что мы сделали в несколько лет. Понятно: ведь у нас советская власть. Чудаки, право.

После каждой речи поднимали бокалы с шампанским, а за дверью, в другой комнате, дожевывая пищу, музыканты играли туш, похожую на то, как если бы кто-нибудь дразнил музыканта обрывками звуков, спешно бегущих один за другим. Своего рода музыкальный онанизм.

Перед этим вечером ко мне пришел Лахути – персидский поэт. Он говорил о том, что Ставский в Союзе писателей – низкий демагог, неискренний, влюбленный в славу, жадный до популярности. Существа у него нет, он пустой. И как всякий пустой – надутый. Он ненавидит всех, кто мыслит и кто ему поэтому опасен. Ангаров, руководитель культотдела ЦК, тоже неискренний. Ставский однако ухаживает за Лахути. На собраниях требует места непременно рядом с ним, со Ставским, не откроет собрания, прежде чем Лахути не окажется около него. Ставский – ничтожество и в организационном отношении. Его демагогию раскусили многие, но боятся выступать и говорить против. Афиногенов перед собранием был приглашен к Ставскому, и тот инспирировал его выступление «со слезами». В разговорах с Лахути Ставский высокопарно клянется в том, что без Лахути он не предпринимает ни одного шага. Пустой, с психологией кулака, не любящий по кулацкому своему существу ни партии, ни ее ЦК, ни Кагановича, ни Сталина, этот карьерист, по словам Лахути, является таким же опасными и грубым для литературы, каким был Щербаков. «Я не знаю, что мне делать, – искренне сокрушался чистейший и честнейший революционер поэт Лахути. – Недавно Ставский написал доклад в ЦК Андрееву о положении дел в Союзе писателей. Первым в подписях поставил меня, Лахути, но сам подписался первым, едва оставив мне для подписи маленький клочок бумаги. Пришел ко мне на квартиру: "Вот, – говорит, – мне сунули на подпись, когда я был занят, я торопился и подписал на твоем месте. Подпиши, где хочешь". После этого я и он были на докладе у Андреева. Он, Ставский, доносил Андрееву о разных мелких делах: кто из писателей не является на собрания и т.д. Как ему не стыдно таким мелким доносчиком выступать перед секретарем ЦК. После его доклада я заявил Андрееву, что хотел бы бросить секретарство в Союзе и заняться творческой работой. Андреев ответил – этого мы не можем сделать, а для творческой работы создадим условия. Как мне быть теперь? Сталина сейчас нет в Москве, а то сходил бы к нему. Вот разве что обратиться к Кагановичу, но неловко после разговора с Андреевым".

Я ответил, что никакой неловкости нет, что он и я должны заявить в ЦК, в каком печальном положении находится союз и какие ничтожные карьеристы заправляют им, как безответственно и опасно ведут они самые сокровенные партийные собрания и т.п. Лахути согласился со мной и решил завтра же писать письмо Кагановичу с просьбой принять его. А до посещения Кагановича мы решили с Лахути увидаться еще раз.

Сегодня утром посетил меня французский писатель Шамсон, руководитель газеты антифашистской интеллигенции. Молодой, толковый, проворный, простой, без чванства.

Вот, по его словам, концепция антифашистов-интеллигентов:

«Фашизм – это война. В обстановке мира фашизм гибнет, следовательно, наша задача поставить фашизм в мирные условия, не дать ему развязать войну и тогда он погибнет». Будто Ромэн Роллан говорил, что 10 лет мира задушат фашизм. Довольно фантастическая точка зрения. Бледная концепция бледных кабинетных людей. Инициативу развязывания войны фашизм уже взял на себя. И он ее развяжет.

По службе много работы и интриг. Теперь ко мне приходят все и каждый друг на друга доносит. Мой заместитель Чернявский выгнан из «Правды» за легкое уклонение от генеральной линии, плюс сестра его жены сослана за троцкизм. Секретарь нашей партийной организации Мельников, оказывается, имеет за границей разведенную с ним жену и поддерживает с ней переписку. Про Кузьмину, члена парткомитета, телеграфировала некая следователь НКВД и говорила, что Кузьмина материально поддерживала жен высланных троцкистов. Это доносил Мельников. Управляющий делами Головчинер в 1927 году, когда ему было 19 лет, с какими-то товарищами прочитал завещание Ленина. Это говорил он сам, именно по этому делу его как свидетеля вызывали в НКВД.

Больше всех суетится и доносит старуха Кузьмина, которой делать в ВОКСе нечего, ибо она в таком возрасте, что уже не способна к работе и ей ничего не остается, кроме суетни и доносов. Про нее все это говорят и все терпят. Много фатализма в народах нашей страны.

После работы организовал отправку Лены и Оли на дачу. Наташа не знаю где. Я известил ее, что она должна находиться у Лены (жены брата), но она там не бывает. Где же она? И как питается? Обязательно 7-го пойду в школу, узнаю. Она не имеет ко мне никаких хороших чувств. Черства и слепа. А когда-то сказки, песни, восторги! Ах ты, жизнь, сфинкс ты этакий!

6 сентября

По телефону говорил с Молотовым. Мое письмо Сталину, ему и Ворошилову он назвал «невыдающимся». Приглашал «заходить когда-нибудь». Хорошо. Я говорил ему, что болен горлом, а вообще, сердцем. Он, конечно, подбадривал. В то время как я с ним говорил, у него сидел Мальцев. Молотов боится меня пригласить решительнее и определеннее, должно быть, под влиянием Полины (жены), которая, в свою очередь, под влиянием моей бывшей жены Ольги Вячеславовны плюс Вячеслава ревнует ко мне, плюс его же – к моей жене, плюс вообще хочет оказывать решительное влияние на мужа.

Пусть, пусть. Лишь бы не очень много зла делала мне.

7 сентября

«Вермишель» неинтересных дел. Золотыми каплями утекает в безмолвное ничто время. Передо мной каждый день галерея человеческих типов. Она отдаляет меня от той «равнодушной природы», которая всегда будет сиять своей вечной красотой.

Принимал Селье[1]. Он глух, близорук и глуп. Говорил путаную речь. Хотел блистать знанием русской литературы, цитировал Соловьева в качестве вроде бы предшественника чего-то.

---

[1] Ганс Селье – канадский патофизиолог, эндокринолог, основоположник учения о стрессе.

19 сентября

Приехал утром из «Сосен». Работал. Домработница говорит, что утром у Лены опять болел пупок (т.е. опять ущемление сальника около пупка). Она ушла в школу, а ей нужен покой. Ах, Лена, почему ты это от меня скрыла.

Уехал прямо в поликлинику, к Ходоровскому. Просил положить на операцию мою дочь. Он согласен, но сначала надо показать кремлевскому хирургу.

Я к нему. Условились: приведу Лену к 6 часам.

На работу.

Домой около 17 часов. Прилегающие к моему дому улицы оцеплены. Летучий митинг. Кое-как с удостоверением проехал через кордоны.

Дома никого: домработница ушла за обедом, вернуться не дают кордоны милиционеров. Дети не могут возвратиться из школы (а ведь Лене нужен покой). Наконец телефон из ВОКСа. Гера и сын Митя не могли пробраться сквозь кордон и приехали в ВОКС. Я поехал за ними. Кордоны. Теперь и мне трудно проехать назад. Пробирались окольными путями. Гера согласилась, как только Лена вернется, идти с ней к хирургу. Я остаюсь в ВОКСе, в 19 часов должен быть прием.

Гера уехала. Я – с Митей в саду. Потом гости. Митя с няней уехали домой.

Во время ужина сообщение от Геры: Лене нужно лечь на операцию завтра. Тревожно мне.

Смотрим фильм «Соловей-Соловушка». Некоторые женщины ласково на меня поглядывают, но мне теперь не до них. У меня завтра Лена – под нож.

22 сентября

Заседание парткома. Тупая голова М.[1] Трусливая Ч.[2] Совершенно ничего не понимающая К.[3] и лишняя всему Г.[4]. Обсуждают «дело» Бык.

Она рассказывает свои отношения с С., говорит, как она и ее дочь лежали целые дни в нервном припадке, не могли разжать рта, чтоб выпить глоток воды, подаваемой им 12-летней девочкой, внучкой Бык.

Все смотрели на Бык рыбьими бесстрастными глазами, все выступали против нее. Ни у кого не шевельнулось чувство, что ведь она уже достаточно наказана. Она плакала, просила не исключать. Ее дочь Г. Серебрякова[5] сошла с ума и находится в сумасшедшем доме. Должно быть, мы не вполне способны понять психологию этих людей.

Комитет голосовал большинством за ее исключение из партии. Видно было, как каждый, борясь за свое существование, перестраховывается.

[1-4] Лица не установлены.

[5] Г.И. Серебрякова – советская писательница.

23 сентября

Заседает партком по делу Инбера. Член партии с 1900 года. Был с 1910 по 1917 в группе Троцкого. С 1917–1919 вне партии. Дает путаные объяснения. Единогласное постановление – исключить.

ВОКС. Беготня в поисках домов для дачи. Телефонировал Андрееву.

Он:

– Ах как некогда. Ну вот что, приходи в 16.30.

Я:

– Спасибо. Буду.

Пришел. Сейчас же был принят. Сразу приступил к изложению своего дела: необходимо мне и жене поехать в Мариенбад для лечения сердца.

– Если так плохи твои дела с сердцем, придется тебя отпустить.

Стали говорить о ВОКСе. Я выдвигал – или-или. Или сделать ВОКС комитетом пропаганды Советской культуры, как учреждение Геббельса в фашистской Германии, или слить его с «Интуристом». Мои соображения Андреев выслушивал с большим интересом.

Потом снова о моей болезни сердца и поездке.

Андреев стал одеваться. Одевшись уже, в пальто и фуражке, он опять сел за стол и говорил, что по моему делу я должен сговориться с Ежовым или Л.М. Кагановичем. Я отвечал, что их трудно уловить, даже по телефону. В особенности Кагановича. В это время отворяется дверь и входит Каганович. Радушно меня приветствовал. Спросил о жизни и о том, что я пишу. Я ответил, потом спросил, получил ли он мое письмо с просьбой о выезде за границу.

– И не одно письмо, но оба получил и прочитал, они со мной. Вот.

Он открыл свой портфель и среди бумаг, которые были в папке для ЦК, нашел мои письма. Сзади этих писем была приложена коротенькая, в шесть строк на узенькой ленточке папиросной бумаги секретная справка из Наркомвнудела. Он ее поспешно закрыл и стал говорить, что в ближайшее же время мой вопрос он ставит на ЦК.

Я его поблагодарил и сказал, что это меня исключительно удовлетворяет и что я буду ждать решения.

Так как я с Андреевым уже говорил по поводу здоровья моего и моей жены, то теперь, перед Кагановичем, не стал повторять.

Каганович спрашивал о работе ВОКСа и хвалил меня за мое произведение «Корни». В особенности за описание встречи с крестьянкой.

Когда мы все трое двинулись к выходу, в коридор из разных дверей выскочили охраняющие. Я вошел с Кагановичем и Андреевым в лифт. Там повторил, что хотел бы покинуть работу в ВОКСе и что его надо слить с «Интуристом». Расстались на улице около машины. Две женщины засмотрелись на Кагановича, но их попросили проходить быстрее.

Разрешат или не разрешат мне и Гере выезд?

Поехал в РЖСКТ[1], где Вася[2] делал для меня договор на продажу дома. Поздно вечером – в «Сосны»

---

[1] Рабочее жилищно-строительное кооперативное товарищество.

[2] Чернышев.

24 сентября

Как всегда, пуритански скучно. Радость и восторг – это Митя, это кусок солнца и моя сила, повторение меня самого на сей планете.

В этот день, 24.09, я много читал («Пиквикский клуб»). Каждый народ имеет своего героя: испанцы – Дон Кихота, англичане – Пикквика, русские – Обломова, чехи – Швейка и т.д. У каждого народа свой изумительный автор и свой герой.

Смотрел фильм «Дети капитана Гранта». Наивно и примитивно.

25 сентября

ВОКС. Работа. Обед с персами. Такая скука, что силой воли сдерживал скулы от зевоты.

Общее собрание. Мой доклад о международном положении.

Долго работал над рукописью о Молотове.

1 октября

Товарищи обсуждают как-то глухо, косноязычно последние изменения (Ягода – снижен до нарком, недавно бывший заворгбюро возвышенный до наркомвнудел)...

21 октября

Вчера приготовления к приему испанского посла Марселино Паскуа. К 17 часам я отдал последние распоряжения и в 17.15 в сопровождении мадемуазель В.[1] выехал проводить ее, а потом – к себе домой.

Как только сел в автомобиль, сразу был сражен сердечным припадком, однако призвал на помощь всю силу воли и сохранял недвижное положение. Пульс, вероятно, доходил до 200, а может быть, и больше – едва вошел в лифт, едва выстоял в нем, пока он поднимался. Пришел домой и сразу свалился. Продолжил мобилизовывать свои внутренние силы на борьбу с сильно бьющимся сердцем.

Вызвали из амбулатории дежурного врача. Она сосчитала пульс – 110. Похолодели руки и ноги. Легкая испарина и лихорадочность (дрожь). Положили грелку на живот. Стало лучше. До этого все время чувствовал ясно, как к груди, снизу, из живота, приперло что-то тяжелое и не отпускало, давило в области нижней части груди, где кончаются ребра (грудобрюшная преграда). Что-то булькало и перемешивалось в животе.

Приехал врач из Кремля и профессор Кончаловский. Пульс уже 80. Время – 18, припадок стал спадать. Появилась потребность мочиться. Во время этого почувствовал страшные спазматические и распирающие в стороны боли в животе – почти до крика. Согнувшись, дошел до постели – и снова грелка. Лежал так час, до 18.

Доктора нерешительно оставили на мое решение вопрос идти мне или нет на прием. Прием слишком ответственный. Сердце все еще 80.

Лежал до 20 часов. Сносился по телефону со своим заместителем. Он объяснил гостям и Паскуа причину моего опоздания.

В 20 часов я встал и к 20.30 был на приеме. Сели за ужин. Я ничего не ел.

В 22 часа произнес речь. Вот она:

«Позвольте мне, прежде всего, сказать вам, что нелегко выступать с речью перед вами, господин посол, в сложившихся обстоятельствах, которые мы пытаемся преодолеть, нелегко выступать с речью перед вами, представителем героического народа Испании, который приносит в жертву свои лучшие силы в борьбе за свою независимость и прогресс человечества. Мы не забываем, что в этот момент пулеметы и пушки повстанцев гремят уже на подступах к Мадриду.

Вы здесь окружены, господин посол, представителями научных, артистических и литературных кругов, которые, так же как и все народы нашей страны, присоединяются к великим словам нашего Сталина:

284

"Трудящиеся Советского Союза исполняют лишь свой долг, направляя помощь революционным массам Испании; они отдают себе отчет в том, что освобождение Испании от гнета реакционеров-фашистов не является делом только испанцев, но является общим делом передового и прогрессивного человечества".

Эти слова являются лозунгом и залогом того, что борьба за свободу и прогресс будет победоносной».

Я вставил только, что мы в СССР читаем испанскую литературу, и цитировал писателя Сендера, как его герой Криссель говорит, уходя на расстрел, – мы умрем, но победа за нами.

К полуночи был дома. Не зажигая света, лег спать и не мог заснуть до прихода Геры (по моей просьбе она еще оставалась с гостями).

Был концерт: Оборин у пианино – Шопен и Альбанис. Москвин – монолог Городничего из «Ревизора» и анекдот Горбунова о царь-пушке. Гоголева – монтаж из «Фуэнты Овехуна» – Лопе де Вега. Яхонтов – монтаж из Пушкина (Ганнибал). Прокофьев играл свое.

Спал с перерывами. Проснулся. Тяжесть в голове. Умылся, позавтракал и снова лег.

Весь день засыпал и чувствовал себя хорошо только первые полчаса после сна, потом опять слабость и сонливость. Все время почти беспрерывные экстрасистолы. Только к 19 часам лучше стало.

---

[1] Лицо неустановленное.

24 октября

«Дорогая тетя Маля!

Долго нет от Вас письма на мое последнее, в котором я отвечал Вам, что Ваш приезд очень желателен. Может быть, неисправности почты виноваты в том, что письмо Вами не получено. Тогда приблизительно повторю. Прежде всего, было бы хорошо Вас видеть, и если бы Вы смогли остаться у нас и если бы работа у нас не была бы выше Ваших сил, то моя семья в Вашем лице имела бы некоторую хозяйственную основу. Я не очень практический человек. Жена – немка, иностранка. Дочери от первой жены требуют внимания (им 13 и 10 лет), а та, которой 16 лет, живет с матерью. Мой сын Митя 2,5 лет, от второй жены, требует ухода. При нем теперь у нас довольно хорошая няня. Хотя и русская, но делает все точно и, как немка, организованна. Но все же без своего глаза плохо.

Мы с Вами давно не видались, и жизни у нас были разные. Поэтому было бы хорошо, если бы мы условились на простом и дружеском принципе, а именно: не решайте сейчас дела окончательно, а попробуйте только. Если Вам у нас понравится и не будет очень скучно и трудно, оставайтесь сколько хотите. Если не понравится или будет трудно, расстанемся так же дружно и культурно, как начали. Ведь в письмах трудно предусмотреть все условия и детали. Поэтому, если можете, приезжайте. Разумеется, если Вам придется уезжать, я материально помогу.

Жена моя – немка, и мне думается, что можно рассчитывать на хороший исход. Конечно, риск есть всегда, но где его нет?

Так вот, пишите, и если надумаете, просто приезжайте, будем рады всегда. Будем рады, даже если погостить приедете.

Сердечный привет всем Вашим.

Ваш Саша Аросев».

24 октября

Мало работал. Днем лежал на балконе. Принимал бромистый хинин. Читал. Писал.

25 октября

Ездил в город (уехал в 16 часов). Был у зубного врача. Телефонировал Ежову. Как всегда, ответ – позвоните завтра. Каганович обещал, что мне позвонят о приеме у него, и до сих пор никаких вестей. Не хотят принять.

Вечером вернулся в «Сосны». Гера осталась в Москве. Лена и Оля смотрели на меня равнодушными глазами, в них не было радости встречи с отцом. Наташа, старшая дочь, вообще не посещает меня и даже не звонила во время болезни. Теперь я знаю, что они скоро-скоро забудут меня после моей смерти, смерть моя не станет для них большой раной. Зато сын начинает меня любить, глубоко. Так близки мне были только покойница-мать, да некоторые боевые товарищи, да рабочие, которым я показал свет социализма.

С 25 на 26 спал очень хорошо. Утром написал письмо Ромэну Роллану[1]. Вот его черновик (я послал его после незначительных поправок).

Тут же прилагаю письмо Марии Павловны[2], ответом на которое и является мое. Я получил его 25.

---

[1] См. Приложение 4.

[2] См. Приложение 3.

27 октября

В тот же день я написал письмо тетушке Маше (двоюродной сестре моей мамы) с приглашением приехать сюда, ко мне.

Написал и Молотову о том, что болен и что Каминский, наркомздрава, и Ходоровский, завсанупр Кремля, оставили мою просьбу о помещении меня в санаторий «Барвиха» без ответа. Все это отзвуки каких-то элементов недоверия, проскальзывающих в отношении ко мне.

7 ноября

Начался парад. Вот тебе и 19 лет после борьбы, какую я провел: сиди дома. Смотрел с балкона на эскадрильи аэропланов. Один аппарат как-то странно скользнул на крыло, потом отстал от своей группы и полетел в обратную сторону, к Ходынке, для посадки. Как я узнал вечером от Вячи Молотова, оказалось, что у этого аппарата выпал один мотор (аппарат был трехмоторный) и упал на углу Кузнецкого моста и Дмитровки. Убил несколько человек.

Я вызвал машину и, взяв с собой жену, Лену и Олю, поехал по городу, чтоб побывать среди демонстрирующего народа. Доехали до матери Лены и Оли. Ни ее, ни Наташи дома не оказалось. Возвратились домой.

Парад и демонстрации в этом году были сокращенными и более скромными.

Я лег отдохнуть. Все время было не по себе из-за того, что фактически я оказался недопущенным на парад. Сердце ныло. Действительно, мое здоровье, а может быть, и жизнь, как пишет в своих «лекциях» проф. Кончаловский, зависят от первого попавшегося мне в жизни подлеца, оскорбляющего меня.

Вечером позвонил Молотов и пригласил с собой на дачу. У меня оставалось немного времени, так как в 10 вечера нужно было быть на торжественном приеме у Литвинова. Но так как Молотов мне позвонил около 18 часов, то я мог поехать с ним и сейчас же вернуться. Мне предстояло перед отъездом на прием Литвинова просмотреть смету на постройку дачи.

Молотов заехал за мной, потом за Мальцевым, и мы покатили за город. Молотов сознался, что читал оставленную мною у него мою рукопись его биографии. Считает, что написано поверхностно и есть неточности. Я ответил, что неточности надо исправить, а что касается поверхностности, то вообще трудно защищать свое произведение, но издательство (Детгиз) просило меня писать не сухо, а в форме рассказов, передачи моих впечатлений. Веча, однако, хотя и слабо, больше из скромности возражает против печатания и говорит: «Разве что после моей смерти». Я предупредил, что издатель будет его запрашивать.

Конечно, разговорились о параде. Я рассказал вышеописанную историю с моим пропуском. Вяча был искренне возмущен. Я решил написать Литвинову и Ежову (наркомвнудел) письмо с просьбой сделать выговор тому, кто лишил меня возможности быть на параде.

Много говорили о положении дел в писательской среде, об Андре Жиде. Ожидается от него книга против СССР. Я отметил, что был против приглашения А. Жида, так как это было сделано, т.е. не надо было его содержать за наш счет. Чтобы восстановить симпатии французского читателя, Жид теперь должен писать против СССР, доказать – он не куплен, хотя и старались его купить. Молотов согласился со мной, сказал, что я правильно поступил, проявив осторожность по отношению к А. Жиду, когда он был здесь. Таким образом, выскочки, вроде дурака, «учителя чистописания» Аплетина и измученного непосильной и неподдающейся ему работой по строительству «пролетарской культуры» Арагона, потерпели полную неудачу с приемом А. Жида. Они не учли того, что Жид приезжает к нам в момент, когда французская интеллигенция переживает колебания под влиянием растущего фашизма.

На даче у Молотова Тихомирнов. Полина, жена Молотова, прямо начала разговор со мной с того, что Наташа (моя дочь) приходила к ней, к Полине, и жаловалась, что я хочу взять ее из школы, так как в школе арестовано 5 преподавателей, оказавшихся немецкими фашистами. Я подтвердил, что сделаю это и сослался на мнение самого Молотова. Полина явно обозлилась. Мы с Молотовым говорили о пьесе Д. Бедного «Богатыри». Молотов не одобрил ее основной идеи – противопоставление богатырей-разбойников официальным богатырям. По его мнению, так называемые официальные богатыри тоже велики. Например, Святогор, Микула Селянинович, Илья Муромец. Д. Бедный не посмел высмеять их, осмеял второстепенных, чтобы посредством их «подмочить» настоящих. Пожалуй, Вячеслав прав.

Полина, ревнуя Вячеслава ко мне и желая показать свою власть над ним, стала посылать его к Светлане. Вячеслав ответил: «Сейчас». Полина нетерпеливо повторила свою просьбу. Вячеслав бросил ей: «Какое срочное приказание – сию минуту! Погоди, когда надо, пойду».

Поговорив со мной еще, он распрощался, а я поторопился в Москву. Там обсуждал смету со строителем. Конечно, она еще не готова.

Потом переоделся и поехал с женой к Литвинову. Прием как прием: фраки, шлейфы, лица, будто резиновые. Все друг другу надоели с первой же минуты, с первой же минуты осудили друг друга.

Узнал неприятные новости от испанского посла – правительство переехало из Мадрида в Валенсию. На улицах столицы бои. Впрочем, тут же прибыло новое известие: фашисты отброшены на 4 километра от Мадрида.

Вчера аэроплан АНТ-9 разбился в 90 километрах от Москвы, в нем было 7 советских и 2 японских пассажира плюс моторист и летчик.

Решил о поведении А. Жида написать Сталину.

Вчера на приеме Бубнов мне сказал, что на оргбюро ЦК рассматривался вопрос об «Интуристе». Создана комиссия под председательством Яковлева[1], для рассмотрения вопроса о сближении работы ВОКСа и «Интуриста». Обязательно завтра обращусь к Яковлеву. Может быть, это слияние предоставит мне случай освободиться от ВОКСа и стать актером и писателем. Хоть остатки дней я прожил бы хорошо.

Гера еще не пережила предчувствия того момента, когда вся жизнь, как книга от ветра, вдруг внезапно захлопывается и вместо интересных и захватывающих строк жизни, развертывающихся на страницах, получается только крышка с именем (например, Александр Аросев). Так захлопнулась книга жизни моего отца на 48-ом году, т.е. на 48 главе, жизнь моей матери захлопнули белые на 47-ой главе. Жизнь моего брата Вячи приостановилась на 43 главе. Так же захлопнется и моя. Останутся и строки этого дневника. Кто-то будет его читать и разбирать.

Правда, дневники — посовершенный рисунок человеческой души. Человека посещают иногда, в последнюю минуту перед сном или рано утром, или в бессонную ночь такие чудные, странные, своеобразные мысли и образы, часто даже без выражения, что их могла бы запечатлеть только машинка, записывающая мысли, если таковая будет изобретена. И все же дневник – хороший рисунок, хотя и пунктиром, человеческих движений.

Может быть, сегодня пал Мадрид. С этого начнется новый этап фашистского разгула. В Мадриде образовалось правительство, куда впервые в истории вошли и анархосиндикалисты (четверо: юстиции, промышленности, торговли и еще чего-то). Это правительство покинуло Мадрид. Почему мы им не помогаем? Может быть, анархисты и социалисты боятся и не хотят нашей помощи. Да, судя по полемике между коммунистическим органом «Мундо обреро» и анархистским «Солидаридат обреро» анархистов отпугивает то, что у нас нет политических свобод. Там, в Испании, организованных анархистов 1.400.000 человек. Это сила. Вообще, мировая революция, которая развертывается в муках, нащупывает свои собственные пути и только отчасти воодушевляется нашим примером. Образуются даже в нашей стране силы, которые не понимают наше поколение.

Сегодня я зафилософствовался на разные темы. Надо положить конец. Примусь за переписку 1-го акта моей драмы «3 брата».

Черновик Литвинову и Ежову, с информационной целью – Молотову:

«Все прошлые годы я получал от протокольного отдела НКИД билеты на дипломатическую трибуну для присутствия на параде 7 ноября. В этому году, как и в прошлые годы, я заблаговременно обратился в НКИД. 4.11. из секретариата т. Баркова[2] мне было сообщено, что билеты для меня и жены готовы и я могу получить их 6.11. Это было еще раз подтверждено 5.11. Однако 6.11. мой посланный билетов не получил, а на телефонный запрос непосредственно т. Баркову последний ответил, что на мою долю билетов "не хватило". Вследствие этого, впервые за все время существования Советской власти я был лишен возможности присутствовать на параде. Это является ущемлением меня не только как председателя ВОКСа, но и как члена Военно-революционного комитета, руководившего октябрьским переворотом в Москве в 1917 году. Если допустить, что в данном случае имел место прямой отказ в выдаче мне пропуска на Красную площадь (что я считаю совершенно исключенным), то об этом меня известили бы заблаговременно в ответ на мое письменное обращение, без предварительного двукратного извещения о том, что билеты готовы. Следовательно, причина недопустимого обращения со мной не в отрицательном отношении к моему присутствию на параде, а в чем-то другом. Поэтому с настоянием прошу Вас выяснить причину отстранения меня от участия в общем праздновании и реагировать на это так, как Вы найдете нужным, чтобы впоследствии такие вещи не могли иметь места».

Молотову:
«Дорогой Вяча, шлю тебе в порядке информации копию того письма, которое я отправил Литвинову и Ежову, в связи с фактическим недопущением меня на парад».

Письмо т. Сталину:

«Дорогой Иосиф Виссарионович!

Я получил сведения, что находившийся в СССР в качестве гостя Международного союза революционных писателей и Союза писателей СССР, приглашенный непосредственно т. Кольцовым А. Жид издал книгу фактически против СССР.

Так как я лично знаю А. Жида и провел с ним несколько бесед, я был противником приглашения его в СССР в том виде, как это было сделано: его пригласили за наш счет. Я считаю это ошибкой.

А. Жид в беседах со мной и сам мыслил поездку за свой счет. Он представлял ее себе как рабочую для создания романа на нашем материале. Об этом я писал Вам после моего первого контакта с ним. Быть обвиненным своими читателями в том, что он «куплен» в СССР, для А. Жида самый большой страх. Тем более что, не замечая этого, А. Толстой ранил его своей статьей, где писал, что А. Жид едет в СССР потому, что его не читают на Западе. Лично мне А. Жид говорил: "Теперь я не могу ехать к вам, потому что скажут, будто я поехал искать читателей, т.е. заработка".

Приглашение А. Жида обставили так, что он совершенно потерял чувство меры и перспективу, в которой он занимает определенное место. Он приехал втроем с писателями Эрбаром и Даби. Первый с ним был особенно дружен и сам не может похвастаться симпатиями к СССР. Все трое разъезжали по СССР, делали, что хотели, жили, как хотели. Везде их встречали коленопреклоненно и писали соответственно этому статьи.

Поведение гостей было столь своенравным, что я не решился сделать в ВОКСе ни одного приема А. Жиду. Перед самым отъездом Даби захворал и умер. У него нашли его дневник, который был передан организации, приглашавшей их. По настоянию Арагона дневник задержали в Москве. Жена Даби подняла шум и, пользуясь дружеским расположением А. Жида, влияет на него самым отрицательным для нас образом. А. Жид, она и их окружение толкуют дело так, что дневник задержан в Москве по политическим соображениям. А. Жид, которому нужно во что бы то ни стало оправдаться перед своим кругом читателей, теперь будет стараться доказать, что он не куплен. Он будет выступать против нас, чтоб показать, что вот, дескать, несмотря на то, что он жил в СССР на наш счет, его все же не удалось купить. Вопли Даби о дневнике – только прекрасная пища для питания антисоветских настроений А. Жида. Между тем, сам по себе дневник в политическом отношении ничего особенного и интересного не представляет, т.к. в нем автор описывает почти исключительно подробности своих любовных встреч с различными женщинами в различных углах мира. На днях дневник отправлен, наконец, А. Жиду для вдовы Даби.

А. Жид – человек с жидкими принципами, крайне неустойчивый, следовательно, при теперешнем напоре фашизма во Франции во все щели материальной и духовной жизни может пойти вправо. Я думаю, надо принять меры к предотвращению этого, ибо А.Жид чрезвычайно влияет на умы французской интеллигенции и может стать центральной фигурой фашистского мировоззрения на территории Франции.

Кроме того, опыт с его приглашением надо учесть и для других случаев».

---

[1] Я.А. Яковлев (наст. фамилия Эпштейн) – первый зам. председателя Комитета партийного контроля при ЦК ВКП(б).

[2] В.Н. Барков – зав. протокольным отделом НКИД.

8 ноября

Третьего дня поехал в «Сосны». Много времени проводил с милым сыном. Он делается мне все понятнее и ближе. Глядя на него, я словно смотрюсь в такое зеркало, которое отражает мое прошлое и будущее сразу.

Вечером собрался ехать в Москву, чтобы завтра с утра быть на параде. В последний момент моя секретарь сообщила, что протокольный отдел НКИД отказал мне в билете (хотя накануне было обещано) по той причине, что-де дипломатических билетов не хватило. Значит, кто-то и почему-то вычеркнул меня и жену из списков. Кто же? Наркомвнудел или протокольный? По телефонам я добрался до наркомвнудела т. Паукера (его помощника). Тот сообщил, что будто я должен завтра встречать испанскую делегацию рабочих (25 человек) и потом с ней идти на Красную площадь. На этом основании я поехал в Москву. Приехал к полночи (с женой), до часу ночи по телефону выяснял, в чем дело и должен ли я встречать делегацию. Оказалось – недоразумение. Помощник Паукера все напутал, никакой делегации я не встречаю.

Спал плохо: будил плач соседского ребенка. С утра – телефонные звонки.

18 ноября

«Сосны». Кончился день. Прошел короткий отдых. Вспоминаю вчерашнее.

Заседание Пушкинского комитета у Бубнова в Наркомпросе, Бубнова нет, он на другом заседании, начинаем сами. Обсуждаем: смета, реставрация мест, где жил или работал Пушкин, кого пригласить из-за границы и т.п. Но от нас ничего не зависит, каждый ощупью, робко кое-что пытается предложить. Само собой разумеется, что эти предложения не оснащены никакой идеей. Наконец приехал нарком, как всегда в форме отставного солдата. Говорит, что беседовал с Межлауком (зам.предсовнаркома). Тот сказал, что на иностранцев не дадут денег и что не надо их приглашать.

Ну, может, человек 5–6 наиболее видных... Значит, Межлаук уже говорил с председателем Молотовым. В общем, решений не принято никаких. Каждый из присутствовавших обещал прислать письменный проект. Во время обсуждения кушали виноград, печенье, пирожное. Пили чай.

Оттуда в Союз писателей. Принимают испанских делегатов. Назначено на 6 вечера, начали в 8. Приехал Ставский в высокой кубанской шапке и сразу пригласил всех в ресторан. Столы заставлены винами, закуской и фруктами. Председатель – Лахути. Говорил о себе и о персидской революции, потом был перевод. Затем слово взял Серафимович. Он говорил о том, кто остался в советской литературе, назвал Д. Бедного. В этом месте Тренев наклонился ко мне и сказал, что Д. Бедный упомянут из политических соображений, для поддержки, так как согласно постановления Всесоюзного комитета по делам Искусств ругают за пьесу «Богатыри». А сначала хвалили и допустили постановку, к которой театр готовился 2 года (муз. Бородина). Вслед за Серафимовичем выступал Ставский. Он хвалил советскую литературу и ее руководство, называл современную литературу самой блестящей в мире и т.п. Говорил, как всегда, дрябло и долго, некоторые испанцы дремали. Лахути подбежал и упрашивал меня не выступать, испанцы-де уже умучены. А предварительно, еще утром, Лахути обещал, что даст мне слово на французском языке как руководителю Окт(ябрьского) восстания в Москве. По-видимому Ставский прибрал перса[1] к рукам, и тот, боясь его, умолял меня отказаться от слова. За это он, Лахути, обещал упомянуть, что среди писателей есть участник Октябрьского переворота в Москве. А пока за Ставским взял слово Накоряков. Он говорил о тираже книг современных авторов о Пушкине. О борьбе, геройстве и отважном испанском народе – никто ничего. Все хвалили себя.

Отвечал испанец, просто рабочий. Он с полей битвы. Сказал, что любит русскую литературу и знает русского Дон-Кихота – Обломова, что испанский народ любит свободу и поэтому борется.

В заключение Лахути предложил поднять тост за наше руководство. Потом за Испанию. Своего обещания мне Лахути не исполнил...

---

[1] Лахути родился в Иране.

21 ноября

Мы будто продираемся сквозь дебри: так трудно жить, так трудно творить, так трудно охранять свою семью и воспитывать детей. Каждый день новые заключения детей под стражу говорят об этих событиях, потому что задерживают или защитников друзей моих дочерей, или учителей.

Люди сильно подавлены. Итак, сегодня они проводят новый процесс.

Я чувствую себя без специальности, без любви детей и жены, без матери и отца, как человек, которого крючком подхватили под хлястик жилетки и вот он повис в воздухе и болтается.

Пишу с трудом пьесу или рассказы, с трудом потому, что самый воздух, который вдыхаю, невкусный, как в склепе... Но сил много и мог бы жить бурно и творчески.

М. Кольцов, мальчишка из кадетской «Киевской мысли», сидит в Мадриде. А. Толстой только что вернулся из-за границы. Суммирует и сообщает впечатления.

27 ноября

Все дни на съезде Советов. Вчера не был на вечернем, т.к. принимал испанскую делегацию в моем учреждении. Сегодня вечером направился туда, но едва спустился на лифте к выходу, как начался мой обычный сердечный припадок. Я немедленно поднялся обратно. Вошел в гостиную и по «рецепту» доктора Перекрестовой, опершись двумя руками о спинку кресла, сделал такой вдох, какой необходим, когда тебя тошнит. После этого лег на диван. Тотчас же припадок начал ослабевать и через 2-3 минуты совершенно исчез. Я исключительно поражен. Неужели в самом деле я нашел средство, останавливающее мои припадки?

28 ноября

Прежде чем лечь в кровать и начать читать книжку Макса Валье[1] о полетах в мировое пространство, хочу записать сейчас, в 0.30 ночи, несколько философских мыслей, пришедших мне в голову во время одиночной прогулки перед сном во время симпатичного теплого снегопада.

...Природа всегда великолепна. Идет ли дождь, снег, палит ли солнце, или низко плывут свинцовые тучи, всегда природа прекрасна. Временами зимой в Париже меня начинал возмущать и беспокоить непрерывный надоедливый дождь, но ведь это не от дождя, а оттого, что это происходило в Париже. Неприятности были не от дождя, а от города. В лесу, в поле, в деревне – этот дождь мог бы навеять хоть и грустные мечтания, но все же трогательные и приятные. Природа всегда очаровательна!

Пришла жена. Надо кончать записывание. До завтра. Прощай, мой дневник.

Все важные люди на съезде смотрят на меня холодно и недружелюбно. За что? Этот вопрос колом стоит в моем сердце, заставляет его волноваться. Жестокий век. Хочется уехать к испанцам бороться!

---

[1] Макс Валье – немецкий конструктор ракетной техники, автор книги «Полет в мировое пространство как техническая возможность».

13 декабря

Ровно полночь. Вернулся от брата Авива. Там веселился. Плясал, пел, дурачился. Узнал, как жена моего покойного брата, Елена Владимировна, служащая у Вышинского (прокурора) секретарем, говорила летом будто я такой, что ко мне не безопасно ходить. Что об этом ей, Лене, сказал какой-то очень ответственный человек.

Не этим ли объясняются косые, избегающие прямой встречи взгляды разных высоких особ. Стремлением избежать встречи измеряется человеческая глупость. Избегает меня старательнее тот, кто глупее.

Все эти факты, все эти взгляды, все дела, совершающиеся ежедневно вокруг меня, и вся глубина моего одиночества заставляют меня философствовать и доискиваться сущности современного момента. Его нужно, прежде всего, записать, т.е. записать все факты в том виде и порядке, как они развертываются передо мной. Потом систематизировать и наконец обобщить и сделать выводы. Жить дальше и плыть по течению нельзя. Чтобы творить, надо мыслить. Поэтому начну завтра особую тему бытия человека нашей страны.

14 декабря

Начало книги бытия. Ничего не записал.

15 декабря

Почти полночь. Ответ от секретаря ЦК Андреева: он против моей поездки в Швецию. Значит, заграница для меня и моей жены закрыта навсегда. Значит, что-то есть против меня. Даже Чернышев больше ко мне не появляется. Его жена – агент НКВД, разведчица. Ей ставили задачу подойти ближе к моей жене и ко мне. Она сама говорила Чернышеву, что в НКВД настроены против меня, там имеют большое желание меня скомпрометировать.

Жена Чернышева 5 лет работает там. Уже была какая-то драма с Чернышевым, он разводился с ней фактически, но она примирила его с собой и чем-то смирила! По-видимому, он теперь кое-что от нее знает. Но почему это должно относиться ко мне? Сам факт существования такого вопроса трагичен.

18 декабря

«Сосны». Усиленно готовлюсь к завтрашней лекции «Европа сегодня».

19 декабря

Утром А.П. Чертополохова, моя секретарь, позвонила мне, что в «Правде» есть выступление против меня. Я попросил прочитать по телефону. Она это сделала. Действительно, незаслуженная и ненужная, морально грязная вылазка против меня[1].

Я ответил на эту публикацию письмом Молотову и Андрееву. Кроме того, пошлю Ежову и Ворошилову, а также в отдел печати Центрального Комитета, в издательство «Огонек» и, может быть, Ромэну Роллану. Вот оно:

Письмо в редакцию «Правда»

«19 декабря в "Правде" была напечатана заметка о сборнике моих очерков-воспоминаний. Очерки эти написаны мною в 1919–1920 гг. Сборник выпущен в июне 1936 г.

Считаю неправильным, что в своих воспоминаниях об октябрьских днях в Москве я ошибочно сослался на Томского. Этого тем более не следовало делать, потому что он не принимал никакого участия в октябрьских днях в Москве, даже отказался войти в военно-революционный комитет как представитель профсоюзов и к тому же немало напакостил партии.

В своих очерках я пытался показать, как было тяжело рабочим и солдатам вести вооруженную борьбу почти без командного состава против квалифицированных кадров юнкеров и офицеров. Я не упоминаю в очерках о московских рабочих, но я пишу о солдатах, а ведь это были рабочие и крестьяне, одетые в солдатские шинели.

Некоторые читатели "Правды", прочитав заметку, могут подумать, что я, будучи офицером, случайно оказался "на стороне революции". Между тем, я член партии с 1907 года. С 1909 по 1916 г. я был в ссылках и побегах. Февральская революция дала мне офицерский чин. После июльских дней я был арестован и за большевистскую деятельность обвинен по статье, угрожавшей мне смертной казнью. Освободили меня по требованию московской большевистской организации за несколько дней до Октябрьской революции.

К двадцатой годовщине Великой пролетарской революции я готовлю свои воспоминания, где попытаюсь дать возможно полнее картину участия московских рабочих в октябрьских боях.

С товарищеским приветом А. Аросев».

---

¹ См. Приложение 5.

20 декабря

Вчера моя лекция не состоялась из-за малого количества собравшихся. По-видимому, многие побоялись в связи с заметкой в газете.

Утром гулял. За мной гуляли шпики. Их много на всех углах.

У меня и у жены настроение сверх тяжелое. Каким-то подлецам, моральным уродам нужна атмосфера болезненной злобы и интриганства. Зашевелились, как могильные черви, и мои сотрудники в ВОКСе. В общем, все как будто рады, что старого революционера можно ущемить. На моей истории можно написать трактат: «Как из-за ничего гибнет человек».

21 декабря

Гулял утром. Шпики гонялись по пятам. Им, поди, странно, что, дескать, человек гуляет.

Готовлюсь к приему Фейхтвангера.

Прием прошел хорошо. Начался в 8 вечера.

В 6.15 делал доклад о Международном положении на районном активе. Говоря об испанской республиканской авиации, назвал ее нечаянно нашей. Аплодировали, а доносчики писали донесения.

Фейхтвангер – маленький, круглый, все видящий и жадно наблюдающий. Весь – глаза да... яйца. Он был с Вилли, с художником Германом Тихомирновым и с публицистом Маркузе. Многие из приглашенных не пришли, эти многие мне сочувствовали...

Лег поздно, в 3 ночи.

22 декабря

День рождения Оли. Встал поздно. Гулял. Шпиков нет. Много писал, работал. Потом ВОКС. Надо написать пространное письмо Сталину и Ворошилову. А может, и Молотову, на тему о том, как ни за что и ни почему гибнет человек, верный Ленину и Центральному Комитету. Кажется, именно за это и гибнет, но губят его под предлогом якобы неверия, под предлогом, выработанным клеветой.

Оля бледна, мила и умна. Но все-таки после хорошего вечера опять оскорбительно для меня скандалила с Леной, ленилась, ходила по комнатам, бездельничала и не ложилась спать. Странные у меня дочери. Они будто специально разрушают мои терпеливые и хорошие отношения с ними. Ни смех, ни ласка, ни угрозы – ничто не действует, они морально-глухие!

ТЕТРАДЬ № 7

Мой дневник – это попытка продолжать жить после смерти. Буквы дневника – это не потухшие искры моих глаз, смотрящие сквозь покрывало смерти в будущее. Поэтому чем ближе подвигается дело к развязке, тем усерднее и аккуратнее веду записи.

Однако они оживут только в руках и под глазами живых. Хорошо, если бы кто-либо из моих наследников действительно занялся моими дневниками, сделал из них что-либо полезное.

1937 год

6 января

«Сосны». Почти полночь. День начался катанием на коньках. Был мой сын. Потом работа по приведению в порядок дневника. Обед. Читал Валье «Полет в мировое пространство». В пятом часу пошли в парк встретить сына. Побыли с ним (я и Гера) около получаса и в парке наткнулись на Молотова, он шел в сопровождении Мальцева, Тихомирнова и должностных лиц. Поздоровавшись, я тоже пошел. Прежде всего он посмеялся над моим костюмом. Посмотрел, какую книгу читаю, и тоже посмеялся, что это оказалось путешествие в мировое пространство. Смеху его охотно вторил своим смехом помощник директора дома отдыха Данилов. Молотов, почувствовав, видимо, некоторую неловкость оттого, что смеялся над бывшим другом перед другими, пошел быстрее вперед. Я спросил его о жизни, сказал, что живет хорошо.

Больше мы ни о чем не говорили, хотя я вместе с другими проводил его до выхода.

Потом в моей комнате Мальцев (изрядно выпивший) говорил о Молотове, о современном моменте и о презрительном отношении к нему, Мальцеву, со стороны высокого начальства. Говорил также и о том, что доверие ко мне пошатнулось. На все мои вопросы о причине, он сердито отвечал, что я должен сам это знать. Я, в свою очередь, возмущался, потому что действительно не знаю, чем такое отношение ко мне вызвано.

Поздно вечером, Мальцев, я и жена вместе с другими товарищами катались на катке.

Все это внешнее выражение моего дня. А внутреннее?

Я много беседовал с женой о моем теперешнем положении: чувствую себя, как в мышеловке. Доверия мало. На мою работу в ВОКСе внимания обращают мало. На работе мелкие людишки без мозга и без морали усердно гадят. В семье дети, Лена и Оля, как недавно вскрылось, способны очень сильно лгать и не имеют ко мне простых родственных отношений. Наташа, старшая дочь, даже не бывает у меня никогда, не телефонирует, не пишет. Чужая, а может быть, даже враждебная. После заметки в «Правде», несмотря на помещенный там ответ, отношение ко мне и со стороны многих товарищей стало крайне сдержанным. Вот о том, что в этом случае надо предпринять, мы и рассуждали с женой. Ясно, что так все это оставить нельзя. Бюрократы, интриганы, собственные дочери и семейные обстоятельства будто общими усилиями выталкивают меня из жизни к могиле.

Сделаю последнюю попытку, направляю письмо в Политбюро[1].

«Дорогие товарищи,

целый ряд фактов совершенно выпукло показывают, что отношение ко мне и отчасти даже и к делу, какое я возглавляю, изменяется все больше и резче в худшую сторону. Я уже не однажды беседовал с секретарями ЦК ВКП и в отдельных письмах ставил вопрос о предоставлении мне возможности отойти от той работы, которую веду сейчас, и разрешить отдаться непосредственно творческой работе в литературе и театре.

Благодаря резко меняющемуся ко мне отношению, когда я остаюсь в совершенном неведении об источниках этого изменения и чувствую себя все время под ударами чего-то несправедливого или ошибочного, я принужден поставить вопрос о моей работе официально, так как при теперешнем отношении не считаю себя в праве оставаться на работе в ВОКСе».

Чтобы покончить с инцидентом в газете «Правда» записываю: 29.12. 36 г. «Правда» напечатала мое письмо.

Парторганизация, однако, обсуждала это «дело». Большинство интриганов и мелких людишек, запачканных в прошлом, говорили о том, что я совершил ошибку, упомянув Томского, о том, что я «игнорировал» организацию, и о том, что я должен дать «развернутую» критику своего «поступка».

Моральные слепцы! Конечно, я не дал им удовольствия кусать меня и ограничился предложением задавать мне вопросы, на которые отвечал. А потом, когда ораторы высказались (все повторяли одно и то же, как попугаи), то ответил ораторам.

Самой язвительной интриганкой оказалась Гронсберг[2], политически замаранная в прошлом и теперь заметающая следы. Та самая Гронсберг, которая всегда мне в глаза пела хвалебные гимны, а я ей устраивал по ее просьбе лечебную поездку в Киев, против всех правил. Прав Достоевский: не делай ближнему добра, ибо за это он тебя возненавидит. Это то самое, что я часто говорил моей покойной маме, а сам к себе не применил этого мудрого психологического наблюдения Достоевского.

_____

[1] Письмо отправлено не было.
[2] Лицо неустановленное.

13 января

Возвратился из Киева. Там было приятно. Город европейский, люди более культурные, чем в Москве (и более хитрые). Порядок и чистота больше, чем в Москве.

Разговор с Куликом[1]. Он осторожен, задумчив. Ему пришлось заменять в Союзе писателей и в Радиокомитете тех, кто был арестован.

Агенты «Интуриста» и НКВД в Киеве провинциальны. Когда иностранцы идут по улицам, их сопровождают толпы любопытных.

В правительственной ложе видел Любченко, Шелехеса, Попова, Балицкого[2]. Последний, кажется, пользуется наибольшим влиянием. Любченко заговорил было о письме Бенешу по поводу украинских эмигрантов, Балицкий почти нечленораздельно протянул: «Ну вот еще», и идея о письме исчезла бесшумно и бездымно в процессе разговора.

Между собою украинцы говорят по-русски (чиновники, главным образом), а речи произносят по-украински.

Возвратясь в Москву, узнал разные неприятности: дача не строится, рабочие разбежались. Строитель оказался ротозеем. Агент уголовного розыска говорит, что мою пишущую машинку, которая исчезла 7.01.37 г., вероятно, похитил кто-нибудь из окружения моей старшей дочери.

Работа – сплошная «вермишель». Какие-то все мелкие делишки. Такие мелкие, безынтеллектуальные и нетворческие, что я в кабинете ничем не превосхожу стоящего на посту милиционера, которого вижу в окне. Его должность – «подозревать», моя – бдеть. Бдеть за неработоспособностью сотрудников, за их интриганством, ленью и пр. Творческого мало.

---

[1] И.Ю. Кулик – украинский советский писатель.
[2] Киевские чиновники.

14 января

Был прием Неедлы[1] и чехов. Еще один потерянный вечер, канувший в вечность. Когда же и как же мне вырваться из этих цепей! После приема чехов был у артиста Ливанова. Там Вася Каменский и Китаев (арт. Малого театра) с гитарой – чудесный талант.

---

[1] Зденек Неедла – чехословацкий историк, критик, музыковед.

16 января

Уехал Неедла. Позаботился, чтоб хорошо его проводили. Была представительница райкома Токарева. Гадость в квадрате – таково, если правду сказать, содержание разговора нашего.

17 января

На работе. Заседание парткома. Благоглупость Мельникова.

В 16 часов у Тамаркина в ЦК. Он говорил назидательно. Я отбил у него охоту так говорить. Рассказывал о разговоре Фейхтвангера со Сталиным, между ними был спор. Фейхтвангер попросил Сталина не курить в его присутствии. Сталин был джентльмен и исполнил просьбу, чем восхитил писателя.

Вечером в райкоме ждали, когда вызовут на бюро. Не вызвали. Отложили. В густом тумане в полночь ехал в «Сосны». Приехал усталый и, должно быть, сильно постаревший, потому что Коля Мальцев смотрел на меня сожалительными глазами.

Сегодня, 18.01., в «Соснах». Щадя сон Геры, вышел из дома только в 11.30. Шел на лыжах. У Мити. Потом он – спать, а мы – кататься. 14.30. – 15.00. – обед. Чтение и отдых. 17.30. – к Мите пешком. Там до 20. В 20.30 – дома. Ужин. Сел за работу, опять-таки щадя сон и усталость Геры, сел в библиотеке. Но... ко мне подошел Аралов и рассказывал о предстоящем процессе над Мураловым, Пятаковым и др. Сейчас подошел Коля Мальцев и окончательно помешал мне работать.

30 января

Сегодняшние газеты сообщили конец судебного процесса над Радеком, Пятаковым, Сокольниковым, Серебряковым, Мураловым, Лифшицем, Дробнисом, Богуславским и другими лицами процесса, который начался 23.01.[1] К расстрелу приговорены 13 человек, Радек и Сокольников – 10 лет тюрьмы, Арнольдов – 10 лет, Строилов – 8 лет. Вот что по вопросу о процессе пишет в «Правде» от 30 января 1937 г. Фейхтвангер под очень скромным заголовком: «Первые впечатления об этом процессе».

«С удовлетворением можно констатировать, что процесс антисоветского троцкистского центра пролил свет на мотивы, заставившие подсудимых признать вину. Тем, кто честно стремится установить истину, облегчается таким образом возможность расценивать эти признания как улики.

Несомненно, вина подсудимых доказана исчерпывающе. Всякий, кто не проникнут злой волей, должен сверх того признать, что Троцкий играл роль идейного вдохновителя, а в значительной части и фактического организатора действий подсудимых.

Закончившийся процесс представляет величайший интерес с точки зрения психологической, политической и исторической.

Что касается его психологической стороны, то процесс вскрыл если не полностью, то в значительной мере мотивы, в силу которых подсудимые совершили свои чудовищные деяния. Процесс показал многие из тех извилистых путей, по которым эти люди, а некоторые из них были когда-то честными, фанатичными революционерами, докатились до того, что стали всеми средствами разрушать строительство социализма в их стране.

Однако западно-европейским людям не до конца ясны причины и исходные мотивы деяний подсудимых и их поведения на суде.

Преступления большинства этих людей заслуживают смертной казни. Но ругательными эпитетами и бурным возмущением, как бы они ни были понятны, не раскрыть до конца души эти люди. Только перо большого советского писателя может объяснить западно-европейским людям преступление и наказание подсудимых.

Вызывает удовлетворение ясность политического результата процесса. Он разбил троцкизм внутри СССР и за границей.

Если взглянуть на процесс с исторической точки зрения, то он представляется как зарево, которое яснее, чем многие события последних двух лет, показало, насколько угрожающе фашизм приблизил весь мир к войне. Только исходя из уверенности в том, что война неизбежна, можно объяснить деяния, совершенные подсудимыми. Раскрыв эти деяния, процесс тем самым выбил из рук фашистов одно из важнейших орудий. Факты, установленные на этом процессе, естественно, повышают бдительность антифашистов и тем самым усиливают риск для фашистов. Только этот риск и удерживает фашистов от развязывания войны.

Наконец процесс показывает всем, кто еще не сделал выбора, куда ведет путь заигрывания с реакционерами. Процесс показал: путь направо – это путь к войне. В том, что и как он это показывает, в этом исторический смысл процесса. Он создал новый барьер против войны».

Фейхтвангер прав: «Только перо большого советского писателя может объяснить западно-европейским людям преступления и наказание подсудимых».

Надо посредством художественного впечатления объяснить зигзаги, какими люди пришли от революции к ее противоположности.

Читая бюллетени ТАСС иностранной прессы, среди всевозможного хлама, обрывков мыслей, шантажа, спекуляций, присущих газетным статьям, мне бросилось в глаза наиболее последовательно и внутренне добросовестно формулированное возражение против процесса. Я не согласен с ним, но он по крайней мере четко рисует, какой пункт московского процесса не приемлется сознанием европейской публики. Это протест Международной Лиги культуры опубликован в пражских газетах. Это, собственно, не протест, а меморандум. В нем говорится: «Основывать приговор лишь на одном признании обвиняемых, конкретно ни в какой степени не проверенном, несовместимо с этими правилами (т.е.основным положением уголовного права. – А.А.) ... Нельзя терпеть, чтобы советская пресса еще во время слушания дела уже требовала голов обвиняемых и производила бы такой недопустимый моральный нажим на суд».

Меморандум подписан Робертом Клейном. Этот меморандум – хороший материал для романа. Если говорить о романе, в нем надо дать четыре основные типа: большевика, троцкиста, честных «правовиков» типа Клейна и фашиста, блокирующегося с троцкистом. Между этими основными нужно нарисовать фигуры таких, которые фрондируют против Сталина и нашего режима и фигуру какого-нибудь стального шлема – противника контакта с троцкистом.

У меня мысль сделать самые первые наброски такой вещи. Но для нее нужна совершенно особая форма. Всего лучше форма протокола допросов. Тогда пройдет перед читателем галерея разнообразных типов.

_____

[1] Процесс «Параллельного антисоветского троцкистского центра», также известен как «Процесс 17-ти».

1 февраля

С утра в своей канцелярии. Опять разговоры с секретарем организации. Нудно.

Страшно устал. Дома, ввиду отсутствия домашней работницы и болезни няни, я и Гера работаем сами. Я бегаю по магазинам, где нет ничего полезного (масла хорошего, яиц и т.п.) и где много всякого рода консервов, которые небезопасно кушать. Сам мою посуду, делаю замечания дочерям, гуляю с сыном Митей. В голове теснятся мысли и образы – писать бы и писать...

Чувствую расхищение нервной энергии и ума.

3 февраля

21.30. Как хватает у меня сил быть веселым? Вернулся с заседания партийного комитета района, где была вся организация ВОКСа.

Перебирая сейчас все, что там было, думаю, до какой подлости могут доходить люди. Мой зам. Чернявский все время прикидывался лисой, теперь выступил резко на стороне врагов социализма, против меня. Прибегал к непозволительной демагогии, а именно – раньше уши мне прожужжал, что из ВОКСа сотрудники бегут вследствие низкой зарплаты. Теперь, когда он уже фактически вне ВОКСа, кричит: «Не шкурники же коммунисты, не из-за зарплаты они идут. Я, например, – демагогически говорил он, – ухожу по другим причинам на меньшую зарплату».

Вот мерзавец толстошкурый. У меня в кабинете говорил совсем иное. В подобном же роде он выступал по всем вопросам и строил речь так, что выискивал и выпячивал мои грешки, чтобы под ними похоронить преступления наших врагов.

Вообще все, все так невкусно, так однообразно и так страшно, что даже сухо во рту. Полная дезориентация по всем вопросам жизни. Рад только тогда, когда прикоснешься к тетрадям и книгам, этой сокровищнице мысли человеков.

Болит голова. На каких-то мелких людей потерял много энергии. Не следовало бы. Нужно быть простым наблюдателем.

Из-за этого собрания не успел сделать почти ничего, что было намечено на этот день.

9 февраля

Третьего дня, вчера, сегодня писал статьи о Пушкинских днях за границей и статью «Пушкинские сказки».

Вчера получил большое огорчение. Дочь Лена разбила зеркало, взяв его из ванной комнаты. В прошлом я неоднократно просил ее не брать его. Оказывается, взяла в школу на репетицию. Чтобы нести домой, положила в портфель и потом, как на санях, каталась на нем со снежной горки. Раздавила зеркало. Мне долго ЛГАЛА. Глядела в глаза и запиралась самым невинным образом. Что это за век? Какая у этого нового поколения мораль? Или полное отсутствие морали?

Прихожу частенько к другу Коле. Он весь измучен интригами против него каких-то убогих проходимцев-карьеристов. Думаю, что правило Дарвина в борьбе за существование остается в силе (человек человеку волк), только методы и приемы борьбы одного человека против другого стали иные. Я уже отвык от того, чтобы кто-нибудь о другом сказал хорошее или просто неплохое. Когда один говорит о ком-нибудь, кажется, что он его кусает и жует истерзанное тело. Даже движения рта при таких разговорах отвратительны, они грызущие. Все друг с другом борятся. Всеобщее нищенство материальное привело к нищенству моральному и к жестокой необходимости вытолкнуть соседа из жизни. Я даже думаю, что у хитрецов, интриганов и подлецов не составляется предварительного плана против кого-нибудь, а просто характер их до того подл, что толкает на низости, на мелочи, на те цели, которые присущи подонкам.

Поздно, надо спать. Ах, дети, будете ли вы хоть когда-нибудь знать, какой тяжелый период мы проходим сейчас.

10 февраля

23.30. Только что из Большого театра, где помпезно праздновали Пушкина. Николай Тихонов своим докладом подтвердил правоту слов Пушкина: «Пока не требует поэта к священной жертве Апполон»...

Отчетливо и толково говорил украинец Микитенко. Но содержание его речи узко: отношение Пушкина к украинскому народу и наоборот. Впрочем, сообщил немало нового.

Демьян Бедный, обвешанный гирями депрессии (его около месяца «прорабатывали» за пьесу «Богатыри», отчего лежал с сердечными припадками), – говорил плохо. Никакого контакта между публикой и им. Да и начал как-то неудачно: дали слово, а его нет, потом выбежал на сцену, перебежал ее, чтоб взять свой портфель на дальнем столе президиума. Начал неуверенно. Путался. Слабые хлопки. Смущен.

Безыменский доклад превратил в декламацию своих стихов, и так как при декламации, как и при всякой артистической игре, думать не надо, а только чувствовать, и так как у нас думать не любят и избегают, то декламация Безыменского, не будоражащая мозг, всем понравилась.

14 февраля

Люди без устоев. Они не знают, что хорошо и что плохо. Они даже и не доискиваются знать этого. Они отупели от того, что устали быть автоматизированными. Они не анализируют явления, а описывают его. Они не знают природы вещей, а лишь их функции. Они стадны. Индивидуальная жизнь их бедна. Человеческие отношения шаблонны и обеднены. Индивидуальность их только в различной степени и форме одиночества.

Таковы люди.

Всю ночь сновидения перемежались с литературным творчеством. Я как-то стихийно творил повесть. Набросал целый план. Вообще во время бессонных ночей голова работает очень творчески.

Итак, что же творила моя голова? Повесть «Родной край». Глава первая «У голубых истоков» – описание Волги и ее голубого света весной, летом и осенью. Глава вторая – «Свет ночей и блеск очей» – любовь на Волге. Глава третья – «Даль». Это стремление через повесть – на Запад. Время действия – предреволюционное.

Повесть эта могла бы быть началом романа «Правда». Но только, чтоб был роман, надо сделать его по типу Сервантеса, или Гоголя, или Диккенса, т.е. избрать центральное лицо и все события развернуть вокруг его или вследствии его.

Вчера перед отъездом в Ленинград дома беседовал с Ливановым (он изображал на лице печаль по случаю отсутствия его жены, оставшейся дома). Долго говорил о том, как надо писать пьесы. Я рассказал ему содержание моей пьесы «Три брата», которую пишу.

19 февраля

24 часа. Третьего дня вернулся из Ленинграда, где беседовал с А.Толстым. Он читал мне отрывок своего нового произведения о Ленине. Неважно. Говорил о том, что Володька (Ставский) – дурак. Оно и правда. Говорил, что не хочет быть на заседании пленума правления писателей, потому что там еще раз каждый выскажет по одной глупости.

А.Толстой написал Сталину письмо о нашем бездействии за границей.

Я сегодня один. Жена заперлась в своей квартире, сказала, что хочет остаться без меня. А ведь мы стоим перед более важными трагедиями, чем семейные дела. Надо ли из-за них лишаться обоюдной возможности хоть беседовать друг с другом, тогда легче было бы перенести сознание надвигающейся трагической катастрофы.

Письмо Сталину 21.02.37 г.
«Дорогой Иосиф Виссарионович,
может быть, Вы найдете это мое письмо странным или неуместным, но я не могу не обратить к Вам эти строки в тот момент, когда все мы навсегда прощаемся с таким исключительным человеком-другом, как Григорий Константинович Орджоникидзе.

И не знаю, какой импульс меня толкает именно Вам, дорогой Иосиф Виссарионович, выразить то глубокое волнение, которое не дает покоя с 19.02, когда я узнал, что закрылись проникновенные глаза Орла нашей партии Серго.

Может быть, оттого я потрясен был этим и оттого Вам именно хочется сказать это, что только с Серго Орджоникидзе я беседовал два раза в переломные и кризисные моменты и встретил такое глубокое и, главное, теплое понимание с его стороны, какое присуще было только ему и остается присуще в громадной степени Вам, дорогой Иосиф Виссарионович.

Больна и остра утрата. Она во мне и обращает взоры к Вам. Для меня, для всех нас Серго был пример и удивление, а для Вас – боевой друг крепче брата.

Примите же, Иосиф Виссарионович, эти строки как звук сердца, как не слова, а спазм дыхания.

Ваш Александр Аросев».[1]

---

[1] В дневник вложен черновик статьи А.Я. Аросева на смерть Орджоникидзе. См. Приложение 6.

26 февраля

Болен. Кашель, насморк, простуда, поэтому сижу дома. Впрочем, утром был на пленуме правления писателей.

Сельвинский горячо говорил о том, что надо не ругать литераторов (его обругали в «Известиях» сегодня), а изучать и указывать недостатки. Он восклицал: «Теперь я весь окровавлен». И еще: «...Посмотрите, что делается с поэтами. Вы не знаете, как они живут. Если вы, товарищи, объясните мне, в чем моя ошибка...» Ему горячо аплодировали.

В кулуарах Пастернак, печальный и сильно мучимый, не знал, выступать ему или нет. Пильняк советовал выступать (с оправданиями). Его обругал Ставский за сочувствие правым (читай: книге А. Жида). Пильняк о себе не хотел выступать, ссылался на то, что все написано и Ставский говорит, что этого довольно.

В комнате у Ставского перед Вишневским стоял какой-то неизвестный мне молодой поэт и говорил: «Что у нас не дают писать лирикам, это я и перед расстрелом скажу». Повторял многократно.

Работал над статьей о Пушкине.

8 марта

24.30. Усталость, заботы об отправке А.Н.Толстого в Лондон. Неприятности на этой почве. Почему я трачу силы на других? Вообще не своим творчеством живу. Словно пиявки сосут меня люди со всех сторон.

Умру и что останется детям, Кое-что скопленное и... больше ничего. А воспитание, открывающее перспективы? Им некогда заниматься.

Приготовить рассказ для «Труда» о февральской революции.

10 марта

Боже мой, небо, небо! Какой сегодня занятой и какой бесплодный день.

Встал рано. На работу в ВОКС. Диктовал ответ на кляузное письмо Керженцева. Он действительно заплыл глупостью, как жиром, потому что возомнил себя руководителем всех искусств всех народов СССР. Юпитер о такой власти над человеческими формами творчества не помышлял.

В час дня – в «Савой». Обед с А.Н.Толстым. После обеда, в 15 часов, – в Союз писателей к Ставскому. Этот опухший неясный человек показал текст предложения, которое А.Толстой должен сделать Конгрессу мира. Текст смехотворен, бессмысленен. Это запись идиота, переживающего припадок тихого непонимания.

От Ставского – в ВОКС. Оттуда в 17.30 – на вокзал провожать А.Толстого. Едет в Лондон. Я ему провернул это дело быстро и даже устроил разрешение для его жены, несмотря на палки в колеса и даже угрозы, их высказывали мне Анчаров и Брегун из ЦК. Речь Толстой писал сам и давал мне корректировать. Ставский хотел прочесть, но не посмел сказать об этом. Значит, вся поездка Толстого шла помимо Ставского, помимо Союза писателей. «Резолюция», которой снабдил его Ставский, вызвала возмущение Толстого своей бессмыслицей.

С вокзала – на прием журналистов на Спиридоновке. Оттуда домой, где ждал меня страховой агент и доктор для дочери Оли (простудилась).

Покончив с этим и получив страховку жизни, я отправился к Серафимовичу. Там – испанцы (посол, Альберти[1], Кончаловский[2], Скиталец[3] и др.). Пели, плясали, декламировали. Вернулся домой в 2 ночи.

Единственным положительным считаю то, что я декламировал Маяковского и Чехова. Это меня всегда наполняет смелостью и делает честным в глазах самого себя. Скиталец говорил мне, что я декламирую выразительнее артиста. Особенно «Мыслителя». У меня «Мыслитель» не смешной, а страшный. «Чехов сам не подозревал, что он такого дьявола вывел, – говорил Скиталец. – Это дьявол, который мучает своего "собеседника"».

---

[1] Рафаэль Альберти – испанский поэт и драматург.

[2] П.П. Кончаловский – советский художник.

[3] Скиталец (наст. имя С.Г. Петров) – советский писатель.

11 марта

Рано встал. Всю ночь стонала Оля. Ее стон и крики начинались в тот момент, когда усталые мои глаза слипались. Так промучился всю ночь. Оля страдала от насморка: трудно было дышать.

Утром в ВОКСе, в 11 часов принял директора латв(ийского) телегр(афного) агентства Берзиньша. Пустой разговор. Он ушел. Мелкие дела, бумаги, канцелярские заботы.

В 13.00 завтрак с тем же Берзиньшем плюс посланником Латвии, плюс чиновниками отдела ТАСС. После завтрака гостям – кино, а я за письменный стол и за статью о Пушкине.

В 16.30 – дома. Лег отдохнуть. Доктор к Оле. Ничего важного. Мелкие хозяйственные дела. В 17.30 у Таирова. Там испанцы Р. Альберти, Мария Леон[1]. Застольные беседы по-французски. Домашние тосты. Все хвалили Таирова. 20.30 – выехал с женой в дом отдыха Астафьево.

---

[1] Мария-Тереса Леон – испанская писательница.

13 марта

День сегодня, как и вчера, прошел зря. Утром встал рано. Поехал в ВОКС. Работал до полдня.

Вернулся в ВОКС. Слушал доклады зама и нач.отделов до 20 ч. Потом – за Герой и вместе с ней к брату Авиву. 22.30 уехали от брата.

14 марта

Утром – разговор с Курской о работе ее в ВОКСе. Хочет поехать в Париж «проветриться».

В 11.30 в Третьяковской галерее Кончаловские и я с женой, у работ Сурикова встретили испанского посла, как уговорились. Пошли в отдел народного творчества, там крестьянин – художник Мазин работал над созданием чудного свежего деревенского, старорусского узора. Мазин в колхозе рыл канавы, и Кончаловский несколько лет тому назад его нашел, вернул к работе настоящей. У Мазина 12 детей.

После музея разговор с Кончаловским (на многих картинах Сурикова воспроизведена жена Кончаловского. Суриков нарисовал ее, когда ей было, например, всего 6 лет. Есть в картине «Меньшиков в ссылке» мать Кончаловского – это девушка, стоящая на коленях перед Меньшиковым).

Хорошо женат художник Кончаловский – его жена – друг, прямо связана с творениями наших великих художников. Супруги Кончаловские в такт чувствуют культуру жизни.

Потом работал в ВОКСе.

От 19 до 20 работал – завершал статью о Пушкине.

В 20.30 – на обеде у китайского посла. Уютно. Нежно. Хитро. Веяние большой культуры.

Играли в маджонг. Я смотрел репродукции фарфоровых ваз, принадлежавших разным китайским династиям. Это чудо из чудес. Какие тонкие цвета, какие формы. Не пересказать.

15 марта

Полночь. Только что приехал из Астафьево. К 14.30 меня ждали в НКВД. Я торопился кончить обед. Сказал Гере, что спешу, но и она спешила куда-то. Вообразив, что шофер мой приехал за ней (она ездила с ним до обеда), села в автомобиль и уехала. У меня минуты на счету, а я остался без средства передвижения. Вызвал совнаркомовскую (машину). С унизительными извинениями просил меня подождать. Подождали.

Я сказал об этом Гере, когда мы поехали в Астафьево. Вместо того чтобы извиниться, она стала говорить о том, что если я ее, жену, иногда заставляю ждать, то могу заставить ждать и наркомов. Узколобое, неродное, недружелюбное рассуждение. Друзья так не рассуждают. Надо завтра договориться окончательно и, может быть, развестись.

Сын был очень мил. Здоров и, кажется, похож на меня.

С утра работал в ВОКСе.

Наша жизнь – это один день. Такая мысль приходит в голову часто. Надо ценить один день, как целую жизнь. О завтрашнем дне нужно иметь попечение, но так же, как мы пишем завещание. Ведь мы заботимся и о «послесмертии».

Все в жизни одноактно и однократно.

16 марта

Утром писал, но, к сожалению, только статьи, а в голове второе действие пьесы. Обедал. К Мальцеву. Он в горе. Говорит, что его подвел приятель Вяча (Молотов). Последний сам рассказал ему, что нарком Каминский выставлял Мальцева заместителем. Вяча сказал пару таких «теплых» слов по адресу Мальцева, что Каминский не только не выставит его в замы, но, пожалуй, и вообще никакой работы не даст. Коля рассказывал, как вчера Калинин на активе делал доклад о Пленуме ЦК: «Пока он излагал речь Сталина, все еще было ничего, но как начал от себя говорить, так черт знает что. Решил анализировать, что такое большевизм. «Вот, например, – говорил Калинин, – отхожее место. Вы туда входите, и там все облито и обпачкано – это не большевизм. А если бы это место было чистое – это настоящий был бы большевизм. Или что такое диалектический материализм. Вот например, у нас заведующий секретариатом – он в своем деле самостоятельный, он управляет, а ведь в сущности он под нашим контролем и управляется нами, следовательно, он не самостоятелен. Вот вам и диалектика...»

Мальцев искренне смеялся.

Звонил разным лицам. Безуспешно. Отправились с Мальцевым в столовую. Оттуда в ВОКС. Работал до 18 ч. Бумаги. 18.30–20 – кино «Зори Парижа». 23.00 дома. Разговоры. День прошел – мы однодневны. Жизнь закатилась.

Надо приготовить письмо Р. Роллану.

17 марта

Если один день – это жизнь, то смертны только те, кто умирает в этот данный день, остальные бессмертны. Значит, смерти – это случайности и большинство людей бессмертны.

И еще практический вывод отсюда: надо в данный день сделать все, что ты наметил сделать. Так, чтобы перед сном все твои дела были, как говорят бухгалтеры, «в ажуре».

Кончил статью о Пушкине. «Мировой Пушкин». Приятно. Сегодня сяду за испанские материалы.

Конец дня провел бестолково – все показывал работу новой домработнице.

18 марта

Утром встал рано. Дети, Лена и Оля, оскорбительно себя ведут: они слушаются, но только после того, как вытянут все силы тем, что три-четыре раза просишь одно и то же.

Поехал в Астафьево, там сын и жена. Гуляли. Очень гармонично провели весь день. 3 градуса тепла. Снег талый. Сырость.

Поздно вернулся домой.

Инженер, мой попутчик, рассказывал о технических чудесах: бомбы, не убивающие, а при взрыве производящие страшный шум, что деморализирует армию. Или звуковые пулеметы: волны звуков заставляют лопаться барабанные перепонки. Это изобретение японцев. Писал письмо. Иду спать.

19 марта

С утра куча хозяйственных хлопот: ввести в дело новую домработницу, выдать вещи уходящей – она была излишне любопытна, как самая отменная шпионка, очень ловкая и с хорошей школой секретной сотрудницы. Вызвать доктора к заболевшей няне и пригласить нашу знакомую поехать в Дом отдыха к Мите, вместо няни. От этих страшно непроизводительных дел голова наливалась свинцом и сердце давало знать, что возможен припадок.

Кроме всего, неприятности в ВОКСе. Какой-то интриган на активе Московской парторганизации назвал меня «партийным барином». Назвавший меня так несомненно был партийный «баран». Если бы он знал, какую черную надсадную работу выполняет этот «барин»! Я не знаю, кто так выступал, но об этом жена Молотова говорила мужу и другим. По-видимому, «плечи заработали» и меня, подобно другим из старой гвардии, хотят оттеснить на задние позиции или в богадельню. Чиновник Керженцев тоже набрасывается со своей чиновной ябедой. Он не подхалим, а бог подхалимства.

Закончился мой трудный и нудный день поездкой в 20 часов в Астафьево к жене и Мите.

День выдался совсем, совсем тяжелым. Ночью спал плохо, будил Митя.

20 марта

Утром из ЦК телефонировал Анчаров: у Вас в ВОКСе непорядки, разгоняете коммунистов и т.д. (сплетни и клевета Белянец[1]) и почему вы не идете на районный актив ответить на выступление против Вас (меня). Ответил, что пойду завтра.

---

[1] Член парткома ВОКСа.

21 марта

Разговор велся во враждебном духе, с заранее задуманным намерением утопить.

20 часов. Прием у американского посла. Ему 62 года, его жене 50 лет. Они поженились 2 года тому назад. У него и у нее дети – в сумме у них шестеро. Нежны друг к другу. Симпатичны. В особенности она. У нее третий муж.

На обеде узкая компания, из русских только Розенгольц, Егоров, Бубнов, Барков и я.

Стол покрыт красным шелком, сервирован великолепно. На столе перламутровые цветы и грозди винограда, белые и темно-красные. Высокие хрустальные вазы – в них огромные букеты красных роз.

Рядом со мной – первый секретарь посольства и племянник знаменитого американского путешественника Джорджа Кенена. Он говорит по-русски, знает Чехова и вообще русскую литературу.

После обеда – фильм о девушке, дочери Луи XV, убежавшей в Новый Орлеан. Пираты и пр., и хороший конец. Музыка веселая. Голоса певцов и певиц здоровые. Героиня красивая.

Все это дало мне много наблюдений иного порядка, чем обычно. Я отмяк, и контуры предметов стали как-то яснее.

21 марта (продолжение)

Опять звонок от Анчарова – почему я не выступаю на районном активе. Ответил, что буду выступать. Звонок от Хрущева (секретарь МК) – почему не выступаю на районном активе, ответил – буду, сказал, что Белянец оклеветала меня[1].

И вот я на активе. Возьму завтра стенограмму моей речи. На работе все смотрят на меня враждебно. Насмешливо перешептываются. Моего выступления ждали, как аттракциона. Ганецкий[2] предупреждал, что тут пробирали и Курца, и Шумецкого[3], и меня, и что мне следует быть осторожным в выступлении. Осторожность эту Ганецкий полагал в том, что надо выступать покаянно. Избави бог сказать, что Белянец неправа, публика на ее стороне. А между тем ведь факт, что Белянец все от корки до корки наврала. Меня вызвали к трибуне, и я прямо начал с изложения того, что представляет собою наша организация (ВОКС) и о недочетах в работе самой Белянец и ее характеристики.

Кричали враждебно. Щелкали зубами. Хулигански ставили вопросы. Распоясались. Будто бы рады бить старого большевика.

Я отвечал на каждую реплику. Ничуть не каялся. (Разве только в том признал себя виновным, что в ВОКСе были обнаружены троцкисты). Закончил тем, что считаю долгом говорить правду, нравится она или не нравится.

Ни одного хлопка. Присутствовали Стасова[4] и зам. Ягоды Прокофьев. Сошел с трибуны под гробовое молчание. Сразу стало холодно, будто я в классово чуждом обществе. Вспомнил слова Есенина: «В своей земле я будто иностранец». И так захотелось мне природы, природы, неба и солнца, и воды – моих верных друзей.

Все эти молодые люди между собой молчаливые, на трибуне велеречивые (у них есть представление о трафарете, как надо произносить речь, как «молиться»). Они такие угрюмые, так утомлены ненужной хитростью, так копошатся в маленьких-маленьких делах, что за них вчуже делается страшно.

Они не знают, как делалась революция, мы их уже не совсем понимаем.

Один участник спрашивал меня, почему все каются и никто не анализирует хотя бы условий, которые вызвали ошибку в работе.

---

[1] См. приложение 7.

[2] Я.С. Ганецкий – директор Музея революции.

[3] Б.З. Шумецкий – председатель Государственного управления кинопромышленности.

[4] Е.Д. Стасова – активист антифашистского движения, в начале 30-х гг. – член ЦК ВКП(б).

22 марта

Разбит, тяжелая голова. Встретил на вокзале Гофмей-стера, приехавшего из Праги. Работал. Писал письмо с опровержением клеветы против меня. Писал и думал, а стоит ли, не предоставить ли все естественному течению. Если где-то решено меня уморить, все равно уморят. Но нет, не оставлю неправду без ответа. Ответил, написал.

Посмотрел бы Ромэн Роллан, куда уходит у нас дра-гоценная и мощная мозговая энергия, этот нектар, что покоится в ненадежном сосуде – нашем черепе, жизнь которого зависит от сердца, а биение этого мотора – от треволнений или от сна или бессонницы.

Еле добрался до дома.

Вызвали на собрание в ВОКС. Оказывается это не со-брание, а индивидуальная проработка коммунистов пред-ставительницей районого комитета. Вероятно, какой ме-лочностью и чепухой покажется все это через несколько лет, когда раскаты пушек из Испании донесутся до нас.

23 марта

Работал с утра в ВОКСе. К 12.30 так устал и такие пе-ребои делало сердце, что вернулся домой. Лег. К 14.30 снова был в ВОКСе, где собрались на обед Рафаэль Альберти, Леон, поверенный в делах Испании и много наших писателей: Серафимович, Новиков-Прибой, Став-ский, Вишневский, Лахути, немецкие – Вилли Бредель, Бехер, один венгерец и художник Кончаловский.

Обед прошел очень непринужденно, в простых и ин-тересных беседах. Тост за новые победы в Испании го-ворили Ставский, Лахути. Я сказал речь, цитируя слова Гете по поводу поражения австрийцев под Кальми и ска-зал, что в испанской революции мы различаем уже си-луэт нового человека. Вишневский переводил и назвал речь исключительно интересной. Потом он повторял это много раз. Прекрасно говорил Бредель, как немецкие рабочие оставляют свои семьи, бегут в Испанию на фронт против фашистов. В Амстердаме, в Праге много таких рабочих, бежавших из Германии. Бредель перечислил имена немецких товарищей, которые уже погибли на испанском фронте. Р. Альберти выпил за Сталина, а Мария Леон произнесла хорошую речь, сказав, что Наполеон был разбит в Испании и в Москве. Современный фашизм будет разбит также под Мадридом и в столкновении с СССР.

После обеда Ставский объяснялся мне в любви, целовал. То же делал и Вишневский. Я приписываю это не внутреннему изменению Ставского ко мне, а следствием того, что он увидал отношение ко мне Толстого, мнением которого дорожит. Ставский и Вишневский решили тут же внести меня в список писателей, которые должны ехать к 20.05. в Испанию на международный конгресс антифашистов. Возможно, они действительно так сделают, но ЦК может исключить меня. Исключению будет способствовать кампания райкома против меня.

Под конец Ставский и Вишневский, переговорив с Андреевым, составили письмо на имя Сталина с просьбой украсить орденом Трудового Знамени боевую грудь Новикова-Прибоя.

Кончаловский превосходно пел испанские песни и фривольные французские.

Я опоздал ехать в Астафьево и остался дома. Был так измучен, что лег в кровать в 9 часов вечера. Хотел читать, но глаза от головной боли ничего не передавали в сознание.

24 марта

Рано утром выехал в Астафьево, посмотреть на сына, на жену Геру. Сердце все-таки дает себя чувствовать. Весь день провел с моим чудным сыном. Он – кусок солнца.

Погода мокрая – ручьи, темные, пока еще унылые поля.

Приехал вечером в Москву на чествование Новикова-Прибоя.

25 марта

Мокро. Временами солнце. Заседание в Союзе писателей. Сутолока. Некогда писать.

В театре на «Отелло» (реалистическом). Хорошо сделано, но всегда любуешься самим Шекспиром. У него в каждой фразе философская формула.

26 марта

Мокро. Дождь-снег. Туман. Утром – в «Сосны». Вчера туда, в деревню Уборы, уехали дети. Я поехал к ним и заодно посмотреть строительство дачи. Доехал до «Сосен» – 40 километров от Москвы. Оказалось, что по Москва-реке идет лед, переправа прервана. На берегу рабочие, крестьяне. Вялые споры о том, как бы извлечь лодку, затертую льдами. Извлекли, приволокли к берегу. Надо было оттащить ее выше по течению, туда, где чистая вода, но вдруг лодку бросили на полпути. Ушли в деревянную будку обедать. Обед состоял только из большого куска серого хлеба, который нарезал и делил десятник.

Возвратился, так и не дождавшись переправы.

Работал в ВОКСе допоздна, не успел ни писать, ни повидать сына.

27 марта

Опять мокро, но значительно теплее. Почти с утра в райкоме. Белянец не только повторила свои глупые обвинения против меня, но еще выдумала новые. Я говорил, кажется, удачно. Настолько, что райком не решился принять резолюцию, а назначил комиссию для проверки обвинений Белянец против меня и моих – против нее.

Настроение хорошее.

Много работал в ВОКСе.

Мой заместитель Николаев интригует и при этом глупо, как действительный дурак, у которого от возраста началось, по-видимому, ссыхание мозговых ячеек.

Вечером в Чехословацком посольстве на обеде. Тамадой выбрали Штейгера. Он остроумен, находчив и изыскан в речах. Говорит, что в возрасте после сорока мы радужны и оптимистичны по вечерам за столом, где в стакане играет вино. И придавлены, печальны по утрам.

28 марта

Комиссия начала работать. Морозно чуть-чуть. Идет лед по Москва-реке.

Говорил с Межлауком И.И. Ему попало от В. Молотова за плохую выставку и за плохую ее организацию. И.И. несколько по этому случаю размагничен, даже думает, что моя поездка, если он предложит ее теперь, может провалиться. Вечером у меня состоялся прием чехов. Концерт – Киевская еврейская капелла «Евокан». Пение превосходное. Однако наши москвичи плохо понимают такого сорта пение.

Сидели до 2-х утра. Танцевала черная еврейка из хиро, полуцыганка танцевала с задором и пылом 20-летней цыганки.

Иногда у женщин в танце тело представляет порыв в какую-то мечту, в сказку.

29 марта

Проснулся поздно. Болит голова. Солнце ослепительное. Весна в полных правах. Кровь животных, в том числе и человека, претворяется в вино. Откуда-то приходит прекрасная сила...

Работал.

Обед у чехов (прощальный с Гофмейстером), насилу держу глаза открытыми, очень хочется спать.

Опять ВОКС. Собрание парторганизации. Читают вслух из газеты доклад Сталина.

Вечером, прекрасным вечером – к сыну в Астафьево (с женой Герой).

Застал сына, которого не видел 6 дней, уже после купаний в ванне. Он стал взрослый, хороший, полный.

Лег как убитый, но потом вся ночь была разорвана в клочья: шум соседей – детей, жена будила, не вынося моего храпения. Утром в 7 проснулся сын и уже спать было невозможно. Вместо отдыха – напряжение.

Очень жалко дочерей: они одни в Уборах и проехать к ним нельзя, нас разделяет ледоход на Москва-реке.

30 марта

Небо серое. Земля серая. Воздух – весенний. Гулял с превосходным моим сыном Митей. Писал письма на новой машинке.

15 часов – поехал в «Сосны» через Москву. До переправы через Москва-реку не допустили: размыло дорогу. До другой переправы 1,5 километра по сплошной грязи. Дочери встретили неожиданно очень равнодушно. А я рвался к ним. Поехали с ними в Уборы за вещами. Лена и Оля были голодны. Доставил их до столовой. Сам – на стройку. Там пьяный караульщик: рабочие разошлись. Поехал назад, к переправе. Потом снова 1,5 километра по грязи, с узлами и чемоданами.

Измученный вернулся домой.

2 апреля

Утром в ВОКСе комиссия из района. Люди непонимающие, несамостоятельные, по-видимому, получили задание во что бы то ни стало скомпрометировать меня. Мне непонятно, чего они хотят. Если предполагают устранить меня – пусть. Я не только не обижусь, но буду благодарен.

Вчера был в ЦК у Анчарова. Понял, что он основной и главный вдохновитель кампании против меня. Это импульсивный и нездоровый человек, у него все примитивно и безжалостно, зато все нахально и без оглядки на честность. Он очень схож лицом с тем рыжим плотником, какого я видел в детстве удавившимся под мостом.

Разговор наш состоял в том, что он ставил мне вопросы такие и так, чтобы поймать меня на чем-либо и начать разносить, а сделать «разнос» этот базой для внесения предложения об устранении меня от работы. Он даже сказал, что поможет Николаеву «свалить меня»! Вообще, это был разговорчик не чеховского и не гоголевского, а салтыковского чиновника. Осталось чувство глубокой обиды, потому что тон был враждебный и унижающий меня.

Вечером прием французов (ученых хирургов). Обыкновенная бестолочь: только в самый последний момент догадались пригласить французов, в честь которых и делается банкет, а после того, как гости собрались, оказалось, что еще не привезены из отеля стулья.

Мой зам Николаев и без того не «разбойник умом», подвыпив, становится еще глупее.

3 апреля

Работа. К концу дня – собрание парторганизации. Подлецы распределили силы. «Больной» Николаев, не выходящий на работу, появился на собрании. Агрессивен, глуп, воображает, что хитер. С ним сонм кликуш, «ученый еврей» и один оболтус из бывших кавалеристов плюс серб с таким видом, будто его согнали с ночного горшка. Все набрасывались на меня. Районные дожи записывали и наслаждались аттракционом.

Неожиданно я выступил хорошо и даже горячо вопреки себе: не стоило рвать душу на куски и кидать их перед вышеописанными.

4 апреля

Утром пришла ко мне с делами зав.секретной частью. Честная, скромная эстонка (Куресаар). Она почувствовала себя плохо, почти в обмороке лежала. Вызвал врача.

На партсобрание она идет со мной. Нечестность и грязь людей, враждебных нам, глубоко ее потрясли. Так, вероятно, не только она, а десятки и сотни людей страдают, созерцая интриги, грязь, борьбу за собственную шкуру.

В конце дня опять собрание, продолжение вчерашнего. Вчера закончили в 23.30. Сегодня заседали столько же и вынесли резолюцию «аллилуя» – общие глупые фразы, собранные из «Правды». Я предложил свою, ее провалили.

Усталый – домой. Опять не видал детей.

5 апреля

Утро, солнце, птицы. Жена уехала в Астафьево, но предварительно оскорбила меня, предложив не обедать дома. Для меня это всегда большое и глубокое оскорбление. Я человек домашний. Наибольшая степень домашности проявляется в обеде. Это наш очаг, а от меня требуют куда-то вынести его.

Сухо расстался.

Дома работал над «Молотовым». Потом – на собрание писателей Москвы. Записался, ждал слова. Перенесли его на вечер.

ВОКС – подпись бумаг, послал письмо Андрееву о том, как меня травят.

Чувствую боль в правой верхней части живота и ужасную – в голове. У доктора Вовси. Он констатировал желчный пузырь.

Вечером на собрании писателей. Дали слово предпоследнему, в 10 вечера. Все были утомлены, слушали неприлично. Неудачное выступление. До меня выступал Анчаров, он, видимо, и шепнул президиуму, чтобы меня отодвинули на конец.

Зачем, за что меня едят? Едят не одного меня. По-видимому, директива отделам ЦК установить таких ответственных работников, которых за что-нибудь можно было бы снизить.

Вчера ночью телефонировал Молотову. Говорил он, как всегда, снисходительно, зайти не приглашал.

Сегодня телефонировал Ворошилову, просил принять. Он сказал, что некогда, но разрешил написать ему. Кажется, был достаточно искренен.

11 апреля

Астафьево. Тихий весенний вечер. Земля начинает благоухать. Днем был дождь.

Перед отъездом в Астафьево стал с дочерьми смотреть, сколько у них платьев. Из своей квартиры подошла Гера и встала в коридоре около комнаты детей. Лена просила меня купить ей юбку, Гера сказала, что можно перешить платья, удлинить и т.д. Лена и Оля стали нервничать, как всегда, при разговоре с Герой. Я чувствовал, что хожу по канату. Давно уже моя семейная жизнь превратилась в эквилибристику. Моя семья вся в ранах, мой дом весь в прострелах, никакого вопроса касаться нельзя. В моем доме не только нет тепла, в котором у родного очага отдыхают, но там надо ходить осторожно, как по канатам. У Геры глаза вспыхнули, и она, как всегда в такие минуты, стала похожа на охотничью собаку, ожидающую падения подстрелянной птицы, чтобы помчаться за ней.

Я сглаживал углы и кое-как соблюдал равновесие. Но вдруг Гера сказала:

– Они тебя вокруг пальца обводят.

Дочери в два голоса запротестовали. Тогда Гера:

– А вот в прошлый выходной ты, Оля, получила от отца 3 рубля для парка культуры и отдыха, а сама не была в парке.

Едва только она произнесла это, как началась сцена, которую больно записывать и вспоминать. Оля вдруг страшно, истерически, вскрикнула, сжав кулачками свои виски, бросилась на диван и выкрикивала:

– Я не могу, как она (Гера) врет.

Лена тоже заплакала и спрашивала Геру:

– Почему ты знаешь, что Оля не была в парке?

Гера:

– Мне домработница сказала, что Оля через полчаса после выхода из дома вернулась.

Оля криком, слезами:

– Я была в парке, была вместе с Бехер. Может быть, недолго, но была. Уйди отсюда, подлюка этакая...

Гера стояла в коридоре. Наступило жуткое молчание. Гера мне:

– Ты идешь?

Я:

– Нет, поезжай ты до поликлиники и пришли мне машину.

Оля, 11-летняя девочка, плакала навзрыд.

Гера – мне:

– Пойди сюда.

Подошел. Гера:

– Ты звонил Галину (художнику)?

– Нет, не застал его.

Гера:

– Если ты их пожалеешь, то я в самом деле с тобой разведусь. – И поторопилась уйти, как всегда в таких случаях, словно не желая знать ответ.

Я однако сказал:

– Как угодно.

Гера не права. Нечего ей вмешиваться, если она объявила уже давно, что мои дети ее не касаются. К тому же Гера и в самом деле не знала точно, была или не была Оля в парке. Она могла быть там и недолго. Кроме того, в устах домработницы «полчаса» вещь очень относительная.

Оля подошла, ко мне:

– Прости меня, папа, что я так тебя расстроила.

Я:

– Ты себя больше расстроила. Успокойся. Это результат того, что ты и Лена много раз обманывали всех домашних, поэтому подорвали доверие к себе.

Лена и Оля согласились, но Оля сказала:

– Папа, я теперь больше тебя не обманываю.

Я поцеловал ее и предложил им с Леной погулять. Они взяли свою старую обувь и пошли к сапожнику отдать починить.

Из Астафьево говорил с ними по телефону. Приглашал на завтра к себе. Лена смущенно спросила:

– А как же, ведь там Гера?

– Ничего, вы будете моими гостями.

Ни дорогой в автомобиле, ни в доме отдыха Гера не говорила со мной, а я – с ней. Как чужие. Это мучительно, потому что все действия, манеры и взгляды делаются искусственными.

Митя – мальчик исключительно прелестный.

Я в пропасти. На одном берегу дочери, на другом – сын.

Сзади хватают меня интриганы и враги и в порядке призыва к самокритике обливают помоями и терзают душу. Гера этим не интересуется, не спрашивает об этой стороне моих мытарств и не знает, чего мне стоит держать жизнь моей семьи на том уровне, на каком она сейчас. Гера ничего не знает.

12 апреля

Работал. Вечером – серп луны и чуть-чуть края всей луны. Невидимая ее часть кажется большим желтым кругом. Жутко висит над землей, как занесенный над головой нож. А вокруг звезды.

С дочерьми говорил только по телефону и беспокоюсь, как они будут спать.

Весь день жаждал беседы с кем-нибудь ласковым, искренним, доброглазым. Сегодня таким был только один Митя.

Проект письма Ромэн Роллану.

«Дорогой товарищ Ромэн Роллан,

я почти одновременно получил Ваше письмо в ВОКС и другое, лично ко мне. Как всегда, я был страшно рад, особенно письму ко мне. В этот раз от Вас письмо было особенно теплое и очень значительное, потому что оно содержит очень, очень интересную идею о театре. Это бросалось в глаза целому ряду наших критиков и особенно Луначарскому. Несмотря на борьбу за новые формы спектакля, режиссеры выстраивают актеров у самой рампы, и спектакль походит не то на доклад, не то на концерт. Как раз на днях я видел премьеру "Кола Брюньон" в реалистическом театре. Об этом спектакле трудно говорить, но если Вы позволите, скажу, что спектакль посредственный. В нем нет ни глубины сцены, ни света. С начала до конца спектакля на сцене остается Брюньон, говорит все время в повышенно радостном тоне – надоедает ужасно. В середине спектакля вдруг скачок в прошлое: Брюньон делается молодым, влюбляется в Ласочку, а через 10 минут они оба пожилые и сентиментально вспоминают свою молодость. Все так ложно, без жизни, без крови.

Не уверен, будет ли спектакль иметь успех. И, признаться, жалел, потому что Вашего "Брюньона" так же исковеркали, как Герцог исковеркал фигурки, сделанные Брюньоном.

Вы себе представить не можете, с каким нетерпением буду ждать Вашей работы о Бетховене. Я все чаще и все глубже возвращаюсь к Вашим мыслям и к Вашему восприятию мира. Наша жизнь такова, что заставляет упорно искать истину. Те куцые идейки, среди которых нам приходится вращаться, не истина. Наша жизнь трудна и тяжела. Лаборатория вечно ищущей мысли, кажется, больше не у нас.

Недавно передо мной сидели Рафаэль Альберти и Мария Тереза Леон. Они восхищались нашими делами, но уже восхищением своим окрашивали их, дела наши, в иной цвет... Там, в Испании, а может быть, и во Франции, родятся и выявляются другие люди. Будущее человечества ищет себе иные, новые русла. Ах, Ромэн Роллан, если бы Вы знали, как рвется сердце сказать Вам изумительно много. Когда-то история моей страны мчалась карьером, потом сменила карьер на легкий бег и вдруг в самое последнее время пошла неуравновешенными скачками.

То, что раньше было со знаком плюс, теперь со знаком дважды минус. И наоборот. И так как в прежнем у многих было много плюсов, то теперь особенно охотно и с каким-то непонятным удовольствием раздают минусы.

Если бы было от кого-нибудь из Европы приглашение, тогда мой приезд в Париж был бы возможен. Что касается доставки журналов, то об этом отвечаю Вам официальным письмом».

16 апреля

Ленинград. Весенний дождь. Небо серое.

Вчера уехал уже из одинокого дома. Гера не хотела в течение всех последних дней говорить со мной и приходила в мою квартиру к обеду, как в ресторан. Вчера утром я сам с ней заговорил. Она проявила полное безразличие. Сказала, что теперь здорова, чувствует себя хорошо и ей совершенно безразлично, что я буду думать и что буду делать. Говорила короткими фразами. На меня смотрела, как на старую ненужную мебель.

Вечером поехал проститься с сыном в Астафьево. Митя был такой ласковый, как никогда. Обнимал, целовал меня. Мой милый теплый кусок солнца. О дочерях Гера не могла говорить хладнокровно и заявляла, что имеет гордость и обижена тем, что за сцену 11.04. я должен был тут же немедленно детей наказать.

Когда я спросил: «Так, значит, конец, значит, мы свободны?», она ответила: «А чего же ты другого ожидал? Конечно, свободны».

Оля захворала. Температура 39,3. Доктор констатировал ангину.

Перед самым отъездом явилась Гера. Как всегда, злая, холодная. Без приветствий. Глаза – льдинки. Сразу в комнате стала Арктика.

Она пришла только в поисках ключа от своей квартиры. Найдя его, скрылась, не вышла даже проводить меня. Я сам зашел в ее квартиру попрощаться. С улыбкой, какие бывают у некоторых мертвецов, пожала мне руку своей сухой. И я уехал.

17 апреля

Из Ленинграда выехал в Москву. Перед этим вечером, на закате солнца, был на море, за Лахтой. Сосны, песок и вдали молочная мягкость водного пространства, принимающая в свои недра последние красного золота лучи солнца. Молочная даль моря соединяет меня, стоящего на берегу, с далекими странами Скандинавии, с Англией...

У меня потребность бежать за уходящим на запад солнцем.

Орбели, директор Эрмитажа, рассказывал в энергичных тонах о безобразиях и невежестве комитета по делам Искусств, особенно Керженцева. Последний задумал сделать в Москве выставку реалистического портрета, чтоб наших художников научить рисовать реалистические портреты, и для этой цели распорядился ряд портретов Ван Дейка, Рембрандта, Рубенса и др. направить в Москву, несмотря на риск. Орбели спрашивает, если художники, видевшие портреты, много десятков лет в Ленинграде, не выучились рисовать реалистически, почему они выучатся, если эти портреты будут видеть в Москве? Кроме того, невежда, посланный Керженцевым и выбиравший портреты, наметил много таких, какие никак реалистическими не могут быть названы, например, Лоренца и некоторые другие (особенно венецианцев).

Попробую написать В. Молотову, может быть, удастся спасти кое-что от головотяпства Керженцева.

18 апреля

Мутноватое солнце. В поезде не спал всю ночь. Москва. Дом. Оля поправляется. Эмма, домработница, какая-то растерянная и сердитая. Лена на экскурсии...

Узнал, что Гера больна. Она в Астафьево. Направился туда. Накануне Гера телефонировала Чернышеву и спрашивала его, с какими чемоданами я уехал. Видимо, боялась моего отъезда навсегда.

Я застал ее в постели. Нервное потрясение, всю ночь не спала из-за приступа сердца. Боль в желудке – нервы. Утешал. Она плакала, но упрямо держится холодно. Весь день был с ней и Митей. Временами на 15 минут засыпал, сильно утомленный.

19 апреля

Прекрасный день. Утром – в Москву. Гера еще больна, осталась в Астафьево. Я в Москве. У Оли высокая температура. Был доктор. Корь. Читал «Саламбо». Писал. Вечером узнал, что Гере хуже, послал ночью специалиста – гинеколога. Оказалось – ничего угрожающего.

20 апреля

Опять хороший день. Настоящее лето.

Весь день работал. «В такие дни только подлецы работают», – говаривал мой приятель. «Или дураки, вроде меня», – добавил бы я в его поговорке.

Вечером – на приеме у бельгийского посланника. Фраки, глупые разговоры. Итальянка смотрела на меня так, будто раздевалась передо мной. Угрюмовидный и добронравный Балтрушайтис[1]. Сам посланник так худ телом, сер лицом, что кажется, будто это большой нос на ногах.

---

[1] Ю.К. Балтрушайтис – русский и литовский поэт, переводчик. В 1921–1939 гг. – полпред Литвы в СССР.

21 апреля

Та же, что и вчера, чудесная погода. Много работы.

В 17 часов – партийное собрание. Это значит, что соберутся 16 человек. Часть этих людей не прошли революционных боев и поэтому на революционную стратегию смотрят, как на магию. Ленин в их представлении некто вроде факира. На резолюции такие люди смотрят как на формулы заклинания, поэтому фразы воспринимают как обязательные: если переставить порядок слов, потеряется смысл и чудодейственная сила. Для таких людей партийное собрание – своего рода колдовское действие. Во время него они утрачивают нормальную человеческую логику и начинают мыслить готовыми формулами, боясь выйти за пределы их. При этом переживают состояние некоторого своеобразного экстаза, который еще больше затемняет свободную деятельность мысли.

Другая категория людей – это старая гвардия, боевики, бывшие герои, бывшие храбрецы, бывшие стратеги и бывшие вершители судеб страны. Эти люди слишком близко видели революцию и сами ее делали. В процессе революционного действия у них образовались свои моральные и идеологические опорные пункты, по большей части ассоциированные с каким-либо лицом. Один, например, помнит, как в пылу увлечения оратором бойцы взяли его на руки и несли по улицам.

Третья категория, самая большая, – это люди, не знающие, для чего они собираются, для чего тратится время, для чего существует все то, что существует, и для чего существуют они. Для них общественное движение и все споры в этой плоскости – своего рода поветрие, некая физиологическая функция голоса и языка. Во всяком случае, это не главное, а такое же обязательное и немного надоедливое, как служба в канцелярии. Такие люди склонны идти во всех вопросах с людьми первой категории. Это менее тревожно и наиболее трафаретно.

Разумеется, наиболее изощрены в неискренности именно первая и третья категории. Для них идеология, общественное движение – не более как известная форма или некоторые обстоятельства заработка. «Вот, – вероятно, думают они, – в каких условиях приходится добывать хлеб насущный».

Все эти люди заслушивали биографии друг друга. Это продолжалось до полуночи. Могло бы и не продолжаться так долго, если бы у человека не было некоторой скрытой садистической наклонности раздевать своего ближнего.

Между прочим, я был выбран в комитет и на районную конференцию вместо кандидата, предложенного районным комитетом. Этот последний сидел с таинственным видом и совсем не таинственно выкрикивал реплики, направленные против меня и моих сторонников, чем, собственно, и принижал себя в глазах хотя и не бог весть каких высоких индивидуальностей, но тем не менее имеющих каждый о себе высокое мнение.

23 апреля

Усталый, разбитый приехал в Астафьево поздно, в 10 ч. вечера. Прошел прямо к сыну. Он мирно и беспечно спал. Мать его, не спрашивая меня ни о чем, закрылась книгой Тынянова о Пушкине и стала читать «на ночь».

Взял пластинки и прослушал в зале несколько хороших музыкальных вещей. Они хоть как-нибудь рассеяли яд моей усталости, разлитой по всем жилам.

У чужого человека лучше, чем у жены. Чужой из вежливости хоть разговаривает. Не интересует совсем ее моя жизнь, хотя бы и с той стороны, что и ее зависит от моей.

24 апреля

С утра – конференция. Секретарь райкома Персиц не преминул продолжать клевету на меня. Мне трудно на конференции: большинство смотрит на меня, как на врага или прокаженного, при встречах отводят глаза и стараются скрыться.

Много философствовал. Ужасно хочется понять и представить современного мне человека. Едва ли человечество переживало более противоречивую эпоху и более аморальную, чем наша.

Может быть, в капельной степени мой дневник поможет создать представление о современном человеке. Или надо начать писать книги, вроде Дон Кихота, только наоборот: современный Санчо Панса и при нем Дон Кихот.

25 апреля

На конференции Советского района с утра, а утро прекрасное, как сама юность. Один за другим выходят на трибуну члены конференции, названные в списке для тайного голосования, и рассказывают свои биографии. Одни слушают это с интересом, другие будто прицеливаются вытащить какой-нибудь кусок автобиографии и над ним поиздеваться, а может быть, просто отдаться своему чувству любопытства и копаться во внутренностях ближнего.

Вчера вечером выступавший секретарь райкома счел своим долгом остановиться на мне и повторить всю ту мелкую, но вонючую клевету, какую распустила Белянец. То, что секретарь упомянул меня и подробнее, чем о других, говорил обо мне, наводит на мысль, не дано ли задание испачкать меня для изъятия в дальнейшем из употребления на ответственной работе (по крайней мере, если не больше). Слишком очевидно, что обвинение в «зажиме самокритики» и в вельможестве стряпается специально. Поэтому порой мне кажется, что не следует бороться. Если есть решение «изничтожить» меня, может ли моя защита хоть как-нибудь изменить это решение?

И дома плохо, и вне дома ужасно. Должно быть, крепкие у меня нервы.

27 апреля

Утром солнце, синее небо. Дошла очередь до моей кандидатуры. Я на трибуне рассказываю биографию. Она богата и, признаться, действительно интересна. Но для того ли строил я ее, чтобы здесь рассказывать? Не для того ли, чтобы дальше идти? А ведь как человек я в прошлом выше и по отношению к своему веку более передовой и революционный, чем теперь. Тогда я шагал впереди своего века, сейчас – в лучшем случае, в ногу, а то и отстаю.

Стасова первая спросила: «Кто Ваша жена?» Другие спрашивали, почему она, жена моя, иностранка. Я ответил, кто она и что она не иностранка.

Из скромности я почти не остановился на моменте оклеветания меня Белянец и поддержки этой клеветы со стороны райкома. Это моя ошибка, результат несмелости мысли и природного тугодумства. Более или менее я разошелся, когда давал ответы моим оппонентам, т.е. клеветникам, вольным и невольным, отводившим меня. Один был настолько противен, что мне не хочется о нем ничего записывать. Просто морда и хулиган.

Громадным большинством мне два раза продлили речь. Кандидатура моя обсуждалась 2 часа. Я за себя получил 140 голосов, против – 360. Мои голоса – это большая победа, настроение было такое, что я боялся, дадут ли мне говорить.

29 апреля

Опять прекрасный день. Сегодня у меня прием турчанки, поэтому на конференции не был, а отправил туда лишь заявление по личному вопросу, в ответ на выпад секретаря райкома Персица.

Вечером – на праздновании 1 мая. Декламировал.

30 апреля

Чудная погода. Безукоризненная. Осматривал строящуюся дачу. Кажется, не хватит денег. Надо больше писать.

К вечеру через Москву проехал в Астафьево, к сыну. До боли жаль моих дочерей. Своими помыслами и настроениями они не со мной.

В «Сосны» за Мальцевым приехала машина от Молотова. Неизменно каждый выходной Молотов приглашает его.

Письмо т. Молотову. Копии т. Таль[1] и в редакцию «Известий».

«Прилагаю материалы к заседанию Всесоюзного Пушкинского комитета, а также вырезку из газеты "Правда" от 30.01., из каковых документов видно, что 29.01.37 г. на заседании вышеназванного комитета были два доклада, один т. Бубнова, другой – мой. "Известия" поместили сообщение только о первом докладе. Что касается моего доклада, то о нем даже не упомянуто как о факте. Между тем доклад был на тему, которая может интересовать читателей "Известий", а именно о предстоящем проведении юбилея Пушкина за пределами СССР. Иностранный и советский читатель может по сообщению в "Известиях" заключить, что ВПК совершенно не интересуется вопросами о том, будет ли и как отмечен пушкинский день народами за пределами СССР.

Это обстоятельство не заслуживало бы внимания и настоящего письма, если бы неупоминание моего официального доклада на официальном заседании не стояло в каком-то странном официальном отчете, что "Известия" уже поместили однажды мою информацию о подготовке празднования юбилея Пушкина за границей, но... без моей подписи. Отсутствие подписи потом мне было объяснено тем, что при верстке газеты подпись под моей статьей выпала.

Не выпало ли также при верстке номера то место отчета о заседании ВПК, где говорили о моем докладе, отчета, который был одинаково сделан ВПК для всех газет».

---

1 Б.М. Таль – зав. отделом печати и издательств ЦК ВКП(б).

На этом дневники отца обрываются. Как я говорила, он их передал на хранение своей сестре артистке Александринского театра в Ленинграде Августе Яковлевне Аросевой (по мужу Козловой), он делал небольшие зарисовки в своих записных книжках, они-то и помогли восстановить мысли и думы отца в последние месяцы его жизни.

Из записных книжек

За чтением брошюры Питкэрна[1] «В Испании». Он цитирует Перикла: «Нам незачем воздвигать памятники героям. Вся наша страна – гробница и памятник героям».

Большая усталость! Отчего? Только три причины могут быть: 1 – старость, 2 – много работы, 3 – семейная неустроенность.

Первая едва ли, ведь мне еще нет 48 лет. Вторая – тоже маловероятна: другие товарищи имеют больше работы, чем я. Третья причина – самая верная.

Ведь я ни разу не открыл дверь моего дома так, чтобы мне при встрече кто-нибудь улыбнулся.

Жену свою я не видел такою, чтоб она чем-нибудь когда-нибудь была довольна. Она, едва я появляюсь, начинает предъявлять претензии: почему я до сих пор не нашел домашней работницы или не искал зелени Мите (сыну), или не выхлопотал вовремя билет ее подруге и все в том же роде. Кроме того, жена имеет убийственную способность очень долго ворчать и каждый раз на одну и ту же тему: как здесь плохо жить и что со мной она теперь на совершенно новой базе и

_____

[1] Фрэнк Питкэрн – английский журналист, спецкор газеты «Дейли Уоркер».

т.п. А мне между тем безумно требуется после тяжелых треволнений дня тишина и успокаивающая, товарищеская, дружеская ласка, вопрос о здоровье, о работе, о трудностях. Я этого не имею. К этой причине примыкает и действует на меня еще одна: а именно, постоянное чувство, что я не у того дела, у которого я должен быть, что, следовательно, часы моей жизни уходят зря, а отсюда страх смерти. Он – прямой результат безтворческой жизни. В течение дня я вижу больше минусов, чем плюсов, больше напрасного, чем творческого.

Сегодня был у секретаря ЦК Андреева. Разговор был впустую: я просил освободить меня от ВОКСа, а он повторял: «Работай, работай, ничего».

Нет, довольно. Завтра напишу, чтоб освободили для литературной работы.

Сейчас пишу в столовой. Хотел бы перечитать первые страницы моей книги и не могу – в моей комнате спит жена. Днем она находится в своей квартире, но тогда я как раз на работе. Даже дома я должен писать как-то украдкой в записной книжечке.

На Всесоюзном Пушкинском комитете. Заседание в зале СНК СССР должно было начаться в 12, началось в 13.30. Ждали Бубнова. Он делал доклад о том, как будет проводиться праздник. Несистематично и наспех он излагал эпизоды и моменты: то о том, как производится подготовка, то о том, что будет во время празднования, то показывал старые гравюры Пушкина.

Председательствовал Щербаков. Его тяготят щеки и почти полное отсутствие носа. Глаза выражают тихое самодовольство.

После доклада Бубнова дали слово Каспарову, председателю комитета искусств в Ленинграде. Потом Хвыле, председателю украинского комитета искусств. Он начал говорить дожевывая бутерброд.

Передо мной скучающий Мейерхольд. Рядом с ним тихо дремлет Накоряков. Бубнов ходит и смотрит развешенные гравюры Пушкина. Все смотрят на часы. Державин сказал: «Пойду курить трубку, единственный способ разогнать сон».

Все живут так осторожно, будто кто-то размахивает топором и каждый стремится избежать удара топора.

Все всколыхнулось во мне в связи с Пушкинскими днями. Вся моя духовная юность связана с ним. Какой он стимул для творчества мысли. Для писания, для искусства вообще. Пишу это на скучном совещании зав.отделами моего убогого ВОКСа. Ах, убежал бы, скорее бы убежал отсюда – и к перу, и бумаге, и сцене. Больше не могу дышать!

Я уехал с женой в Киев. Работал до последней минуты. Простился вчера с дочерьми, сегодня с милым сыном.

Около часа дня в Киеве. И сейчас же отправились в Софийский собор, потом в отель «Континенталь».

Вечером спектакль «Проданная невеста».

Разговоры в ложе с украинским правительством (Любченко, Шелехес и др.). Много расспрашивали о Праге, Масарике, Бенеше. Любченко хотел вызвать секретаря чешского посольства в ложу, чтобы он напомнил Бенешу о выселении белогвардейцев, но Балицкий (наркомвнудел) запротестовал. Дело отложили.

Пишу эти строки, сидя в кафе «Националь». Странно, чувствую себя, как рыба, выкинутая волной на песок и видящая с ужасом, как волна постепенно уходит, оставляя ее на горячем песке. Волна отступает все дальше и дальше. Песок жрет воду и бледнеет от этого. Рыба жутко вытаращенными и стеклянеющими глазами смотрит в небо, как в завесу смерти...

Вот это – я.

Не знаю, кто будет эти мои строки читать. Печальнее всего, если никто их не прочитает. Во всяком случае, последнее одиночество мне стало полным и единственным другом. Осталась бумага в тетрадках домашнего и вот этого карманного дневников.

Ей, бумаге – как хорошо, что она тоже женского рода, – я доверяю свою тайну, свои мечты, свои глубочайшие раны.

ПОСЛЕСЛОВИЕ

Бумаги отца открыли его внутренний мир, его страдания, его переживания по поводу так и не сложившейся второй семьи. А еще в дневниках мы нашли завещание отца нам, его детям. Я привожу его здесь не полностью.

«22.01.1935 г.

ЗАВЕЩАНИЕ МОИМ ДЕТЯМ
НАТАШЕ, ЛЕНЕ, ОЛЕ И ДМИТРИЮ

08.02.35

Трудно писать завещание. Трудно, потому что оно предназначается для чтения после того, как не будет больше никогда на земле автора этих строк.

Прежде всего, дети, не живите так, как я. Я был недостаточно смел по отношению к самому себе.

Чувствуя большие артистические силы (писать и играть на сцене), я как-то мял это в себе и стеснялся показывать, как стесняются показывать дурную болезнь. Такая дикая робость есть результат большого и неотесанного самомнения. Мне казалось, что как только я начну писать или играть на сцене, так сейчас же должен поразить весь мир. Вот я и не рисковал, боясь, что мир может и не поразиться сразу. Я воспитывался няньками на сказках и из всех их любил больше всего сказки про Иванушек-Дурачков, которые все, конечно, скрытые гении. Эта скрытность-то мне и нравилась. И за ней я скрывал то, чем награжден был природой. Я недурно пел и пел всегда один (из-за стеснения). Я хорошо декламировал и играл (и очень редко в обществе, а больше тоже сам для себя). Если случалось декламировать в обществе, то всегда сначала ломался, довольно примитивно, и только потом выступал. После выступления волновался гордостью, но и ее, как ханжа, упрятывал. В результате получился тип довольно замкнутый со скомканными внутри себя талантами.

Поэтому прошу вас, дети, развертывать свои таланты и способности во всю и на глазах всех. Стесняться надо, скромным быть следует, но не чересчур, не дико. Критики не бойтесь и на нее не обижайтесь. Доверяйте коллективу и проверяйте себя через коллектив. Впрочем, все равно вы будете жить в такое время, когда коллектив будет играть гораздо большую роль, чем он играл в наше время.

Растворяться в обществе и становиться бесцветно серыми тоже не надо. Чтобы не впадать в серость, не нужно, без особой надобности, тормозить свои поступки и слова. Тормозите, управляйте ими (управлять — это значит знать, когда тормозить), но не чрезмерно. И будьте всегда до жестокости откровенны с самими собой.

23.02.35

Эту смелость по отношению к себе и другим часто парализует страх смерти. Этот страх — ужасная сила. Он кошмарен и он, как и всякий страх, никогда не производил ничего прекрасного. Страх делает человека зверем, бесстрашие — Богом. Моя мама, расстрелянная белогвардейцами 18 сентября 1918 года в десяти верстах от города Спасска Казанской губернии вместе с другими десятью или девятью рабочими и крестьянами за то, что идейно была со мной и была моим другом, безумно боялась смерти. Ее девизом было: смерть небольшое слово, но уметь умереть — великая вещь.

14.03.35

Я это пишу вам, дети, к тому, чтобы вы не боялись смерти. Идите смело, с поднятой головой, светлыми глазами и беспощадной решительностью.

Вот небольшое предисловие вам, мои Наташа, Лена, Оля и Дмитрий.

24.03.35

Я строил свои отношения с детьми, как с друзьями и товарищами, равными себе. Теперь меня нет. Всякое «завтра» старайтесь делать лучше и богаче «сегодня». Пусть же творческая борьба объединит вас. Продолжайте революционный род.

Теперь дела маленькие:

Деньги. У меня почти нет сбережений. Есть лишь немного в сберкассе, в займах и все, что случайно в карманах. Книжку от сберкассы и облигации займа найдете в том шкафу письменного стола, где документы и секретная переписка.

Все деньги разделите на пять частей — каждому поровну — Гере, Наташе, Лене, Оле и Мите. Но деньги берегите. Они обеспечивают свободу бытования. Чтобы не было недоразумений, в приложении к этому завещанию на особой записке указано точно, сколько у меня каких денег. Эту записку я буду периодически менять в зависимости от изменения сумм.

Мои рукописи, ненапечатанные (их порядочно), используйте для изданий. (Доход делите по тому же принципу — на пять равных частей.)

В моей библиотеке отдельной группой лежат мои произведения. Предложите все или некоторые переиздать.

Отдельной группой там же есть книги, даренные мне авторами. Берегите их, во-первых, из интереса, во-вторых, можете, если будете нуждаться некоторые из них реализовать как носящие на себе автограф (это если уж голод будет подпирать, если будет!).

26.03.35

Мою библиотеку, состоящую из обычных книг, разделите по вышеуказанному началу на пять частей. Книги редкие и антикварные реализуйте, доход — на пять частей или поделите их по доброму согласию.

Книги копите и никому их не давайте, даже читать. Книги — это старинные и современные чаши, наполненные лучшим, что есть на земле — человеческой пытливой, пугливой и мощной мыслью. Не только храните книжное достояние, а увеличивайте его и имейте за книгами уход.

Книги моих произведений, так же как и рукописи и дневники, внимательно просмотрите и что можно переиздайте.

Особенно же внимательно прошу отнестись к моим дневникам. В них осколки нашей великой и бурной истории, в которой я подчас носился, как щепка, думая, что я наисознательнейший ее агент.

Многое в дневниках, так же как и в переписке, есть такого, что опубликовывать еще нельзя (это зависит от того, когда вы будете читать эти строки). Тогда такие листы дневника и такие письма опечатайте под условием вскрыть и использовать их, например, через 25 лет после моей смерти — сдайте в библиотеку Ленина (там, где дневники Ромэна Роллана).

Чтобы все это сделать, надо внимательно просмотреть все тетради мои, конверты с перепиской, папки и даже напечатанные мои рукописи. Вот о чем я прошу вас, дети мои и жена моя.

Особенно прошу дольше сохранять память о моей героине матери, расстрелянной белыми колчаковскими офицерами 18 сентября 1918 года.

Все, что я рассказывал о моей маме и что удастся вам вспомнить, запишите. Когда сами будете умирать, то оставьте рассказы о ней вашим детям.

«Их имена с нашей песней победной
Станут священными миллионам людей».

Особенно храните пенсне моей матери в футляре. В этом пенсне мать моя была застрелена вместе с другими 10 человеками темной непогодной и бурной осенней ночью. Потом тела были брошены в кучу и закиданы камнями. На теле матери много пуль и штыковых ран (у ее сестры Лидии Августовны хранился платок мамы с засохшей кровью и истыканный штыками). Одна пуля пробила ей глаз и стекло в пенсне. Поэтому пенсне с одним стеклом (пенсне нашли на ее теле). Я с ним, с пенсне, никогда не расставался, носил его в бумажнике.

Эта незначительная вещь — пенсне — а через нее на меня всю жизнь смотрят ласковые понимающие и дружеские материнские глаза.

Жилище, принадлежащее мне (где бы оно ни было), делится на две части: одна — Гере и сыну, другая — трем дочерям. Если мое жилище есть квартира, как бы мала или велика она ни была — переходит во владение именно по этому принципу.

Вот, кажется, и все. Если что вспомню еще, добавлю, пока жив.

При себе всегда буду в запечатанном конверте иметь справку о том, что мое завещание в этой тетради.

Прощайте! Будьте смелы и уверенны в себе. Только это обеспечит каждому из вас хорошее место в жизни. Лучше совершить что-нибудь неправильное, чем слишком долго колебаться. Ошибка совершенная превратится в урок, колебания же только парализуют все.

Имею еще просьбу о моем собственном трупе: если сожжете его, непременно устройте замурование в Кремлевской стене. Об этом я прошу правительство, прошу как боец октябрьских дней, как революционер, всю свою жизнь отдавший борьбе за коммунизм (с 1905 года, поддерживаемый матерью). Если жечь не будете, то хотел бы лежать в родной Казани рядом с матерью и отцом.

Не будьте ограничены приемами мышления и познания сегодняшнего дня.

Прошу партию коммунистов и правительство гарантировать моим детям (Наташе, Лене, Оле, Дмитрию) бесплатное обучение и минимум существования, а жене Гертруде Рудольфовне пожизненную пенсию в размере, какую установите. Такую же пенсию прошу Наташе, Лене и Оле, т.к. у них фактически нет матери.

Кажется, все написано. Подпишусь, но оставляю право писать постскриптумы, которые прошу также рассматривать как завещание.

Москва, Дом Правительства, кв.104

А. Аросев

Вот и постскриптум. Теперь мне ничего не страшно, ибо смерти я не боюсь — это долг, предначертанный жизнью, это станция, до которой я получил от матери и отца билет. Меня всегда страшило умереть без завещания, без попечительства о том, как устроят свою жизнь мои дети. Теперь я им сказал все, что нужно. Все, что имел, распределил среди них, следовательно, смерть уже никак не может застать меня врасплох.

А. Аросев

3.04.35

P.P.S.

Прощайте, дети, крепко и как отец, и как друг обнимаю вас каждого поочередно и целую. Прощай, жена Гера!

Всегда только вам принадлежавший

Александр Аросев

356

К сожалению, мама умерла, так и не узнав всю правду о нашем отце. Но она успела встретиться и даже подружиться с его сыном Дмитрием. Митю, нашего брата, тогда, в 1937 году, взяла к себе родная тетка, сестра отца, Вивея Яковлевна Аросева, по мужу Рутенберг. Муж ее — Израиль Рутенберг, и наш Митя до шестнадцати лет был Дмитрий Израилевич Рутенберг. Они жили в маленьком доме на Солянке, мы часто ходили к ним в гости, выводили Митю на крыльцо и шептали ему: «Ты — Митя Аросев», трехлетнему малышу вдалбливали: «Аросев, Аросев, твоя фамилия Аросев, ты Дмитрий Аросев, повтори» и он повторял: «Дмитлий Алосев». Тетушка застала нас за этим занятием, выгнала и запретила приходить к ним. Мы выпросили разрешение приходить хотя бы раз в году, в день рождения брата, 12 июня. Но и тогда оставались под наблюдением и не могли ничего сказать лишнего. Видно, мальчик имел хорошую память, он запомнил наши нашептывания и, когда начал взрослеть, отыскал нашу маму. Как ни странно, у них возникла большая дружба — у сына Гертруды и нашей мамы. Она при встрече с Митей всегда плакала, рассматривала его руки, говорила: «Сашины руки», просила зачем-то: «Повернись, отойди, встань» и все приглядывалась к нему. У Мити стали всплывать детские воспоминания и вот однажды, когда Елена приехала в Москву (она тогда жила и работала в провинции), он «взял ее на пушку» (я-то молчала, как партизан), сказав: «Что ты врешь? Ты моя родная сестра, а не двоюродная!» Елена расплакалась, и мама расплакалась. Они сознались.

В шестнадцать лет ему надо было получать паспорт, и мы все, Наташа, Елена и я, пошли с ним доказывать, что он наш брат. Ему вернули фамилию отца. Папа всегда переживал, что у него одни дочери и что род Аросевых на нас закончится. Наш брат Дмитрий Александрович Аросев продолжил род.

Его уже тоже нет в живых, но незадолго до смерти он написал стихотворение, в котором есть такие строки:

А подведя меня к концу,
Прости былые прегрешенья
И отпусти меня к отцу
В миг ослепительный забвенья...

А Молотову я написала письмо. Вложила в конверт, кроме письма, справку о реабилитации и просто написала: «Москва, Кремль, Молотову». В письме я написала: «Наверное, Вам небезынтересно будет узнать, что Ваш школьный товарищ ни в чем не виноват». Сразу откликнулась Полина Семеновна, жена Молотова. Всегда с благодарностью вспоминаю ее имя, она нас не бросала все эти страшные годы. Узнав, что отца реабилитировали, она сразу выслала машину и сказала — все, кто есть из Аросевых, приезжайте на обед. Она сама только что вернулась из ссылки, где была несколько лет, но они еще жили в Кремле.

Наташа, старшая сестра, отказалась ехать, а ее дети, Наташа и Боря, поехали. Во время обеда вошел Вячеслав Михайлович, в руках у него была какая-то бумажка, оказалось — мое письмо. Он слегка заикался и, как волжанин, говорил на «о». Глядя на бумажку, произнес: «Так-так, когда, ко-гда отсутствие состава преступления, о-о-о, долгонько разбирались, долгонько искали отсутствие». Потом мы сидели, разговаривали, Полина Семеновна про себя рассказывала, спрашивала про маму. Я сказала, что мама умерла, рассказала, как это случилось. Она спросила: «Почему ты не обратилась к Вячеславу Михайловичу, раз тебе негде было жить, раз у вас не было квартиры». Я ответила, что обращалась к его брату, Николаю Михайловичу Нолинскому, композитору, а тот сказал, что дал расписку, никаких бумаг брату не приносить.

К концу обеда я сказала Молотову, что есть дневники отца, которые сохранила тетка. Он спросил: «Ну что, поди ругает меня Саша-то». Я ответила: «Нет, ни одного плохого слова про Вас он не написал, один раз я прочла:

«Я обратился к Вяче по-товарищески, но, видно, кончилось это "по-товарищески", эх, товарищ, кровь до железки». Тут я увидела, как что-то блеснуло в его пенсне. До сих пор не знаю, то ли это был луч солнца, то ли какая-то влажность в глазу, слеза. Он быстро встал из-за стола и ушел, не сказав ни слова.

В книге Феликса Чуева «Сто сорок бесед с Молотовым» есть такие строки: автор спросил Вячеслова Михайловича, в чем был виноват Александр Яковлевич Аросев, на что Молотов ответил: «Да ни в чем, очень уж вольный он был».

Очевидно, «вольный» означает то, что он позволял себе говорить правду.

Я продолжала дружить с их дочерью, Светланой. Когда Молотова сняли и они стали жить на улице Грановского, я приходила к ним в гости. Полина Семеновна угощала меня салом, которое сама солила и меня научила.

Когда я в первый раз пришла на улицу Грановского, Полина Семеновна сказала Вячеславу Михайловичу: «Это же Оля, ты не узнал ее, ты же ее из роддома нес». «Так ведь Оля, может, и руки подать мне не захочет», — сказал он. А в другой раз он спросил меня: «Обвиняешь ты меня?» Я заплакала и сказала: «Ну, ведь вы единственный человек, который знал моего отца с детских лет, я не могу иначе вас воспринимать». У меня с ним были очень откровенные беседы.

Связь с этой семьей не прерывалась. Когда у Светланы родился сын Вячеслав Никонов, внук Молотова, я была на первом дне его рождения.

В последний раз я с Вячеславом Михайловичем говорила по телефону в день его девяностолетия. Я позвонила и сказала: «Поздравляю Вас». Он спросил: «С чем?» Я ответила: «С жизнью, с тем, что Бог дал Вам прожить до девяноста лет, что Вы видите небо, нюхаете цветы (он тогда жил на даче в Жуковке), ходите по этой земле, не многим это дано».

Он понял мой намек и сказал: «Ты умная девочка, спасибо за звонок, до свидания» и повесил трубку. Это был наш последний разговор.

Я была на похоронах Полины Семеновны, она первая умерла, за ней Вячеслав Михайлович, потом Светка, моя подруга, которую я очень любила. Но вот ниточка, связывающая с этой семьей, не оборвалась. Совсем недавно был вечер в бывшем ВОКСе, теперь это Дом дружбы, туда пришел внук Молотова Слава Никонов и принес мне письма моего отца Молотову. Он занимался архивом деда и нашел их. Молотов хранил их с 1926 года. Это меня как-то примирило с Вячеславом Михайловичем. Я подумала, как такой законопослушный и осторожный человек, который не смог защитить даже свою жену (в отличие от моего отца, который сам поехал выяснять, когда арестовали его жену), сохранил письма своего друга. У меня стало теплее на душе, ведь это была ниточка, протянутая сквозь годы, она связывала мою семью с давнишней, заложенной в детстве дружбой отца с Молотовым.

Часто вспоминаю Вячеслава Михайловича, особенно когда бываю в Казани и прохожу мимо реального училища, где он учился вместе с моим отцом. И я все думаю, что связывало этих людей, столь разных по характеру. После реабилитации папы судьба мне посылала много новых сведений. Раньше люди боялись делиться воспоминаниями, а теперь откликались и бывшие друзья, и знакомые, и писатели. Много было публикаций, дети старинных друзей отца встречались со мной. Среди них Володя Мальцев, сын друга отца Николая, с ним мы долгое время поддерживали отношения, он воевал так же, как и моя старшая сестра Наташа, пришел с фронта инвалидом — ему пилой отрезали ногу, Ирочка Тихомирнова, дочь еще одного друга, Виктора, народная артистка, балерина. С ней я поддерживала дружбу до конца, до ее смерти. Все они уже ушли в небытие. Остались только дневники отца и отдельные листки воспоминаний. Дневники мне очень многое рассказали, хотя и остались вопросы, которые мучают до сих пор. На три из них нет ответа даже в дневниках.

Я вот все время думаю, почему же эти люди, интеллигентные, культурные, беззаветно преданные революции, ведь их было так много, почему они не могли противостоять одному человеку, который забрал себе всю власть. Я предполагаю, что они, наверное, боялись разрушить то, что с таким трудом создавали — свое молодое советское государство.

Второй вопрос, который меня мучает, это о сталинских репрессиях. Я понимаю, если бы были какие-то дворцовые интриги, я понимаю, что он мог бояться старых революционеров, но ведь арестовывали людей, не представлявших никакой угрозы его власти: крестьян, колхозников, рабочих, изобретателей, артистов, военных. Почему? Что это было? Болезнь? Пока никто не дал на этот вопрос ответа, не объяснил, почему партия, возникшая на гуманных принципах, не могла противостоять этому. Что за люди оказались в ней, почему они объединились, чтобы заняться охотой друг на друга.

Третий вопрос касается личной жизни отца. Я не осуждаю его вторую жену, ее также постигла страшная участь, но до сих пор не могу понять, как мог он, любя безумно нас, связать свою жизнь с женщиной, которая совершенно ему не подходила ни по возрасту, ни по характеру, ни по идеалам, ни по моральному облику — ни по чему. Мне кажется, он совершил это сгоряча, сделал отчаянный шаг, может быть, потому, что наша мама его бросила, может, он хотел, чтобы у детей была мать. И ужасно ошибся. Это был непродуманный шаг, но не наше дело судить его сейчас.

Мы выполнили завещание отца.

Никто из нас не поменял фамилию, мы все остались Аросевыми.

Он просил хранить память о расстрелянной матери. Я восстановила памятник бабушки и деда на Арском кладбище в Казани. Мы работали и работаем по принципу, завещанному тобой, отец. Все мы выбрали творческие профессии. И, как ты просил в завещании, старались не расплескивать тот дар, который нам дал Бог.

Старшая сестра, Наташа, к сожалению, теперь уже покойная, воевала, имеет награды, потом была переводчиком, членом Союза писателей, написала книгу об отце «След на земле». Елена — заслуженная артистка Омского драматического театра, выпустила книгу стихов, где есть стихотворение, посвященное отцу.

Нет у них ни гробов, ни могил,
Их в затылок в глухом коридоре...
Мозг стучал, выбиваясь из сил,
Стыл вопрос в умирающем взоре.

Сильных, смелых, красивых, святых,
Била, мяла тупая стихия.
Ну так что же, вам легче без них?
Если в силах еще, плачь, Россия!

Я — артистка театра, всю свою жизнь собирала по крупицам то, что касалось жизни моего отца, и в XXI веке прочла его мысли, пережила его страдания. Из небытия на меня смотрят его живые глаза. Я поняла — отец вернулся!

Приложения

Приложение 1

Воспоминания
А.Н. Рубакина об А.Я. Аросеве

В посольстве я особенно подружился с начальником отдела печати — пресс-бюро, как тогда говорили, Александром Яковлевичем Аросевым. Это был не очень старый революционер-подпольщик. Был он в начале революции начальником Московской ЧК. Брат его работал в московской милиции, был одним из первых его начальников, хотя по профессии был преподавателем математики. Аросев был писателем, напечатал ряд рассказов о деятельности ЧК. Человек это был очень умный, замечательный рассказчик, обладал неплохим голосом и любил петь в компании. Но вместе с тем он был человеком крайне безалаберным. Помощником у него работал молодой человек со странной фамилией Нашатырь. Тяжело сложилась судьба обоих. Аросев погиб в 1937 году, Нашатырь в те же годы был репрессирован и просидел лет 15. Я его встретил в Москве в 1955 году. Уже совсем больной, он жил в Тарусе, в домике, который сам себе выстроил. Там он и умер.

Как человек общительный, умный, остроумный, Аросев быстро завоевал симпатии французов, в особенности, французских журналистов и писателей, среди которых он завел обширные связи. Он им очень остроумно рассказывал о Советском Союзе, правда, в тех пределах, в каких это мог делать дипломат. Но в сношениях с ними он никак не мог отрешиться от своих московских привычек. Аросев жил по своим московским нормам: то позвонит кому-нибудь в 12 часов ночи, то вдруг без предупреждения явится на дом после 10 часов вечера. Все это с точки зрения французских обычаев было скандалом. Помню, как-то раз он вернулся из командировки в Москву и вдруг часов в 11 вечера поехал навестить своего знакомого по Парижу — журналиста Роллена, сотрудника консервативной официальной газеты «Тан», бывшего долгое время корреспондентом этой газеты в Москве. К счастью, Роллен знал московские нравы и знал Аросева, и поэтому не удивился, когда тот прикатил к нему вечером, даже не позвонив, и когда Роллен уже спал. Роллен был раньше французским морским офицером, потом стал журналистом, прожил немало лет в Москве, а после своего окончательного возвращения во Францию написал книгу о Советской России под названием «История русской революции». Книга эта была не очень к нам доброжелательная, но материал в ней был собран большой и любопытный. Главное, она показывала отношение к СССР француза — среднего француза, с одной стороны, одобряющего русскую революцию, а с другой — ругающего ее за то, что Россия отказалась от уплаты царских долгов Франции.

Знал Аросев и очень многих французских писателей той эпохи. Ромэна Роллана он лично не знал, так как тот жил в Швейцарии, но имел с ним переписку.

Хотя Аросев сам был по своим привычкам глубоко русским человеком, он очень остро подмечал российские черты характера в жизни и потом блестяще их рассказывал. Рассказчиком он был гораздо лучшим, чем писателем. Помню, он мне рассказывал, как в Париж приехал советский организатор Нижегородской ярмарки С. Малышев, небольшого роста человек с длинной бородой, явно гармонировавшей с французскими представлениями о российском мужике. Малышев был юркий, веселый, энергичный человек. Он приехал в Париж, чтобы, так сказать, рекламировать Нижегородскую ярмарку и привлечь французские фирмы к участию в ней. По-французски он не знал ни слова. Но ему приходилось бывать на всех официальных приемах и давать интервью французским журналистам. Его обычно сопровождал Аросев как представитель пресс-бюро и как переводчик. На одном из приемов французские журналисты обступили Малышева и спрашивали у него, как ему понравилась Франция. Малышев махнул рукой: «А ну ее к...!» Аросев, еле сдерживая смех, перевел: «Ему очень понравилась Франция и французы», — что и было немедленно записано журналистами и опубликовано в газетах.

А. Рубакин. Над рекой времени.
М.: Международные отношения, 1966.

Приложение 2

Рассказ Оли и Лены Аросевых
о празднике на Тушинском аэродроме
12 июля 1935 года

«Цветы»

Букет стоит на круглом столе: розовые ирисы на гибких стеблях, пышные бледные гортензии, гвоздика с красной каемкой. Великолепный, выдержанный весь в нежно-розовых тонах букет! На широком кресле умостились две девочки. Младшей — 9 лет. Ее зовут Оля. У нее восторженные светлые глазенки. Ей не сидится на месте. Вновь со всей силой детского воображения она переживает то, что было 12 июля. Она вскакивает со стула и в лицах показывает, как это все происходило.

Вот здесь стояла она. Здесь — летчик и парашютисты. А здесь — товарищ Сталин. Он протянул вот так эти цветы, которые стоят сейчас на столе. А она взяла букет и очень застеснялась и спряталась за папу.

— Дурочка, маленькая обезьянка! — ласково говорит Лена. Она на три года старше Оли, поэтому покровительственный тон и подчеркнутая рассудительность — естественны.

ОЛЯ: Мы очень обрадовались, когда узнали о том, что мы поедем на аэродром в выходной день. Но мы еще не знали, что все это так получится, как оно получилось. Нам сказали, что там будет Ворошилов. Мы поехали и видим: рядом с Ворошиловым — товарищ Сталин. Мы Сталина раньше на параде видели, но так близко первый раз.

ЛЕНА: Потом полетели аэропланы. Мы стояли сзади. Сталин увидел, что мы поднимаемся на цыпочки и тянемся, чтобы все увидать, подошел к нам и вывел нас вперед. Взял просто так

367

за руку и провел. «Смотрите отсюда, — говорит нам, — отсюда маленьким виднее!»

Сперва приехал аэроплан, а сзади два планера, которые потом отцепились и стали делать всякие фигуры в воздухе без мотора. Потом взлетел на самолете учитель, а за ним летел хороший ученик, который правильно поднимается и правильно летает. За ним — видим — кто-то шатается в воздухе, как пьяный. Это было нарочно сделано. Это показывалось, как летает плохой ученик-лентяй, который не запоминает урока.

Очень красиво было, когда прыгнули с двух самолетов сразу 50 парашютистов. Зонтички у всех белые, как чепчики. Весело так, как будто сразу много птиц понеслось.

ОЛЯ: А ведь были и настоящие птички. Голуби! Они тоже спускались на парашютах — так смешно! Их посадили в ящички, а ящички привязали к парашютам. Ящик стукался о землю, раскрывался, и они вылетали на волю. А один ящик раскрылся нечаянно в воздухе. Но голубям — ничего, им ведь не страшно. Не довез их парашют до земли — ну и не надо. Они сами улетели. Их было много. Не сосчитать, штук 50, наверное.

И кролики тоже так спускались. Только жаль: очень далеко спускались. Интересно было бы посмотреть, как они выбегают. Они очень были, наверное, удивлены.

ЛЕНА: Сталин с нами все время шутил. Нас еще никто не называет на «вы», особенно Олю, потому что она совсем маленькая. А Сталин называл. Он всегда так говорил вежливо, как будто бы мы взрослые: «как ваше мнение», «позвольте», «будьте здоровы».

ОЛЯ: Сталин вдруг наклоняется ко мне и говорит: «Разрешите мне, Оля, закурить?» Я смутилась и молчу, ничего не сказала, а все вокруг смеются. Он улыбается и дальше говорит: «У меня есть тоже девочка, Светлана, ей столько лет, сколько вам. Она мне всегда разрешает курить, когда я у нее спрашиваю».

ЛЕНА: Наша Оля покраснела вся, потом сказала «можно», и Сталин закурил.

ОЛЯ: Потом, когда упал в воду Алексеев, поднялся сразу такой белый столб вверх. Я думала, что это дым, а это брызги от воды. Все страшно взволновались.

ОЛЯ: Вскоре после этого приехал Алексеев — летчик, который летал. Он отдал честь и что-то сказал. Он был весь, весь мокрый. Сталин погладил его по плечу и говорит: «Ничего, ничего». Потом начали обсуждать, отчего так получилось. Сталин опять ко мне наклоняется: «Ваше мнение?» Я сказала: «Не знаю».

Подошел к нам летчик Забелин. Большой такой, весь в белом. Сталин говорит тогда мне: «Позвольте познакомить вас». Но летчик Забелин со мной не поздоровался, а взял просто меня на руки, подбросил высоко-высоко в воздух и говорит: «Вот так надо летать, ты не боишься?» Ну, я, конечно, не боюсь.

ЛЕНА: Когда прыгнули пять парашютисток с цветами, то одна свой букет уронила в воздухе, так что донесли до земли только четыре букета: один Сталину, один Ворошилову, потом Андрееву и Косареву. Сталину подарила цветы парашютистка Лебедева.

ОЛЯ: Сталин опять оборачивается ко мне и вот так протягивает букет и говорит: «Позвольте вам, Оля, преподнести цветы!» Мы их привезли домой и сразу поставили в воду. Они красивые, и ведь это — память! А может быть, мне когда-нибудь удастся еще поговорить со Сталиным, — тогда я ему сама цветы подарю!

«Комсомольская правда» 15.07.35

Приложение 3

Письмо М.П. Кудашевой А.Я. Аросеву

Вильнёв, 17 октября 1936 г.

Дорогой Александр Яковлевич, спасибо за Ваше письмо Роллану и простите ему его долгое неотвечанье: он обязательно должен закончить к весне большую книгу (продолжение «Творческих эпох Бетховена»), и все время работа прерывается текущими делами. Но главное, что берет все мысли и силы, — искания. Во время нашего пребывания во Франции (мы три недели были там — три дня в Париже, а остальное время в Кламеси, Невере и прекрасном Дижоне) казалось, что война в самой Франции, так сильно она переживает свое братство с Испанией. Здесь меньше людей, ощущающих эту связь, но все же есть. Даже если борьба кончится поражением правительства, — она принесет плоды огромной важности не только там, но и в соседних странах: думаю, что никогда народы не знали такого тождества друг с другом, — и они этого не забудут!

Сегодня пишу Вам по поводу скорого приезда в Москву здешнего писателя Hans Huhlenstein. Он хороший писатель (об его книге была месяцев 6-8 назад хорошая рецензия в журнале «За рубежом») и честный человек. Очень деятельный и совершенно свой. Борется, как лев, один против своры. Мы даем ему несколько адресов московских друзей. В ВОКС он, конечно, и так объявился бы, — но хочется, чтобы вы лично его повидали. Вам самому он будет интересен. Вы знаете французский язык, хотя его родной язык немецкий. Он давно мечтал побыть в Москве и безумно рад тому, что скоро там будет.

Очень сильно потряс нас недавний московский процесс. Здесь (на Западе), конечно, закопошились все вражеские гнезда, со всех сторон зашипели: для них уже ничего не существует, кроме этого, кроме ненависти к СССР — ни Гитлера, ни Испании. Роллан, конечно, получил кучу писем, а В. Серке уже задевает его в своих статейках, забыв по-видимому, что Роллан хлопотал за него. Но во всей этой истории тяжело то, что вообще это было возможно и что, конечно, должно быть сорвано доверие людей друг к другу, а оно так нужно во время борьбы. Подобной нынешней! Вообще все это дело крайне деморализующее. И уж очень низко держали себя все обвиняемые. Это еще увеличивает отвратительность их.

Мы здесь пережили эту историю болезненно, болели отвращением. Каково же всем вам там! Надеемся, что ничего не помешает нам приехать будущим летом. Роллан продолжает учиться русскому. Вот год, как он занимается (пропустил 4 месяца, 2 — из-за болезни, 2 — из-за путешествий), ежедневно по часу. Дается ему трудно, но при терпении и упорстве своем он одолеет. И ему интересно.

Ждем нетерпеливо от Вас известий, много ли у Вас было гостей, интересные ли? Видели ли Вы Жида? Завидуем ему, что он так много ездил по СССР. Обязательно надо будет поездить и Роллану. Он продолжает получать много писем из СССР, но не может отвечать всем — все время уходило бы на это. Получаем также много книг, иногда интересных. Я читаю их, и рассказываю Роллану. Читаем также Чехова (я ему перевожу устно).

Надеемся, что вы здоровы, так же как вся Ваша семья. Посылаем привет дочкам, которых знаем, и жене, которую надеемся узнать. Также Вашим сотрудникам. Продолжает ли работать у Вас Ингбер?

Крепко жму Вашу руку. Роллан сердечно кланяется и просит не забывать его.

Ваша Мария Павловна.

Приложение 4

Черновик письма А.Я Аросева
М.П. Кудашевой и Р. Роллану

Дорогие Мария Павловна и Romain Rolland!

Я исключительно был рад вчера развернуть перед собой Ваше долгожданное письмо. Оно пришло в те дни, когда я только что начал поправляться после неожиданного сердечного приступа, которые со мной случаются не периодически и всегда неожиданно. Говорят — переутомление, но ведь миллионы и миллионы переутомляются, и не каждый подвергается accés de coeur[1].

Много, почти каждую пятидневку, 2—3 раза я выступаю с докладами о международном положении и, в особенности, об испанских событиях. Они, конечно, в центре внимания нас всех.

Недавно принимал испанского посла Pascua. Было много гостей. Я сказал ему среди небольших банальностей несколько слов об испанских писателях, в частности, о Сендере, о его «Семь красных воскресений». Это немного наивный, но очень свежий и хороший роман. Нет, не роман, — хотя автор его так называет, — а собрание картин борьбы испанских рабочих. К сожалению, Pascua отвечал больше реверансами и благодарениями, чем по существу. Впрочем, он оговорился: «Ma situation est trés delicate»[2].

Деликатность его situation, между прочим, состоит в том, что вся его семья у белых. Что с ней, он не знает.

Как бы там ни было, в Москве посол принят отменно хорошо, думаю, его душе у нас тепло, насколько это может быть, если семья в звериных лапах.

То, что на Вас, дорогая Мария Павловна, и на Romain Rolland произвело текущее впечатление — на нас произвело такое, что для

---

[1] Сердечный приступ (*фр.*).

[2] Моя ситуация очень деликатная (*фр.*).

обозначения его в dictionnaire[1] любого языка нет еще имени. Мы живем в эпоху, когда «ход вещей опережает ход идей», и поэтому факты — впереди их наименований. Сказать правду, именно это впечатление и разбудило во мне прежние, юношеские домыслы, толкнувшие меня на революционный путь, — может ли человек в какой форме и в какой мере властвовать над другим, а тем более наказывать. Под этим впечатлением я и писал Romain Rolland'у вопрос — воспитание или наказание? В первом случае — придуманное воздействие, во втором — контрдействие, вызывающее контрконтрдействие и так далее.

Конечно, я далек от толстовского непротивления злу, но нет ничего легче, как начисто отбрасывать какую-либо теорию, например, Толстого. А между тем, она соткана из таких идей — прочных ниток, которые пригодились бы будущему человеку. Ленин не отбрасывал начисто Толстого. Когда я раскрываю любую книгу Льва Толстого, в любой час дня или ночи, — во мне с первых же его слов начинает совершаться какое-то утро. Совершенно такое же ощущение я испытываю, когда читаю Romain Rolland'a. Первые его книги «Jean Cristof» я читал в ссылке. Эта «утренность» Romain Rolland'a и Толстого происходит от того, что и тот и другой с первых же строк начинают, как бересту на дереве, отворачивать и выносить на свет божий все ранее сложившиеся навыки мысли и по поводу каждой они начинают мучить — красиво мучить вопросом: так ли это? Верно ли это? Надо ли это?

Так ребенок просыпается утром и начинает удивляться: кресло ли это, которое от видел вчера, засыпая, тот ли это занавес, которым он вчера закрыл черноту окна, и т.д.

Переборка и проверка старых ценностей делается не только вследствие скепсиса, а вследствие его плюс особого утреннего, солнечного удивления, в корне которого лежит ощущение, que la vie est ravissante[2].

Мне на днях предстояло читать большую публичную лекцию о Париже и ее интеллигенции по впечатлениям моего пребывания. Она была отменена вследствие болезни сердца, так вот, я готовился к ней и многих новых авторов французских перечитал (Chamson, Klech, Malraux) и больше всего Romain Rolland'a и, как всегда, только от него я «утренился» и обновлялся.

---

[1] Словарь (*фр.*).

[2] Жизнь прекрасна (*фр.*).

Malraux — большой, талантливый, острый, скользкий — какой-то современный и французский Леонид Андреев. Но он, в отличие от других молодых, много относится к плеяде необыкновенных, потому что он — лаборатория идей. Он не описатель, как почти все молодые теперь и у нас и на Западе. Это потому, что вещи несутся быстрее идей. Самые способные успевают едва их регистрировать, то есть описать.

Недавно в инженерном институте взял смелость и прочитал двухчасовую лекцию о Romain Rolland'e. Собственно тема ее была значительно уже: «Ромэн Роллан и наша революция». Я взял годы войны и первых раскатов нашей революции. Помимо статей и художественных вещей Romain Rolland'a я много пользовался его дневником, помещенным в «Октябре». Да не посетует на меня автор дневника.

После лекции были вопросы. Они почти все сводились к тому: приедет ли к нам еще раз Romain Rolland и над какими художественными вещами он работает. Ну, и разумеется, об отношении к испанским событиям. Мои ответы вызывали горячие аплодисменты и, в особенности, когда я сказал о том, что Romain Rolland изучает наш язык и снова думает быть в нашей стране.

Значит, не только я и мне подобные интеллигенты, но и масса чувствует, что когда Romain Rolland начинает писать, говорить или являться к нам, значит, наступает утро.

Простите, что я так много пишу обо всем этом, но я попал, кажется, в такой период, когда хочется все просмотреть и все снова оценить. Все, что мы и я сделали. Хотя мне по-русски писать в миллион раз легче, чем по-французски, тем не менее даже и на родном языке в письмах не все выразишь, что хотелось бы. Все равно останется по словам лучшего русского поэта наших дней — Сергея Васильева:

«Сколько связано — не развязано,
Сколько сгублено за пятак.
Сколько стерплено, да не сказано.
Сколько сказано, да не так».

Поэтому очень хотелось бы снова видеть Вас, и послушать Вас, и сказать Вам. А пока будем ждать «Творческих эпох Бетховена», каковые суть — творческие эпохи их автора.

Надеюсь, на будущий год будем говорить с Romain Rolland'ом по-русски, а, может быть, по... испански. Черт знает, как в человеке сильно старое: хочется в Испанию, в седло, с винтовкой и рыскать среди презираемой смерти в атаку, в атаку. Нетерпенье победы – вот что лихорадит каждый день. Я думаю, тут и Толстой был бы с нами, потому что с нами любовь к человеку и к утру.

Андре Жида я не видел (загораживал Эрбар). Завидовать Жиду не стоит. Он много ездил, но мало видел или, вернее, видел, да только глазами – самым примитивным органом зрения. Вы читали в окт. книжке N.R.F. его статью о Dabit[1]? А в особенности, примечание к одному месту этой статьи, такое примечание в то время, когда в горах Гвадаррамы горные потоки стали красными! Нет, нет, он мало видел. Но это между нами.

Писателя Hans'a Huhlenstein'a я не знаю. Найду что-либо о нем, буду читать. И буду ждать его. Пусть телеграфирует день прибытия.

Ингбер работает у нас. Недавно его чистили, но оставили. Он – чудак, добряк и какой-то внутренний француз.

Ну, вот пока и все. Хотелось бы теперь знать, долго ли Вы и Romain Rolland будете испытывать мое терпение не-ответом? Простите за каламбур, он – плод моего нетерпения говорить с Вами. Извинитесь перед Romain Rolland'ом, что я пишу письмо и Вам, и ему, а его все время упоминаю в третьем лице. Это произошло как-то нечаянно у меня, от подсознания, что читательницей письма будете только Вы.

Хотел его, письмо, перевести на французский язык, да как-то это не интимно будет. Пожалуйста, Мария Павловна, может быть, Вы сами, читая, переведете дорогому Romain Rolland'у, если слова мои Вам не наскучат.

Скажите, позволили бы Вы прислать Вам одно мое «рукоделье» на прочтение? Небольшое.

Сердечно Ваш Ал. Аросев.

26.X.36 г.
под Москвой «Сосны»
(пишите на Дом Правительства,
я здесь еще лишь неделю).

---

[1] Статья о французском писателе Эжене Даби, опубликованная в октябрьском номере журнала «La nouvelle revue française».

Приложение 5

Публикация о сборнике воспоминаний А.Я. Аросева в газете «Правда»

«Реклама врагу»

Тов. А. Аросев решил сохранить для истории воспоминания об Октябрьской революции в Москве. В серии «Библиотека "Огонька"» он выпустил в нынешнем году брошюру «В октябре 1917 года». Дело заслуживало бы всяческих похвал, если бы... если бы автор сколько-нибудь добросовестно выполнил свою задачу.

Тут-то и загвоздка. Что можно сказать по поводу этих воспоминаний, если из них выпал... рабочий класс? В брошюре Аросева действуют солдаты, прапорщики (сам тов. Аросев был тогда прапорщиком) — на стороне революции, генералы, полковники, юнкера — на стороне контрреволюции. И все.

Заслуженное возмущение читателя вызывает конец брошюры, где автор, что называется, «под занавес» выводит... Томского, создавая ему ничем не заслуженную славу. Откуда такое трогательное «внимание» к человеку, боровшемуся против партии в рядах ее отъявленных врагов?

«Правда» 19.12.36

Приложение 6

Черновик статьи А.Я. Аросева на смерть Орджоникидзе

«Орел нашей партии»

Утрата неутомимого бойца и творца Серго Орджоникидзе есть утрата редкого кристаллически красивого человека. Забота о человеке у Серго была всегда его внутренним руководящим лозунгом. Его львиное сердце было одновременно и боевым и любящим. Серго был человек-магнит, манящий к себе. Кто раз смотрел в его пламенные глаза, кто хоть раз пожал его смелую руку, для того потеря Серго есть потеря и руководителя, и брата. Его исключительная душевность и чуткость делают его родным всякому, кто имел с ним дело и шел с ним в ногу в деле гигантского социалистического строительства.

Тысячи, десятки тысяч, сотни тысяч партийных и беспартийных друзей и товарищей сегодня поникнут головой оттого, что никогда больше не согреет их Серго своим прозрачным светом и никогда больше не примет их ладони в свои горячие творческие руки.

Серго — это соединение пламенного борца и друга в делах повседневных.

Серго — это слиянность правила и совести.

Многие и многие могут засвидетельствовать, как этот орел нашей партии принимал у себя людей по самым разнообразным нуждам, как он впитывал в себя все, что ему говорилось, как он умел сразу уловить зерно вопроса, как он никогда никому не сказал пустословных утешений, зато каждому сбившемуся с пути, указывал путь и готов был сам его нести на своих орлиных крыльях. От этой готовности надорвал свое сердце.

И не стало ширококрылого орла. Опустились замертво его крылья, и нам, оставшимся, видевшим его, говорившим о нем, стоявшим иногда под его могучими крыльями, стало холодно и ненастно.

Но пламень Орджоникидзева сердца прогрел глубоко нашу родную землю. Мы опять зажжем факелы его огнем и пойдем вперед с его словами, с его делами.

Приложение 7

«О вельможе»
Из выступления тов. Белянец на собрании партактива Советского района.

«В нашей партийной организации Всесоюзного общества культурной связи осталось всего одиннадцать человек. Только за последний месяц от нас ушло 7 коммунистов. Почему ушли эти люди? Такое уже положение в нашей организации: если коммунист осмелится выступить с критикой, то должен обязательно уйти, а если не уйдет сам, его уволят.

В "Правде" появилась корреспонденция «Реклама врагу», посвященная руководителю общества т. Аросеву. Решили провести собрание, на котором хотели обсудить заметку. Созывали и отменяли это собрание бесконечное количество раз: то т. Аросев занят, прийти не может, у него прием, то из райкома звонят, что нужно собрание отменить. Наконец все же собрались.

Я задала вопрос Аросеву: "Как вы реагируете на эту заметку?" Он ответил: "Когда будет напечатан в "Правде" мой ответ, тогда вы его прочтете".

После этого собрания обострились отношения между секретарем парткома тов. Мельниковым и тов. Аросевым. Тов. Аросев заявил Мельникову, что если он скажет обо всем этом райкому, то уйдет из ВОКСа с запятнанной репутацией, и Мельников, конечно, из ВОКСа ушел.

Очень сильно развито у нас подхалимство. Самокритика отсутствует. Коммунистов у нас очень мало. Большинство из оставшихся коммунистов — так называемые "свои люди", которые и не помышляют о какой-либо критике.

Недавно райком прислал к нам на работу двух товарищей — тт. Попова и Прокофьева. Попов ходил целый месяц в ВОКС для того, чтобы переговорить с Аросевым, но так ему и не удалось это сделать до сих пор. Теперь т. Прокофьев ходит уже недели две, и когда ему удастся попасть на прием к Аросеву — неизвестно. Сегодня он мне заявил, что больше ходить не может. Я ему ответила, что я, парторг этого учреждения, для того, чтобы попасть на прием к т. Аросеву, должна заранее записаться и если я попадаю к нему один раз в пятидневку, то это большое счастье.

Несколько человек абсолютно "своих" людей — вот окружение т. Аросева. Я решила посмотреть, кто эти люди, хотела проверить их анкеты, но найти какие-либо сведения мне не удалось: таких сведений в ВОКСе нет.

Несколько слов о том, как у нас расправляются с неугодными т. Аросеву коммунистами. Вызвал тов. Аросев меня и говорит: "Белянец, представьте медицинское свидетельство, что вы имеете право работать, назначьте и немедленно проведите перевыборы парторга".

Я считаю, что бюро райкома должно было вмешаться значительно раньше в работу нашей организации и значительно активнее.

Мы безусловно должны уважать прошлое большевика, но если этот большевик превращается в вельможу и по-вельможному относится к своей партийной организации, его нужно жестко критиковать.

У нас создалось впечатление, что ВОКС отдан на откуп т. Аросеву, что партийная организация должна беспрекословно выполнять все его указания.

Райком партии обязан прислушаться к голосу коммунистов, помочь парторганизации ВОКС стать действительно боевой политической организацией.

Нужно освежить аппарат, дать нам хороших большевиков. Пусть они не знают иностранных языков, пусть не знают, какой пиджак надо надеть на прием — синий или черный — этому научим. Но пусть это будут проверенные люди, которые сумеют по-большевистски работать".

«Рабочая Москва», № 58 от 24.03.37

Приложение 8

Письмо Ромэна Роллана И.В. Сталину
(перевод с французского)

4 августа 1937 г.

Дорогой товарищ Сталин, я узнал из газет об аресте Александра Аросева и его жены. Я, естественно, не имею возможности знать причины этого и не позволяю себе давать их оценку. Но я хочу сказать следующее: за многие годы, в течение которых я имел с Аросевым частые встречи и переписку, он всегда проявлял по отношению к вам абсолютную верность и привязанность. Ни слова колебания или резерва. Он говорил о Вас с любовью и гордостью. Между тем, Аросев не является человеком, который способен скрывать свои чувства.

Добавлю, что я получил встревоженное письмо из Праги, от матери его жены, Терезы Фройнд, которая не получает сведений о своей дочери и зяте. Она предостерегает против возможного обвинения в наличии у Аросева отношений с сыном Терезы Фройнд, который является как будто марксистским оппозиционным писателем, но который, по ее утверждению, враг троцкизма, против которого он опубликовал много работ. Она уверяет, что Аросев находился с ним в плохих отношениях и что он ему никогда не писал.

Позвольте в заключение привлечь Ваше внимание к детям Аросева. Одному из них только 3 года. Они не имеют в Москве родственников. Аросев и его жена — оба больны сердечными болезнями.

Будьте добры дать им знать, что их детьми занимаются.

Верьте, дорогой товарищ Сталин, в мою неизменную преданность.

Ромэн Роллан

Письмо в ЦК ВКП(б) 20 августа1937 года
из наркомата иностранных дел
от зам. наркома В.П. Потемкина.

«Вестник», № 2, 1996 г,
Из архива президентского фонда РФ.

СОДЕРЖАНИЕ

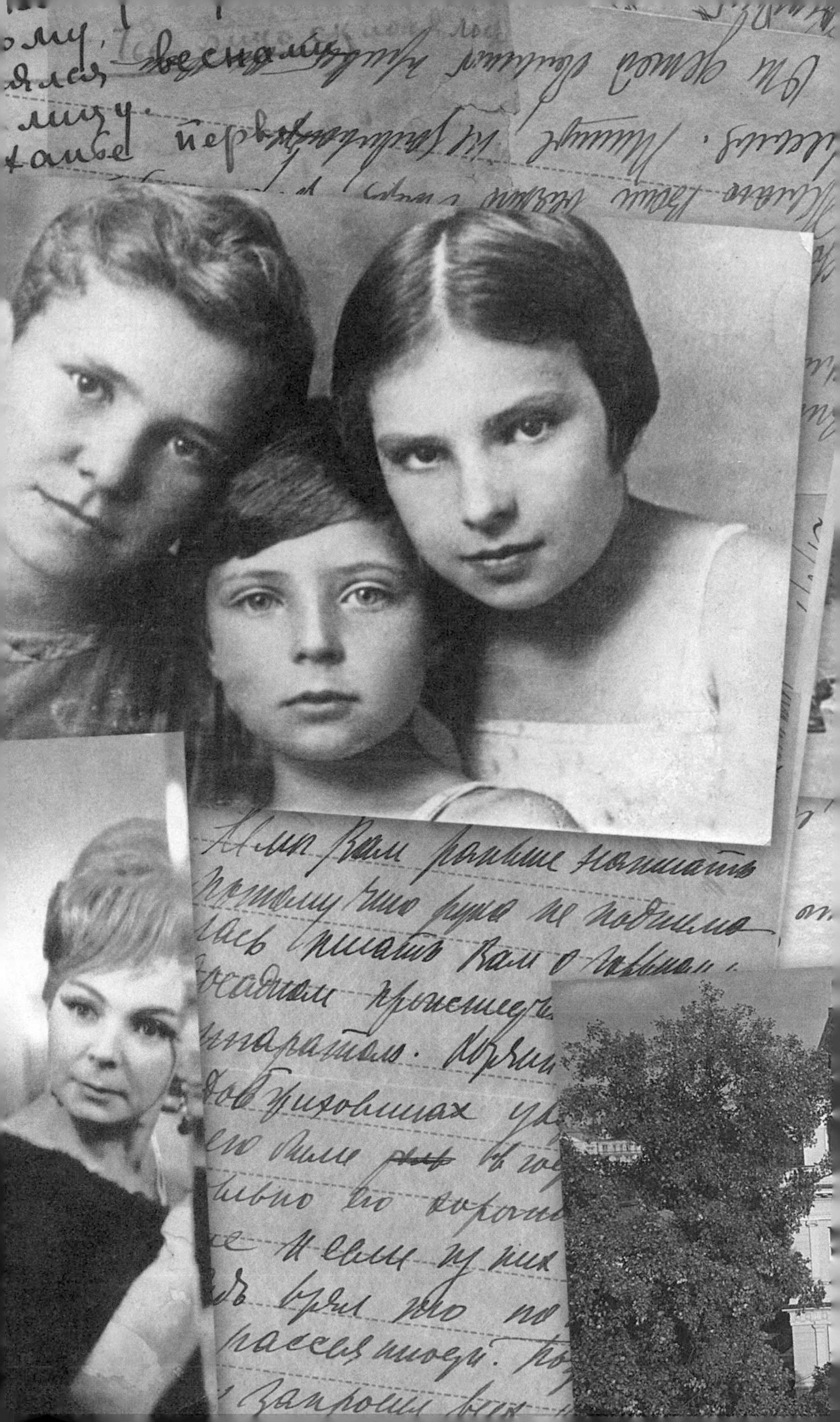